LE CHAMEAU SAUVAGE

Philippe Jaenada

LE CHAMEAU
SAUVAGE

À mes parents,
À Mathilde de Bouard.

staggering

underworld, gangsters

1

Un jour, ce n'est rien mais je le raconte tout de même, un jour d'hiver je me suis mis en tête de réparer le radiateur de ma salle de bains, un appareil à résistances fixé au-dessus de la porte. Il faisait froid et le radiateur ne fonctionnait plus (ces précisions peuvent paraître superflues : en effet, si le radiateur avait parfaitement fonctionné, un jour de grande chaleur, je ne me serais sans doute pas mis en tête de le réparer – je souligne simplement pour que l'on comprenne bien que ce premier dérapage vers le gouffre épouvantable n'était pas un effet de ma propre volonté, mais de celle, plus vague et pernicieuse, d'éléments extérieurs comme le climat parisien ou l'électroménager moderne : je ne suis pour rien dans le déclenchement de ce cauchemar). Dans le domaine de la réparation électrique, et d'ailleurs de la réparation en général, j'étais tout juste capable de remettre une prise débranchée dans les trous. Pas de prise à ce radiateur, évidemment. Mais je ne sais pas ce qui m'est passé sous le crâne ce jour-là, je me suis cru l'un de ces magiciens de la vie pour qui tout est facile (il faut dire que jamais encore je n'avais été confronté à de réels obstacles, ni dettes faramineuses, ni chagrins d'amour, ni maladies graves, ni problèmes d'honneur avec la pègre, ni pannes de radiateur, rien, peut-être un ongle cassé – alors naturellement, j'étais naïf).

J'ai pris soin de disjoncter le courant (bien entendu), puis je suis monté sur une chaise avec grâce et souplesse pour aller fouiller dans les fils. Des tas de fils de toutes les couleurs entremêlés, bleu rouge jaune, des soudures et des plaquettes, que je dérangeais au hasard du bout des doigts, que j'agitais distraitement comme un médecin qui voudrait guérir son patient de la grippe en le secouant un peu par les épaules – mais je me disais : les magiciens de la vie arrangent tout sans mode d'emploi, clic, souvent même sans y penser : la bagnole n'avance plus, attends je vais jeter un coup d'œil sur le moteur, voilà ça démarre ; Gérard ne veut pas venir ce soir, je lui passe un coup de fil, voilà il arrive ; le radiateur est cassé, je te répare ça, voilà ça chauffe. Je suis descendu serein de ma chaise – le petit bond léger du technicien de haut vol qui vient de remplir sa mission en sifflotant – pour aller remettre le courant. Non, ça ne fonctionnait pas. Étrange.

J'ai de nouveau disjoncté, fouillé dans les fils, remis le courant, ça ne marchait toujours pas, zut, je grimpe sur ma chaise, je ne vais pas me laisser décourager par deux ou trois échecs, ah ah c'est pas mon genre, j'y retourne, je ne sais plus combien de fois, je disjoncte, voyons voir, une pichenette ici, je rebranche, mince, flûte, c'est curieux, je remonte, je redescends, pas normal, je remonte… J'insistais comme une mouche butée qui se lance dix fois de suite contre une vitre, persuadée qu'elle va bien finir par réussir à la traverser.

Je m'énervais. Attendez, magiciens de la vie, j'arrive. Partez pas, les gars, je suis des vôtres. Voilà voilà. Putain de vitre, grogne la mouche, tu vas me laisser passer ? Après seize ou dix-sept mille essais, n'étant pas très carré d'esprit, j'ai fini par perdre le sens du rythme, de la succession logique et harmonieuse des opérations, c'est-à-dire que je me suis trompé dans l'ordre des choses – tête de linotte, j'ai bien pris soin de mettre le courant en marche avant de fourrer tranquillement mes doigts dans les fils : et bien sûr, là, une grosse boule jaune, coup de tonnerre, quelque chose comme un Boeing liquide qui me passe le mur du son dans tout le corps, la chaise, l'impression de voler en éclats et bang la tête contre l'émail, j'atterris disloqué au fond de la baignoire, derrière moi – je reste assis tordu là un bon quart d'heure, assommé, à regarder le bout de mes doigts brûlés, le radiateur là-haut, le trou de vidange en bas.

NE VOUS PRENEZ JAMAIS POUR UN
MAGICIEN DE LA VIE

Technicien de haut vol. Sur le coup, j'ai pensé que je l'avais échappé belle, eh ben mon vieux t'es pas passé loin, je n'ai vu là qu'un incident, spectaculaire et désagréable évidemment mais sans conséquence et vite souvenir, bonne petite histoire à raconter aux amis. Avec le recul, et pour glisser un brin de poésie par l'image dans ce texte un peu technique, je vois cette péripétie du saut foudroyant comme l'étincelle qui annonçait l'incendie. La différence, c'est que lorsque les brindilles ont pris et que le chasseur, disons, s'aperçoit effaré que les fougères s'enflamment entre ses bottes, il peut d'abord essayer de les piétiner furieusement, puis si rien n'y fait, il jette son fusil et se met à courir à grande vitesse à travers la forêt. Mais allez vous mettre à courir à grande vitesse à travers la vie, allez vous enfuir…

2

Je m'appelle Halvard Sanz et je suis né à Morsang-sur-Orge. J'étais traducteur de romans de gare, à l'époque de cette chute dans la baignoire.

Le lendemain, en début de soirée, je discutais avec ma sœur dans un bistrot russe, minuscule et sombre, près de la rue Montorgueil. J'y venais presque chaque soir, pour contempler les clients bizarres qui traînaient par là (peintres nuls, putes ratées, truands de seconde zone et vieux radoteurs qui clignotaient déjà) et déguster l'excellente vodka que l'on y servait pour dix francs le verre.

La patronne, Anna, était une Russe née à Moscou, et le patron Ernest un Camerounais de Douala parti étudier à Moscou, où ils s'étaient rencontrés. Je fréquentais leur bar pour sa clientèle pittoresque mais aussi pour la musique, mélange de folklores russe et camerounais (chacun des deux mettait à son tour une cassette de son choix). Ce principe servait également pour la décoration : chacun disposait d'un mur, ce qui créait une atmosphère pour le moins saisissante. L'endroit s'appelait « Le Charme slave » – je crois me souvenir que c'était une idée du mari.

Je bavardais donc avec ma sœur ce soir-là, lorsqu'un grand séducteur marseillais est venu s'asseoir près de nous, avec le sans-gêne et l'aisance d'un propriétaire qui vient s'assurer que nous sommes satisfaits. Il nous a adressé un clin d'œil complice en s'installant, puis a tapé dans ses mains :

– Un pastis, Olga !

La patronne (Anna, donc) s'est approchée de nous en souriant. J'ai cru qu'elle allait le mettre en miettes : elle était plutôt costaude et lui maigrelet, cassant. Mais elle a simplement posé ses deux mains à plat sur la table.

– Pas de pastis ici, petit trou de cul. Et je vais dire deux choses : si encore une fois tu gueules comme ça dans mon bar et si tu tapes dans les mains pour que je viens, je te jette dans la porte.

– Ha ha ha ! O.K., Olga, O.K. C'était pour rigoler. Donne-moi une vodka, je bois que ça ! Et de la meilleure, hein ! J'ai de quoi, t'en fais pas.

Il était splendide : une vingtaine d'années à peine, un accent du Vieux-Port à faire se gondoler les sardines, une mise en plis laquée – comme on n'en voit plus que dans les vieux catalogues *La Redoute* – posée sur un long, très long corps de bringue, un costume beige à fines rayures, des chaussures bicolores rutilantes : on aurait juré un

8

faux. Bon, je n'ai rien contre les Marseillais, attention, au contraire, il paraît qu'ils sont très sympathiques (trois ans après cette soirée, ma sœur en a épousé un, il est formidable ; et lors du mariage, il y en avait des tonnes, tous très sympathiques – même si je ne comprenais pas toujours ce qu'ils disaient), mais celui-ci faisait honte à la Canebière.

– Je m'appelle Hannibal, je suis le fils d'un caïd de Marseille. Et moi-même… La pègre, ça vous dit quelque chose ? Bon, motus. Je viens chercher deux trois affaires à Paname. J'ai cinq patates en liquide dans les poches, pour m'amuser ce soir, et le gros du paquet dans le coffre de l'hôtel. Je suis au Ritz, vous connaissez ? Si vous voulez, vous serez mes amis.

Ma sœur restait ébahie. Soufflée. Je l'avais amenée là pour lui faire goûter à cette ambiance camerouno-russe si particulière, mais je n'en espérais pas tant.

– Mais attention, les enfants. Quand j'ai un ami, c'est pour la vie. C'est comme ça, chez nous. Je meurs pour lui, s'il faut. Mais s'il est pas réglo avec moi, c'est lui qui meurt.

– Normal, Hannibal, a dit ma sœur.

Il l'a regardée avec respect. Mazette, ça sait causer, ces Parigotes. Un petit clin d'œil pour se ressaisir, avant de boire une gorgée de vodka sans la lâcher des yeux par-dessus le verre – ça sait vous envoûter une petite, ces Marseillais.

– Elle est splendide, ta femme. C'est ta femme, non ?

Comme je l'ai dit, je n'avais encore jamais été confronté à des situations dangereuses, mais l'instinct est l'un de ces mystères de la nature qu'il est inutile de chercher à expliquer.

– Oui. Content qu'elle te plaise.

– Elle me plaît, oui. Dommage. La femme d'un ami, c'est sacré, dans le milieu. Mais c'est dommage. Sérieux. J'aurais pu la rendre heureuse. Note bien que si je voulais… Parce que je fais toujours ce que je veux, faut le savoir. Surtout avec les dames. Enfin, un ami c'est un ami. Vous vous appelez comment, tous les deux ?

– Halvard Sanz.

– Pascale Sanz.

– Moi c'est Hannibal. Tout court. Nom de jeune fille ?

– Hein ? Moi ? Nom de jeune fille ? Blaise. Pascale Blaise.

– C'est joli, mais... T'as dû avoir des problèmes à l'école, hein, les jeux de mots... Non, excuse-moi, c'est vulgaire. J'aime pas être vulgaire avec les dames.

Il a continué à nous bassiner avec ses âneries de gangster d'opérette pendant un moment, puis, déjà pompette et s'interdisant au nom de la Règle et de la Bonne Mère de convoiter plus longtemps la femme d'un ami, il est parti jouer les truands en vacances devant d'autres clients plus réceptifs.

Finalement, le terrible Hannibal s'est fait sortir à coups de pied aux fesses (qu'il avait osseuses) par la douce Anna, bien qu'il ait payé plusieurs tournées générales et laissé chaque fois des pourboires dignes de ses ancêtres mafieux. Mais le malheureux avait voulu éprouver l'élasticité légendaire de la poitrine de la Belle Martine, vieille pute sénégalaise et dépressive qui passait sa vie ici – et qui, au passage, était belle comme je suis turc et s'appelait Martine comme je m'appelle Wilbur. Il n'a eu que le temps de jeter deux billets de cinq cents francs par-dessus son épaule (en bougonnant que c'était son péché mignon, les seins de femmes, et que de toute façon il faisait ce qu'il voulait, surtout avec les dames, il fallait le savoir), que le temps de faire sa révérence avant d'être jeté dans la porte.

Pascale et moi étions dehors une heure plus tard – ivres, Anna ayant comme à son habitude rempli plusieurs fois nos verres à la santé du président du Cameroun.

J'ai embrassé Pascale par la vitre de sa voiture et suis parti à pied vers chez moi. Après deux ou trois minutes de petits pas cahin-caha (Paris vacillait autour de moi), j'ai aperçu deux silhouettes à quelques dizaines de mètres – un petit gros chauve et un grand maigre avec une coiffure dans le style de La Redoute – qui semblaient avoir des mots, comme on dit. Sobre, j'aurais fait demi-tour sans hésiter et contourné le pâté de maisons (je suis couard, de nature). Mais débarrassé de toute appréhension par les tourbillons de vodka qui me bouleversaient l'esprit, j'ai continué droit sur eux pour aller voir un peu ce qui se passait par là-bas, tiens. Comme la mouche qui vole vers la vitre.

3

Je me suis arrêté près d'eux et me suis tranquillement posé là en spectateur, sans me soucier le moins du monde de l'incongruité de ma présence. Hannibal rudoyait un petit vieux qui le regardait rouge de panique, paralysé, les yeux exorbités : l'impuissance effarée de l'être humain face à sa destinée, pris dans le flot du temps qui passe.

– Donne ta chaîne, grognait Hannibal en plaquant une main sur le poitrail fragile du malheureux et en tirant de l'autre à petits coups secs sur la chaînette en or qu'il portait au cou.

– Je ne vous ai rien fait, laissez-moi tranquille.

– Donne-moi ta chaîne, vieux bâtard.

– Laissez-moi tranquille, répétait l'autre affolé, comme un poupon qui pleure quand on le secoue.

– Donne ta chaîne ou je t'éclate.

– Laissez-moi tranquille.

– Donne ta chaîne, je te dis.

– Laissez-moi tranquille.

– Je te préviens, je t'éclate…

– Je ne vous ai rien fait.

– Ta chaîne.

Je commençais à m'ennuyer ferme. Et surtout, je ne comprenais pas pourquoi le vieux opposait tant de résistance à Hannibal. Moi, je l'aurais donnée tout de suite, ma chaîne. Elle devait avoir une grande valeur sentimentale, cadeau d'une fiancée morte depuis cinquante ans, ou quelque chose comme ça. Une petite Auvergnate foudroyée par la tuberculose. N'empêche. Il tremblait de tous ses membres, se pissait dessus mais ne la lâchait pas.

— Donne ta chaîne.

— Aïe, vous me faites mal.

— Tu me cherches, hein ?

— Aidez-moi, vous !

Ah, je n'étais pas invisible. Comme Hannibal se mettait à le gifler avec une certaine violence et que je n'avais pas toute ma raison, je suis intervenu. Je n'aurais pas dû, bien sûr, tout le monde sait ça, mais l'alcool me donnait du zèle.

Alors ça, je me moquais bien de déranger un caïd de la pègre marseillaise dans son travail. Je lui ai posé une main sur l'épaule en souriant.

— Arrête d'ennuyer ce pauvre vieux, Hannibal.

— Va te faire foutre, toi.

— Hannibal. Laisse-le tranquille. Ça pourrait être ton grand-père.

— Tu parles pas de mon grand-père, s'il te plaît.

— Écoute… Je suis ton ami. Le mari de la belle femme, là.

— Casse-toi, connard.

Le vide au fond des yeux, en transe de petite frappe, il ne se contrôlait plus.

— Fais-moi plaisir, Hannibal. Écoute ton ami. À la vie à la mort, tu te rappelles ? Laisse-le filer. Pour moi.

— Lâche-moi. Je le laisserai partir quand il m'aura donné sa chaîne, cet enculé.

Il me répondait, ça marchait. Je n'avais pas vraiment envie de sauver le vieux chauve, mais quand il l'a écrasé contre le mur, lui a cogné la tête à plusieurs reprises

bolide. m. meteor, high-powered racing car

contre le béton et s'est mis à tirer comme un dément sur
sa chaîne, je n'ai pas hésité une seconde : il était grand
temps que j'entre en action. L'œil sévère, j'ai bousculé
mon ami (vertement) pour m'interposer. Face à un Hannibal estomaqué par mon culot, j'ai levé les mains – ce
qui signifiait clairement, à mon avis : « C'est fini, je ne
plaisante plus » – et l'ai fusillé du regard pour qu'il comprenne bien qu'il lui faudrait me passer sur le corps s'il
voulait continuer à molester le chenu. J'étais beau, j'étais
noble.

À ma grande fureur, il m'est passé sur le corps. Je me
suis immédiatement effondré comme une masse et suis
resté étendu au sol.

LAISSEZ LES JEUNES S'ATTAQUER AUX VIEUX, C'EST LA LOI DE LA NATURE

Je suis resté étendu au sol pour deux raisons. D'abord
parce que le choc avait résonné dans tout mon corps, me
brouillant même un instant la vue, ce qui m'avait paralysé de terreur. Ensuite parce que c'était le premier coup
de poing que je recevais de ma vie, que par conséquent je
n'avais aucun repère pour en estimer la force et ne savais
pas comment réagir (on voit rarement des types se relever comme des diables quand ils viennent de prendre un
direct formidable en pleine poire – ce n'était peut-être
pas un direct formidable, je n'en savais rien, justement,
mais dans le doute…).

Le vieux avait profité de cet incident entre les deux
amis pour s'enfuir. En redressant la tête, je l'ai vu détaler
comme un véritable bolide. C'était un spectacle étonnant, cette vieille pastèque sur pattes qui fonçait dans la
nuit. Cette vision m'a remis suffisamment de bonne
humeur pour continuer l'aventure (car évidemment,
Hannibal filait déjà sur ses traces, à longues enjambées
provençales). Je me suis lancé à leur poursuite. J'essayais
de foncer moi aussi, mais j'étais si hilare que je n'allais
pas très vite.

watermelon

Je les ai retrouvés en bien triste posture. Le vieux chauve était couché sur le dos au beau milieu de la rue, et Hannibal à califourchon dessus le rouait de coups. Le grand-père tenait plus à sa chaîne qu'à la vie (la petite Auvergnate, ça vous marque un homme pour le restant de ses jours), et la protégeait de ses deux mains en hurlant éperdument « Au voleur ! » La petite tuberculeuse devait danser la gigue dans sa tombe. Ça saignait, ça craquait, de la bouillie de vieille tête, de la mélasse aux rides. Là, tout de même, ça m'a dégrisé – on n'est pas de bois. Je me suis demandé comment ce vieux pouvait être aussi con, et avec cette fois le sincère désir de sauver mon prochain, même con, j'ai bondi sur le dos d'Hannibal comme une bête féroce (ah il fallait me voir, c'était magnifique, le puma qui saute de sa branche pour terrasser sa proie).

Ensuite, nous avons vécu tous les trois quelques secondes dramatiques. Je tirais les cheveux d'Hannibal pour libérer le vieux, je m'acharnais sur ses oreilles (bonnes prises, car il les avait amples), j'essayais de l'étrangler, je rugissais pour me donner de la force, en dessous le vieux n'arrêtait pas de brailler comme un porc qu'on torture et, pris en sandwich entre nous, Hannibal s'était mis à crier lui aussi, se sentant vaguement attaqué par-derrière. Les trois lutteurs hurlants : très spectaculaire. Rapidement, grâce à un coup de coude puissant et précis, Hannibal s'est débarrassé de moi. Je me suis retrouvé projeté de nouveau au sol et j'ai roulé dans le caniveau.

Mon intervention barbare a sans doute déboussolé le vieux, car Hannibal a enfin réussi à lui arracher sa précieuse chaîne. Il s'est enfui, d'abord en courant, puis non, en marchant.

Je me suis relevé tant bien que mal (cette fois je me sentais moins bien, j'avais l'impression d'avoir l'œil au fond du crâne). Le vieux chauve, assis sur le bitume, la tête en charpie, continuait à ululer au voleur comme un

14

lapin mécanique qui patine sur place contre un mur. Quel con.

– J'ai fait ce que j'ai pu, monsieur, je suis désolé. Ça va ? Vous auriez dû vous protéger le visage, plutôt.

– Au voleur ! On m'a volé ma chaîne !

– Je sais, oui. Je vais appeler un médecin, ne bougez pas.

– On m'a volé ma chaîne ! Au voleur !

Quel con. Bon, l'Auvergnate, d'accord. Je me suis retenu pour ne pas lui envoyer un coup de pied dans la bouche et suis parti à la recherche d'Hannibal pour récupérer la chaîne (j'ai ce soir-là accumulé les erreurs avec une constance hors du commun).

J'ai retrouvé le voleur sous un porche dans une rue voisine. Il contemplait son butin, calme, revenu de sa crise de folie délinquante. Comme après tous les paroxysmes, la redescente était pénible : abattu, il examinait son piteux trésor, presque honteux.

Je me suis mis à lui parler (sans me souvenir une seconde qu'il pouvait à tout moment me briser la mâchoire) pour qu'il me rende la chaîne, que je me chargerais de restituer à son propriétaire éploré – je ne sais quel élan crétin me poussait à tant de bienveillance envers le détroussé, qui geignait sans doute encore par terre dans sa rue de souffrance.

– Tu as des billets plein les poches et tu mets un pauvre type en morceaux pour une chaînette en plaqué…

– Je m'en fous, je la garde, je la mettrai, me disait-il, les yeux baissés. Excuse-moi pour tout à l'heure, au fait, mais tu m'énervais.

– Non, ne t'excuse pas, je n'ai rien senti. Et puis c'était normal, j'essayais de t'arracher les oreilles. Tu as eu un réflexe naturel.

– De toute façon, je fais ce que je veux. Faut le savoir.

Et là-dessus, il s'est éloigné comme si je n'existais plus. Je l'ai suivi. Abruti, je l'ai suivi. Nous avons marché pendant je ne sais combien de temps l'un à côté de l'autre, comme deux matelots dépressifs dans la nuit glaciale.

Nous avons fini par échouer au bord de la rue de Rivoli, il est monté dans un taxi qui traînait et j'ai fait une ultime tentative, va-tout vibrant d'émotion, misant sur un remords de dernière seconde. Il a claqué la portière sans m'avoir rendu le quart d'un maillon. C'est le seul coup de chance que j'aie eu de la soirée.

Tout enveloppé d'émouvantes pensées d'ivrogne, j'ai regardé s'éloigner le taxi (« Va, Hannibal, nos routes ne se croiseront plus, va à ton existence de petit casseur, va à ta misère, je ne saurai jamais ce que tu es devenu »), je regardais s'éloigner le taxi, s'éloigner le taxi – ces choses d'ivrogne, c'est à peu près ce que l'on devrait ressentir toujours en voyant quelqu'un disparaître, aller se fondre à jamais dans le monde ; mais sobre, on pense vite à autre chose.

Sur le chemin qui me ramenait chez moi, je suis passé par la rue où j'avais laissé le massacré, riant par avance à l'idée de le trouver toujours assis disloqué à hurler au voleur. Mais non, il ne restait qu'un peu de son sang, rouge sombre sur le macadam, une trace scandalisée.

À quelques pas de la porte de mon immeuble, j'ai croisé une voiture au ralenti qui bringuebalait et ferraillait de partout. Dix mètres plus loin, elle a freiné brusquement avec un crissement de cinéma. La portière arrière s'est ouverte et j'ai vu en sortir la tête tuméfiée du vieux chauve.

– C'EST LUI !

Oui, c'est moi. Quelque chose dans le ton de sa voix m'a prévenu que je n'allais pas voir sortir de la voiture une hôtesse en maillot de bain qui viendrait déposer un gros bouquet de fleurs à mes pieds en récitant quelque compliment pour louer mon altruisme et mon courage. Pourtant, hein… Il avait la voix d'un fou sanguinaire.

Je m'attendais plutôt à voir surgir un bataillon de mercenaires assassins – en maillot de bain peut-être, mais bon.

16

Deux personnes blondes sont sorties de la voiture. À première vue, peu aimables. Mais refusant de céder au pessimisme et aux préjugés, je me suis contenté de remarquer deux visages disgracieux : un homme et une femme (je ne l'ai compris que quelques instants plus tard – sur le coup, j'ai vu deux molosses), vêtus de manière à peu près identique, en blouson de cuir noir. Dans mon souvenir, je les revois mâchoires serrées, lèvres retroussées, narines dilatées et frémissantes, front barré de veines saillantes, mais c'est probablement une sorte d'hallucination rétrospective. La femelle avait l'avant-bras droit plâtré. C'était donc le mâle qui allait tenter de me régler mon compte. Je n'avais rien fait de mal, de toute façon. Il ne fallait pas que je m'inquiète, je n'avais rien fait de mal. Je les regardais sans bouger d'un centimètre (car je n'avais rien à craindre).

– ATTRAPEZ-LE !

Ce vieux commençait à me taper sur les nerfs. M'attraper ? Mais non, voyons, c'est ridicule. Je n'ai rien à craindre. Il ne faut pas paniquer comme ça, Halvard. Je reste là, ils ne vont pas essayer de m'attraper. Ou alors je n'ai vraiment pas de chance.

FUYEZ TOUJOURS À LA PREMIÈRE ALERTE

Ils se sont rués vers moi comme deux bouledogues. Je n'avais rien fait de mal, pourtant, je le répète.

4

Sûr de mon innocence, je n'ai pas bougé ni bronché lorsque le mâle m'a percuté en plein poitrail d'un coup d'épaule, comme on enfonce une porte, ce qui m'a projeté fort contre une voiture (pas bronché, c'est exagéré – j'ai tout de même dû pousser un râle, je suppose). Pendant que la… femme (je n'arrive pas à m'y faire) se tenait

17

prête à m'estourbir d'un coup de plâtre à la moindre pro-
testation, il m'a empoigné par les cheveux.

– ALLEZ-Y! ALLEZ-Y! hurlait le vieillard cruel.

Ils y allaient, ils y allaient. Grâce à la bonne prise qu'il
avait en ma chevelure, l'homme a pu me faire pivoter et
me frapper la tête sur le toit de la voiture – jaune. J'ai vu
quelques étoiles, mais je commençais à bien assimiler
ces sensations nouvelles. Derrière moi, j'ai entendu une
sorte de cliquetis métallique, facile à reconnaître quand
on l'a dans le dos : il venait d'ouvrir un cran d'arrêt.

J'ai pensé qu'il était grand temps de me débattre. Mais
alors, j'ai vu avec horreur le fourbe « grand temps de » se
métamorphoser en « trop tard pour ». Mes reins se sont
contractés comme deux petits animaux terrorisés. Par
avance, j'ai senti la douleur aiguë du fer qui les déchire. Il
me restait environ quatre secondes à vivre.

Durant ces quatre secondes, une scène de ma vie
m'est revenue à l'esprit – une scène que j'avais oubliée,
sans importance ni valeur sentimentale, rien.

Sept ou huit ans plus tôt, dans le studio que j'habitais
à l'époque, je suis couché sur mon matelas posé par
terre, sur le ventre, et je mange à la cuillère de la purée
Mousseline au gruyère, à même la casserole. Le jour se
lève derrière la petite fenêtre, sur ma droite. À côté de
moi dort une fille dont je ne me souviens ni du nom ni
du visage. Je vois seulement, là près de moi dans le lit,
ses cheveux roux défaits. Je mange lentement et me dis
que cette purée est délicieuse, que c'est un bon moment,
le jour qui se lève, pâle, la nourriture chaude et molle, les
cheveux roux de la fille, le jour qui se lève doucement, la
fille qui dort, ma casserole.

Plaqué sur cette voiture jaune, cette scène m'est apparue comme l'illustration parfaite du bonheur terrestre.
Manger de la purée dans une casserole au lever du jour,
avant de dormir, allongé près d'une fille, ses cheveux, la
fenêtre. Que demander de plus ? Elle s'appelait Pim-
pette, tiens – son surnom, en tout cas. Par malheur, c'est
deux secondes avant de mourir (car le temps passe, l'air

18

de rien) que je saisissais pour la première fois, de manière secrète et lumineuse contre le toit de cette voiture, le plaisir qu'on peut prendre à vivre.

Cela m'a mis dans une telle colère que j'aurais pu soulever la voiture jaune et la balancer derrière moi sur le crâne de mon assassin pour l'empêcher de me prendre la vie, s'il m'en avait laissé le temps. Mais il m'a tiré les deux bras en arrière et clac m'a passé des menottes.

J'aurais aimé le prendre dans mes bras, cet homme (mais ce n'était pas possible). Je me sentais attaché, je me sentais prisonnier, donc en vie.

Un voisin qui avait sans doute observé la scène de sa fenêtre est arrivé en courant à ce moment-là, affolé par la violence de mon arrestation.

– Mais enfin, laissez-le, je le connais ! Ce n'est pas un voyou, il n'a rien fait, laissez-le !

La femme l'a écarté du bras, assez fermement pour qu'il comprenne qu'on ne lui avait pas demandé son avis sur l'affaire. Comme il continuait à crier à l'erreur judiciaire, je lui ai adressé le regard de celui qui ne comprend pas grand-chose non plus mais qui reste serein malgré tout, car il sait que le bout du tunnel est proche. Je ne voulais pas l'affoler.

Tout à mon euphorie de sursitaire, je ne songeais pas à trouver vraiment anormal qu'on m'arrête. Il me semblait même qu'enfin les choses rentraient dans l'ordre. J'avais bien, confusément au fond de la conscience, une petite sensation d'injustice, mais ce qui colorait globalement mon humeur, c'était un sentiment de confortable sécurité, de paix : j'étais aux mains de la police, sur des rails solides et rassurants, et le péril mortel se transformait soudain en malentendu comique, qui serait balayé en quelques mots.

Aussi, installé à l'arrière de la voiture (le blond a pris le volant et la blonde s'est assise à côté de moi ; elle me semblait à présent plus sympathique, ce bras noble et valeureux avait sans doute été sacrifié pour sauver la vie d'un veuf ou d'une orpheline – et je n'étais pas mécontent de ne pas me retrouver derrière avec le vieux faux témoin hystérique), j'ai annoncé en souriant, ravi par avance de l'effet qu'allaient produire mes révélations et déjà prêt à leur pardonner, car ils ne pouvaient pas savoir, après tout, ils ne faisaient que leur boulot :

– Je crois que vous commettez une petite erreur. Je ne suis pour rien dans ce qui est arrivé à ce brave monsieur, l'émotion a dû lui troubler un peu l'esprit. J'ai essayé de le défendre, au contraire. Mais vous ne pouviez pas savoir, bien sûr. Vous faites votre boulot, après tout. Eh oui. Voilà. Bien sûr. On ne peut pas vous en vouloir. Hein ?

– Ta gueule !

Quand la femme sympathique m'a interrompu de la sorte, en m'envoyant dans les côtes son bras noble et valeureux, j'ai compris que, pour que la lumière soit faite, il allait falloir que j'attende d'être au commissariat, que je m'adresse à leurs supérieurs, hommes de dialogue et d'esprit – car visiblement, ces deux employés de base n'avaient pas été formés pour comprendre. Les grades ne sont pas faits pour les chiens. C'était la première fois de ma vie que j'avais affaire à la police.

5

Chacun me tenant par un coude, les deux as de la capture m'ont traîné sans ménagement à travers la grande salle sinistre du commissariat, et m'ont jeté sur un banc au fond.

– À partir de maintenant, m'a indiqué le mâle, à chaque fois que tu ouvres ta gueule, tu prends une mandale.

– D'accord.

– Ta gueule.

J'étais assis près de trois ou quatre types éteints comme de vieilles lampes au fond d'une remise, menottés eux aussi, l'air amer mais résigné. Ils ne m'accordaient pas la moindre attention et, de mon côté, je n'ai pas cherché non plus à briser la glace, car je ne les sentais pas très sociables – de toute manière, pour éviter la mandale, il aurait fallu que je m'exprime par gestes (et encore, avec les menottes… Par grimaces, plutôt, ce qui n'est pas terrible pour lier connaissance). Pourtant, je ne pouvais m'empêcher d'éprouver un sentiment de fraternité à l'égard de ces proies de police, pauvres gibiers de potence. La différence, bien sûr, et malheureusement pour eux, c'est que j'allais être relâché dans quelques minutes. Et je ne pourrais rien pour eux. J'éprouverais sans doute un peu de honte, à partir ainsi, sans me retourner. Bah.

En face de nous dans la salle, dans ce bain d'air fade sous les néons blafards, des machines à écrire claquotaient et des flics en civil ou en uniforme traçaient mollement entre les murs des diagonales qui semblaient inutiles, posaient une feuille, prenaient un tampon, un stylo, s'asseyaient, entraient, sortaient, passaient sans se presser – tout cela ressemblait à une sorte de ballet ennuyeux et négligemment exécuté, « La parade de nos policiers au travail ». Et sur une chaise au milieu de ce cirque lugubre était assis mon petit vieux. Tout meurtri, tout con.

Il me fixait méchamment, en marmonnant je ne sais quelles injures ou menaces entre ses dents. Je commençais à trouver le temps long. On ne s'occupait pas tellement de moi, par ici. Mes deux agresseurs avaient disparu. Certainement repartis vers d'autres exploits, vers d'autres bonnes prises.

– T'as une clope, mon frère ? a murmuré mon voisin.

J'ai jeté un coup d'œil sur mon frère (un tueur de la pire espèce), puis vers la salle pour voir si aucune mandale ne lui arrivait sur la gueule, non, et j'ai fouillé comme j'ai pu dans mon manteau pour en sortir mes cigarettes et mon briquet. Visiblement bien plus expérimenté, plus à l'aise que moi menottes aux poignets (quelques heures de vol derrière lui), il s'en est allumé une et a remis le paquet et le briquet dans ma poche. C'est à ce moment qu'une mandale surgie de l'autre bout de la pièce comme une fusée lui est arrivée sur la gueule. Je n'aurais pas aimé la prendre. Le type qui avait bondi vers nous faisait peur à voir.

– Vous avez pas le droit de me frapper !

– Et toi Mohamed, ou Rachid, t'as le droit de fermer ta gueule et c'est tout.

– Vous pouvez pas…

– Ta gueule !

(Ce type effrayant est probablement un flic, me suis-je dit.)

– On fume pas ici, a repris le flic. Tu le sais très bien. Bon, puisque je suis là, viens, tu vas me raconter ta vie.

Tout en disant cela, il lui a saisi l'avant-bras pour l'inciter à se lever. À ce moment, mon frère a commis une petite maladresse : il a esquissé un léger mouvement de recul, comme pour faire comprendre qu'il était assez grand pour se lever tout seul.

Je crois savoir que le fonctionnaire de police, en général, n'accepte pas le principe de la rébellion. Celui-ci n'échappait pas à la règle. Il a empoigné Mohamed ou Rachid d'une main par les menottes, de l'autre par les cheveux, et l'a soulevé du banc comme on arrache une mauvaise herbe, tchac. Puis il a essayé de le conduire jusqu'à un bureau, à travers la salle où paradaient les pauvres flics-majorettes. Mais ce couillon de Mohamed ou Rachid s'est mis à se débattre comme un beau diable – ce qu'il ne faut jamais faire.

– Lâchez-moi ! Vous avez pas le droit ! Je veux un avocat ! Lâchez-moi !

– C'est pas la peine de te fatiguer à crier, ici personne ne peut t'entendre.

En fin de compte, ce flic n'était pas dénué d'humour. Mais Mohamed ou Rachid, lui, ne semblait pas d'humeur à plaisanter. Manifestement sur les nerfs, il a même un peu perdu les pédales.

– Lâche-moi ! Je veux un avocat, enculé !

Enculé, moi, j'aurais évité. Car je suis malin. C'est mal passé, enculé. Adieu le flegme britannique de notre fonctionnaire. Il a répondu, sur le même ton, qu'il allait lui apprendre la politesse, connard, qu'il n'avait droit à rien, que la garde à vue était faite pour ça – toutes ces explications en le frappant sur la tête et en lui donnant de bons coups de genou dans les reins. Désagréable à regarder. Deux collègues aussi nerveux sont venus en renfort et mon pauvre frère, qui hurlait et se démenait de plus belle, a disparu sous les coups dans un bureau.

Mon vieux chauve, n'ayant rien raté de la scène, a sans doute compris que l'endroit obéissait à des lois hiérarchiques bien précises et que ceux qui se trouvaient sur le banc, menottes aux poignets, n'appartenaient pas au camp des dominants. Il s'est mis à m'injurier à voix un peu plus haute. J'étais de la vermine, il pouvait y aller.

– Tu croyais que tu allais pouvoir t'en tirer comme ça ? Dis ? Tu crois qu'il n'y a pas de police, dans ce pays ? Espèce de voyou, tu vois où ça te mène ? Tu sais ce qui t'attend ? (C'était lui qui posait les questions, visiblement.) Je suis dans le quartier depuis soixante ans, crétin. Tu vas en baver, fais-moi confiance. Ordure. Je connais le commissaire. Ça te cloue le bec, ça, hein ? Je vais te faire passer le restant de tes jours en taule, fils de pute !

Il exagère, là.

– Calmez-vous, grand-père, a fait distraitement un inspecteur sans lever les yeux de sa machine.

Le vieux a hoché la tête d'un air entendu (ce qui devait signifier à peu près : « O.K., collègue, O.K., je contrôle ») et, après un moment de silence docile, a repris sa litanie délirante sans que l'inspecteur ne se fatigue plus à intervenir. Quand il a déclaré qu'il m'avait bien repéré, depuis quelques semaines, rôdant sournoisement autour de sa boutique, j'ai pensé qu'il était temps, malgré la cinglante punition que j'encourais, de tenter un mot de défense.

– Écoutez, vous savez parfaitement que j'ai essayé de vous aider.

Cette fois, le flic à la machine a relevé la tête.

– Tais-toi.

Un marginal, celui-ci, un poli. Une forte tête. Il a regardé longuement le vieux con cramoisi (qui tremblait d'indignation) d'un œil perplexe, semblant enfin comprendre qu'il y avait là, au milieu de la grande salle, sur une chaise, un mégalomane névrotique pris à la gorge par une violente crise de paranoïa. Mais, bon, il a enfoncé une nouvelle touche sur sa machine. Pas de temps à perdre avec ces broutilles. Je ne me sentais plus très à l'aise.

C'est à ce moment qu'un être humain, avec tout ce que ces deux mots comportent de touchant et de merveilleux, un être humain sublime et merveilleux a fait irruption dans le commissariat, hors d'haleine et merveilleux.

6

C'était mon voisin. Celui qui avait assisté à mon arrestation. Ah le brave homme, l'ami de la vérité, le bouclier des innocents, il avait couru jusque-là, le marathonien de la bonne justice pour tous, le fils d'Aide Humanitaire et de Secours Catholique. C'était mon témoin.

Rouge comme un dément, donc, en nage malgré le froid, hoquetant, haletant, les yeux hors de la tête (c'était presque inquiétant – ils auraient pu tout aussi bien le cribler de balles, par réflexe), il s'est adressé au premier bureau près de la porte.

– Écoutez... Écoutez, il n'a rien fait. J'en suis sûr. C'est... Je sais que... Je suis sûr que... Attendez...

Dans ses efforts pour enrayer au plus vite le redoutable mécanisme de l'erreur judiciaire, le brave homme s'embrouillait, s'étouffait sous les yeux ébahis de gendarmes et voleurs qui ne comprenaient ni de qui il parlait, ni de quoi il était sûr (et sous les miens, d'yeux, vibrants d'espoir et d'encouragements (« Vas-y, petit, vas-y ! »)). Lorsqu'il m'a désigné du doigt en reprenant son souffle, tous les visages se sont tournés vers moi, tous ces visages d'une laideur épouvantable. On s'intéressait à moi, mais enfin, bon. Non, je n'étais pas à l'aise.

– Je suis sûr qu'il n'a rien fait, je le connais très bien, c'est mon voisin…

– MAIS ARRÊTEZ-LE, CELUI-LÀ AUSSI !

– Bon, tu vas fermer ta gueule, Pépé, a grogné un inspecteur. Tu commences à nous les casser.

(Miel à mes oreilles…)

– Venez, a dit un autre flic au vieux, ne restez pas là, suivez-moi, je vais prendre votre déposition.

Le vieux s'est levé avec beaucoup de circonspection et l'a suivi vers une pièce voisine, en jetant autour de lui des regards angoissés, comme s'il se demandait soudain si tous ces gars en uniforme, dont il ne se méfiait pas jusqu'alors, ne faisaient pas eux aussi partie du complot.

– Tu vas payer, ne t'inquiète pas, m'a-t-il lancé avant d'être emmené par le flic.

Là-dessus, on a prié mon témoin de se mêler de ses oignons et de foutre le camp. Comme il insistait, en faisant remarquer à juste titre que c'était une honte d'entendre des choses pareilles, on lui a laissé le choix entre la fuite et la garde à vue. Sur un nouveau clin d'œil confiant de ma part (car je trouvais qu'il avait déjà beaucoup fait pour moi et craignais qu'il n'ait à le regretter), il a opté à contrecœur pour la fuite.

Je ne savais vraiment plus que penser. Ma confiance en la justice et en mon ange gardien (Oscar, il faudra que j'en parle) s'étiolait au fil des minutes. Pour qu'un témoin (qui n'avait rien vu, mais personne n'était censé le savoir) soit négligé de la sorte, récusé aussi malhonnêtement, il fallait vraiment qu'ils aient envie de me coffrer coûte que coûte, de me lyncher en douce, à l'abri du monde et des médias. (D'un autre côté, je les comprenais : il faut reconnaître que mon homme, échevelé bafouilleur écarlate, n'offrait pas toutes les garanties de fiabilité en matière de témoignage, et ne pas le prendre au sérieux ne relevait pas complètement de l'aberration.) Mais disons que la tournure globale des choses, cette notion de tournure, me tracassait vaguement.

Là-bas sur une table, perdu au milieu de la police, je voyais mon sac. Ce sac que je ne quittais jamais. Ce sac qui, après tant d'années, était devenu un véritable organe externe. Qui contenait toutes mes armes pour affronter tout. Un de ces sacs d'enfant, en bandoulière, à carreaux verts et rouges, ces sacs dans lesquels on met sa banane et sa serviette de piscine pour aller au centre aéré. Maintenant, loin de moi et tout avachi, il m'attendait sur une table en formica. Un sac matelot, ça s'appelle.

7

Trois heures plus tard, j'étais toujours assis sur le banc, oublié là. Je n'étais plus qu'un élément du décor de ce petit théâtre cafardeux, au même titre qu'un portemanteau ou qu'une chaise de bureau.

Ils ne se demandaient pas ce que je faisais là ? Ils ne m'interrogeaient pas ? Ne me fouillaient pas ?

J'avais bien essayé une ou deux fois de demander timidement si l'on s'occupait de moi, mais n'avais reçu en réponse que des regards vides à la surface de faces vides, au mieux des regards méprisants, mais finalement pas si surpris d'entendre parler un portemanteau. Je me sentais comme le dernier cornichon au fond du bocal, dédaigné, oublié là parmi les grains de moutarde et les sales petits oignons, le cornichon que personne ne va chercher dans la saumure.

Un moment plus tard, l'un de mes geôliers a attrapé mon sac, est venu me prendre et m'a amené jusqu'au bureau d'accueil, sur lequel se trouvait la main courante. Je sors, je vais sortir, la main courante, je sors.

– Ton nom ?

– Halvard Sanz.

– Albert quoi ?

– Pas Albert, Halvard. Un peu comme Elvire, mais avec des A.

– Tu te fous de ma gueule ? Tes papiers.

– Ils sont dans mon sac. Vous avez mon sac, là.

Après avoir noté mon nom (en secouant la tête), il m'a poussé dehors et m'a fait entrer dans une voiture banalisée où attendait déjà un collègue apathique.

Pendant que nous roulions (à vive allure !), j'avais beau échafauder quelques hypothèses, non, je ne devinais pas. Où m'emmenaient-ils, maintenant ? Ces deux-là savaient-ils seulement qui j'étais ? (Attention, il ne faut pas comprendre cette question de travers : elle ne sous-entend pas que j'allais leur faire payer cher leur insolence dès que je serais sorti de là – car un traducteur n'est pas un personnage suffisamment important pour faire muter des gars en Corrèze – mais : savaient-ils à peu près de quoi l'on m'accusait ?)

Ils m'ont tout simplement conduit dans un autre commissariat, plus vaste, plus impressionnant. Rien d'encourageant, mais du moins ma situation évoluait. À l'entrée, ils nous ont confiés, mon sac matelot et moi, à deux de leurs collègues, avant de repartir sans un mot vers leur bolide encore fumant. Avant qu'ils aient claqué les portières, j'étais déjà dans l'escalier en colimaçon qui s'enfonçait vers les profondeurs humides et obscures du grand cauchemar carcéral.

8

Cette fois les liens étaient coupés, je me retrouvais seul dans la chaîne de la grande broyeuse. Plus personne ici ne savait ce que je venais y faire, j'étais le détenu à l'état pur, l'incarnation du crime en général.

Nous nous sommes arrêtés devant des cages en sous-sol, pires sans doute que celles qu'on utilise pour les hyènes malades dans les zoos en faillite des pays les plus pauvres. Je ne voulais pas y aller. Moi, dans une cage comme ça ? Jamais de la vie. (De plus, je distinguais des créatures encore vivantes à l'intérieur.)

– On vous a mis au courant de la situation ? Je n'ai rien fait, j'essayais d'aider un homme, mais il a perdu la boule. Je n'ai rien fait, comme infraction.

– Ça, j'en sais rien, c'est pas notre problème, a répondu en m'enlevant les menottes l'un des deux flics qui m'avaient escorté jusque-là. Ils t'amènent ici, et nous on te met au frais. Ça va pas chercher plus loin.

– Non, je sais bien, mais… Quelqu'un va me demander de parler, là-haut ?

– Déshabille-toi.

(Quoi ? Non mais. Quoi ? Je vais me faire violer dans un souterrain, maintenant. Et devant des prisonniers encore vivants. J'ai cru discerner dans sa voix un filet de miel vicieux, ce « Déshabille-toi » autoritaire et calme du gros fermier riche qui coince une petite servante boiteuse dans la grange – ça m'allait bien, ça, l'image d'une petite servante boiteuse.)

– Allez, grouille-toi un peu, enlève ton manteau, ton pull, ton pantalon.

Alors voilà, j'ai ôté mes vêtements un par un, tête basse, dans cette cave immonde, trois kilomètres sous terre, devant deux représentants de l'ordre et sous les yeux des morts-vivants derrière leurs barreaux – ils s'ennuyaient, c'est toujours ça à regarder, allez. Mon manteau. Mon pull. Mon pantalon.

Le flic fouillait ce que je lui tendais au fur et à mesure (une pensée reconnaissante pour l'Hannibal borné qui n'avait pas lâché sa chaînette). Pendant ce temps, son collègue vidait mon sac et notait sur un formulaire tout ce qu'il contenait.

– Halvard Sanz. Qu'est-ce que c'est que ça, comme race ? Halvard Sanz, bon. Permis de conduire, carte d'électeur, des photos. Ha ha, la gueule de con. Tu t'es arrangé, mon chou. Holà, dis donc, regarde ça, bien foutue sa bonne femme, beau petit lot, un peu une tête de pute, mais ça gâche rien (non, non, Catherine, ma mère ma fille ma sœur, ma seule amie, mon double, Catherine, un beau petit lot avec une tête de pute). C'est ta grosse ? Elle est bonne ? Eh, je te cause. Elle va au cul ? Il est vexé. Excuse-moi mon pote. T'as pas beaucoup d'humour, dis donc. Bon, un trousseau de clés. Un, deux stylos. Un bouquin. Un calepin. Rien dedans, des conneries. Un plan de Paris, un agenda, je regarderai ça plus tard, un paquet d'enveloppes, des lettres. Un carnet de chèques. C'est le sien, pas de bol. Et toi, les poches ? Briquet, cigarettes, des vraies, bon, cinquante balles, un tract. Tu vois des marabouts ? T'as des problèmes ? O.K., tout ça c'est confisqué, ma poule. Tu le récupères en sortant.

(Non, je vais sortir un jour ?) D'une voix de guichetier qui réclame machinalement une signature, l'autre m'a demandé de baisser mon caleçon et de me pencher en avant. J'ai baissé mon caleçon, avec un peu de reconnaissance fugace pour un grand maigre que j'ai vu du coin de l'œil refluer au fond de sa cage, et je me suis, oui, penché en avant. S'il me touche le trou du cul, je me retourne et je l'attaque. Tant pis pour les conséquences, il est temps que je me réveille, j'obéis à tout comme si c'était obligatoire, mais la docilité doit cesser à un moment ou à un autre. Après tout, ce n'est pas Dieu qui me regarde en ce moment le trou du cul, ce n'est qu'un homme, comme moi. Je peux faire ce que je veux. Je l'attaque.

– Tousse.

On ne sait pas jusqu'où peut reculer la limite de notre capacité de résistance à l'humiliation.

– Aheum heum heum.

– C'est bon, rhabille-toi. Je garde la ceinture et les lacets. Rentre là-dedans.

Sur notre droite se trouvaient plusieurs cages individuelles, numérotées de 1 à 6, et en face, une plus vaste, une cage de groupe. Les six cages individuelles, malheureusement, semblaient déjà occupées. Le flic qui avait eu la surprenante bonté de ne pas me fouiller l'intestin m'a poussé dans le dos, plutôt gentiment, vers la grande. Qui, malheureusement, était un peu occupée aussi.

– Je peux aller aux toilettes ?
– Fallait y penser avant, petit père.

Avant ? Avant quoi ? Avant de me faire capturer ? Souvent, oui, quand je me balade dans les rues, je me dis tiens je vais aller pisser, au cas où on me foutrait en taule pour un bon bout de temps.

taule, f : nick

Sans oser les regarder de face, les yeux sur mes chaussures pitoyables sans lacets, je devine, derrière la grille de la cage, deux gros corps immobiles.

9

Dès que le flic a refermé la porte sur moi, je me suis retourné vers lui, pour dire adieu au monde libre. Il fallait maintenant que je pivote, que je lâche la grille. Ça paraît simple, un demi-tour dans une cage, mais vraiment je me demandais comment j'allais pouvoir me débrouiller pour faire face, de manière assez naturelle, à mes deux gros hôtes. J'étais là, le nez appuyé contre la grille (je ne pouvais même pas, comme dans les films, y accrocher tristement mes doigts innocents, de façon à donner à mes bras, à mon corps, une attitude lasse et gracieuse, car il fallait que je tienne mon pantalon), et j'entendais dans mon dos leurs souffles gras.

Je ne sais pas où tous ces films idiots vont chercher les ribambelles de putes pittoresques qu'ils entassent toujours dans les cellules de garde à vue. Pourtant, le quartier ne manquait pas de filles bariolées et ronchonnes, qui auraient fait de bonnes figurantes ici (j'aurais donné cher pour sentir autour de moi la présence réconfortante de ces grandes perches épuisées, barbouillées, déguisées, en minijupes de skaï rose, perruques de crin et talons hauts, ces soldats de la débauche, aguerris et vulgaires, ces créatures meurtries mais tenaces, toujours là, dehors, j'aurais donné cher pour pouvoir me fondre dans la nappe écœurante de leurs parfums de Monoprix, ces relents de sexe et de rouge à lèvres, m'immerger dans le bourdonnement des injures grognées sans conviction, des plaisanteries salaces et des plaintes qui traînent, dans la confusion de leurs gestes las, de leurs pas pleins d'ennui, de leurs yeux voilés, de leurs moues amères, de leurs chairs molles et marquées, m'envelopper dans ce souvenir de trottoir), mais non, le commissaire du coin n'avait pas la sensibilité ni la conscience professionnelle d'un metteur en scène soucieux de réalisme, il n'avait mis là que deux gros types.

Il fallait que je me retourne, je ne pouvais pas rester à fixer le vide gris devant moi, en exposant ridiculement mon dos aux maîtres des lieux – c'était comme si, entrant dans une boulangerie, je tournais le dos à la caissière à peine la porte franchie et me mettais à regarder pensivement la rue par la vitre. D'un autre côté, si je me retournais, j'allais devoir adopter une attitude quelconque, et c'est sur ce point technique que je bloquais. Fallait-il dire bonjour ? (Je sais par expérience qu'on dit bonjour dans les salles d'attente de dentistes et pas dans les wagons de métro, par exemple, mais pour les cages communes…) Devais-je présenter un visage amical, détendu, ou plutôt ferme et menaçant ? (J'avais souvent entendu dire que, dans les prisons, il fallait dès le départ annoncer la couleur, montrer un peu qui était le chef, ou bien très vite on se faisait marcher sur les pieds, dominer, écraser.) Allez, je fais face, on verra. Au premier coup d'œil, ils sont là, tous les deux, devant moi, lourds et sombres, j'ai compris qu'il n'allait pas être simple de leur montrer un peu qui était le chef. Non, je ne pouvais pas me permettre de les menacer. Pour l'un des deux, une petite menace à voix basse, à la rigueur, car il dormait profondément (ce qui tout de même apportait un brin de réconfort à mon cœur en déroute : la puissante respiration rauque, que de dos j'avais prise pour celle d'un fou tapi dans l'ombre et prêt à me bondir dessus, n'était que la paisible ventilation d'un rêve de colombes ou de champs fleuris). Couché sur le dos, tas de graisse convexe, couvert de poils et de sueur, il occupait exactement la moitié du long banc fixé au mur du fond. Un phoque monstrueux, en vêtements sales.

Mais l'autre, assis à côté, à peine moins gros mais plus en muscles, les mains solidement plaquées sur les genoux, me dévisageait comme s'il tenait enfin le salaud qui a violé sa sœur.

Vite, faire quelque chose. J'ai dit :

– Bonjour.

Pas de réponse, pas de changement d'attitude. Dommage. J'avais une chance sur deux, j'ai perdu. Il est inutile de dire bonjour en cage de groupe – à retenir.

Je devais à nouveau prendre une décision rapide, mais il valait mieux tomber juste, cette fois. J'avance ? (Je ne pouvais pas reculer, mais peut-être rester sur place – non, finalement.) Je suis allé m'asseoir à côté de lui. Un beau succès.

– Salut.

Il a parlé. Je crois que tout s'est joué lors du trajet de la grille au banc. Je n'avais ni l'allure du combatif qui va imposer sa loi, ni celle du trouillif qui vient se faire mater, je n'ai cherché à me donner ni l'air d'un innocent ni celui d'un coupable, je me suis juste travaillé en improvisation un joli pas d'insouciance, les mains accrochées au pantalon nonchalamment, le regard qui se promène sur la déco (il n'y en a pas, bon, je m'y attendais), je me mordillais les lèvres, absent, neutre et tranquille, comme on va s'asseoir dans une laverie automatique.

Ce qui a dû jouer un rôle important, c'est le coup du lion. Je me suis soudain souvenu d'un documentaire sur les lions que j'avais vu à la télévision, quelques jours plus tôt. On y disait que lorsqu'il est intimidé, lorsqu'il se sent vaguement en danger ou du moins en position d'infériorité, le lion bâille. Ce que l'on prend pour une marque de paresse ou de sérénité presque insolente n'est en réalité qu'un masque de défense. Je n'avais rien à perdre, donc j'ai bâillé très naturellement avant de me mettre en marche vers le banc dangereux (très simple, il suffit d'entrouvrir suffisamment les mâchoires, puis le processus s'enclenche tout seul). Je suis persuadé que cet artifice a influencé Elvis.

FACE AU DANGER, BÂILLEZ

– Je m'appelle Elvis. Et toi ?
– Moi ? Halv… Jean-Pierre. C'est Jean-Pierre, moi.

Beaucoup plus tard, sur fond de ronflements de phoque, nous discutions encore ; enfin je ne disais pas grand-chose, il me racontait sa vie – c'est-à-dire, depuis sa majorité, seize années de prison et quatre heures trente de liberté. À dix-huit ans, il avait été mêlé à un casse de banque, il avait buté un keuf, il était sorti de taule hier à trente-quatre piges et s'était fait serrer quatre heures trente plus tard en faisant une Golf, ce pauvre Elvis. (Malgré notre amitié naissante, il me regardait toujours comme s'il tenait enfin le salaud qui a violé sa sœur. Je m'étais inquiété pour rien en entrant, ce devait être une attitude acquise.)

– Ce n'était pas très malin de ta part, aussi. T'es sorti depuis quatre heures et…

– Pas malin ? Pourquoi ? Quoi ?

J'ai reconnu qu'il n'avait pas eu de chance.

– Je crois que j'ai le mauvais œil, tu sais, a-t-il dit en m'en lançant un, d'œil, triste.

– SANZ HALVARD !

Une voix de fonctionnaire a crié mon nom du haut de l'escalier, de la surface de la terre, du royaume inaccessible de la vie. Un flic paisible en est descendu, l'air enjoué – sans doute une trace des blagues avec les copains, là-haut.

– Sanz Halvard, qui c'est ?

C'était moi. Oui, Sanz Halvard. L'élu. Celui qu'on venait chercher. Je me suis levé du banc, enveloppé d'euphorie gazeuse, comme lorsque à l'école le professeur révélait enfin le nom de l'auteur de la meilleure copie. Je souriais debout, ivre de m'appeler Sanz Halvard.

– C'est moi.

– Hein ? a fait Elvis.

– Quoi ? Oui, oui, c'est moi, Jean-Pierre Sansalvar.

J'ai fait quelques pas vers mon avenir, et pendant que l'agent ouvrait la grille (c'est drôle comme un même bruit exactement, le petit chaos métallique d'une clé qui fouille dans une serrure grossière, peut paraître tantôt lugubre, tantôt magnifique, le même), je me suis tourné une dernière fois vers mon Elvis.

– Salut, Elvis. À un de ces jours. Bonne chance.

– Mouais.

Le flic a refermé, engrillageant le visage large et buté d'Elvis. Ensuite, il m'a passé les menottes. En un éclair sec et autoritaire, clac je te ligote, je te tiens. Un dur, ce gars-là.

– Bonne chance, a fait Elvis.

10

Le flic m'a emmené à l'étage (en passant dans le hall, j'ai noté qu'il faisait toujours nuit – je n'ai donc pas à m'affoler, me suis-je dit, on entend toujours parler de « nuit au poste », pour l'instant tout est normal) et m'a fait entrer dans un bureau où m'attendait un grand inspecteur moustachu dont le bon regard méridional m'a tout de suite plu – il avait au fond des yeux du pastis en terrasse. Assis en face de lui, me tournant bravement le dos, trépignait un petit chauve au crâne lourd.

– Asseyez-vous, nous allons procéder à la confrontation.

– Bonjour.

– Bonjour, asseyez-vous.

J'allais enfin pouvoir parler. Et ce grand moustachu à l'accent caillouteux (de petites pierres sèches de garrigue roulaient dans sa gorge) m'inspirait toute confiance. Je me suis installé à côté de mon accusateur, qui a raconté le premier sa version des faits, sans m'accorder un regard, même en coin (deux garnements convoqués chez le directeur – C'est lui, m'sieu !).

J'ai appris qu'il était coiffeur.

Je rôdais depuis plusieurs semaines devant sa boutique, j'avais sans doute remarqué qu'elle tournait bien, qu'on venait se faire coiffer en masse, j'avais peaufiné le coup dans le bar russe (il était là ?) avec cet Hannibal, mon homme de main, puis nous nous étions jetés sur lui pour lui dérober son bien.

J'observais le visage du grand inspecteur provençal et sentais se diffuser progressivement en moi une vapeur chaude de plaisir et de soulagement. Je devinais qu'il se méfiait des gémissements vengeurs du martyr – présomption de mon innocence, ce qui pour un homme de police est remarquable. Il faut dire que le vieux s'exprimait avec tant de haine et d'emphase paranoïaque que même un enfant stupide aurait flairé le délire et le mensonge.

Et quand, pour la première fois depuis mon arrestation, j'ai pu à mon tour m'exprimer (indicible allégresse de l'homme libre), je me suis aperçu que le chef me croyait. J'ai su alors ce qu'était le bien-être. Tendu, sentant le roussi, le vieux fébrile m'interrompait sans cesse (toujours sans me regarder), contestait ma version avec de plus en plus de véhémence outrée, en dandinant nerveusement son gros cul sur la chaise. Comment le chef pouvait-il perdre son temps à noter mes balivernes ? Après l'avoir poliment prié de se calmer, l'inspecteur Garrigue a dû hausser le ton, car les « C'est faux ! » hystériques et répétés de mon adversaire finissaient par brouiller très désagréablement le cours fluide de mon histoire.

Garrigue nous a fait signer nos dépositions (en rappelant au malheureux ce que pouvait lui coûter un faux témoignage), nous a conduits hors du bureau et l'a renvoyé assez sèchement à ses lotions (j'imaginais son petit appartement obscur, quelques diplômes de coiffure, des voilages et des napperons jaunis, une odeur de renfermé célibataire, de poussière et de crèmes à cheveux, une poupée espagnole, un beau tapis, un lustre, les Ciseaux d'Or de Tourcoing, un bahut lourd, un couvre-lit satiné, et à le voir s'éloigner vers son refuge miteux, j'avais presque pitié de lui). Mais bon, c'est pas tout. Je rentre chez moi, dans mon refuge, moi aussi ? Non ?

– Ne vous inquiétez pas, m'a dit le chef Garrigue. Je sais que vous dites la vérité, ce type n'a pas tous ses esprits. Ne vous inquiétez pas, je vous laisse partir.

Nous marchions tranquillement côte à côte dans le commissariat. J'avais toujours les menottes, mais il me posait sur l'épaule une main presque paternelle. En quelques minutes, je venais de repasser du côté des bons citoyens, des laissés tranquilles, du côté des admis. Notre petite promenade nous a menés jusqu'en haut de l'escalier qui plongeait vers les oubliettes.

D'un bras aimable, il m'invite à passer devant.

– Laborde !

– Excusez-moi, mais… Vous me remettez en bas ?

– Non non, répond-il en s'amusant gentiment de mon inquiétude, pendant que Laborde et sa clé nous rejoignent dans l'escalier. Ne vous inquiétez pas, c'est juste une petite formalité.

– Vous me rassurez. Je peux aller aux toilettes, s'il vous plaît ?

– Ah, il aurait fallu y penser là-haut. Ce n'est rien, vous irez tout à l'heure, en sortant.

En bas, j'ai été mieux accueilli que la première fois : derrière la grille, Elvis me souriait.

– T'es d'où ?

– Morsang-sur-Orge. C'est dans le sud de Paris.

– Je connais, oui. C'est juste à côté de Fleury.

– J'habite Paris, maintenant. Mais je suis né là-bas.

– C'est pas vrai ?

– Si, pourquoi ?

– Il paraît que ça porte malheur, de naître à côté d'une taule.

– Ah ?

– C'est ce qu'ils disent. Qu'on finit toujours par y retourner. On est attiré, ou je ne sais quoi.

Ensuite je l'écoutais plus distraitement car il s'était lancé dans une longue explication destinée à me démontrer (ce dont je ne doutais pas) que c'est un grand malheur d'être enfermé dans une prison. À moins de prouver dès le départ qu'on est costaud, qu'on ne se laisse pas marcher sur les pieds (j'en étais sûr). Car sinon, on se fait vraiment massacrer, surtout du point de vue sexuel. Les gars là-bas, ils ne voient pas beaucoup de gonzesses. Alors certains finissent par devenir pédés, bien sûr. Et les plus costauds se tapent les faibles.

Non, je n'écoutais plus. Le sujet ne m'intéressait pas beaucoup. D'autant qu'avec ce ton didactique et cette voix prévenante ça ressemblait de plus en plus à une sorte de mode d'emploi, de guide touristique. Comme s'il me donnait des conseils pour l'avenir.

Non, mon avenir, non, c'était la liberté, la vaste vie, où l'on ne se fait pas massacrer, même du point de vue sexuel. La petite formalité de Garrigue durait un peu, mais de là à m'imaginer enfermé pour longtemps dans ce monde de brutes lubriques : ah ah.

– En plus, ils te filent le sida, avec leurs conneries. C'est mauvais, la taule, pour ça. Moi, ça a pas loupé. Remarque je m'en fous, mais c'est chiant. Je crois que j'ai le mauvais œil.

Il fallait que je pense à autre chose. Juste l'image de mon amie Nathalie, rongée par le virus jusqu'au trognon – c'était un peu chiant, en effet – et ensuite je pense à autre chose. D'abord, je me dis que s'il a fait partie des plus faibles, lui, de ceux qui se font passer dessus, les costauds doivent avoir de drôles d'allures, et ensuite je pense à autre chose. J'essayais de concentrer toute mon attention sur la respiration réguliante et bruyère du phoque velu, dont les cheveux gras touchaient ma cuisse. Elvis a dû s'apercevoir qu'il parlait dans le vide et a été saisi d'un brusque accès de sommeil.

– Tu m'excuses, je vais roupiller.

Oui, je t'en prie, dors. Je vais pouvoir penser en toute liberté aux grands boulevards ensoleillés. Mais il ne s'excusait pas seulement pour abandon de conversation : il a placé sa puissante et large paluche entre mes omoplates et, avec une certaine fermeté qui interdisait tout désaccord, m'a chassé (disons ôté) du banc pour pouvoir s'y allonger, sur la moitié laissée libre par le phoque. Je n'ai senti aucune animosité dans son geste (au contraire, même), il voulait juste un peu de place pour se coucher. On acquiert sans doute en seize ans de prison un comportement social particulier, une politesse décalée, les règles ne sont pas les mêmes (que chez nous autres, les libres).

Je me suis levé (je n'avais pas envie d'engager une polémique). Il a fermé les yeux, a paru s'assoupir dans la seconde (après tout, cette pièce lui rappelait probablement sa chambre), et donc je me suis retrouvé planté debout dans l'endroit le plus sordide de la planète à veiller deux truands endormis, en tenant mon pantalon.

Je commençais à me sentir terriblement fatigué mais il était hors de question de s'asseoir par terre, le sol était plein d'urine et de crasse et de crachats : je devais rester debout là, ballot.

Un peu plus tard, l'agitation au-dessus m'a fait comprendre que dehors le jour se levait. Les pimpants de l'équipe du matin parlaient plus haut et plus vivement que les affaiblis de la nuit, en bout de course. Je ne savais plus trop ce que je devais en espérer, mais je pressentais qu'un changement quelconque ne pouvait m'être que profitable.

Soudain une voix m'est parvenue plus forte et plus claire. Au fond de mon puits, l'esprit humblement tourné depuis des heures vers un seul être humain parmi les milliards d'inutiles qui peuplaient la planète, je crois que j'aurais perçu et reconnu cet accent mélodieux à des kilomètres.

– Allez, salut les mômes, salut tout le monde, bon courage, à demain.

Je n'ai pas bronché. Il ne fallait pas réveiller mes bébés, ni m'attirer des ennuis avec les teigneux de là-haut. J'ai senti naître dans mes entrailles, enfler dans ma poitrine et déborder dans ma gorge un hurlement sauvage et déchirant (« GARRRRIIIGUE ! ») mais j'ai réussi à me taire. Le seul homme qui m'avait écouté, cru, le seul homme susceptible de me délivrer s'en allait en me laissant là – et, non, je n'ai pas crié. Pour évacuer le trop-plein d'émotion, il a tout de même fallu que je le canalise et le convertisse en geste : j'ai posé une main sur le sommet de mon crâne.

NE COMPTEZ MÊME PAS SUR LES MEILLEURS

– Bonne journée, les gars, à demain !
– Ciao Muller, bonne nuit.
Muller ? Biscadou, Panisse, Garoulade, je n'aurais rien trouvé à redire, mais comment ce type-là, Garrigue, pouvait-il s'appeler Muller ? Ce nom lui convenait si mal que c'en était comique.

J'ai ri pendant une bonne seconde, puis j'ai repris mon sérieux. Je n'avais plus d'allié dans la place. Et les rapports de police ayant ce petit défaut de ne rendre qu'imparfaitement les émotions, les indices impressionnistes, ma sereine assurance et les aboiements délirants du vieux salopard ne figuraient plus nulle part. Mon innocence avait quitté ce bâtiment et flottait en nappe discrète dans l'esprit de Biscadou qui rentrait se coucher, mon innocence partait s'assoupir paisiblement sur l'oreiller blanc de Biscadou. Et comme je n'espérais pas convaincre aussi son collègue de jour (un esprit ouvert par commissariat, c'est déjà sensationnel), à coup sûr j'allais devoir passer toute la journée dans ce caveau puant, en attendant la nuit suivante. En attendant le retour de Biscadou.

(Si je continuais à l'appeler Biscadou en pensée, c'est que « En attendant le retour de Muller » me paraissait moins rassurant.)

Je me sentais comme un gamin perdu dans un autre monde (ces cauchemars au fond des jungles ou des châteaux, où les enfants ressentent pour la première fois l'absence des parents, l'arrachement, la solitude) et j'avais bien envie de pleurer. Je n'arrivais pas à penser, je n'étais qu'un corps, fourbu, la bouche sèche, mais cette envie de pisser, de fumer, de manger, de boire, de parler, de dormir, les paupières lourdes, pâteux, vide, sale et dépité, seul.

Et inquiet.

12

– SANZ HALVARD ! SANZ HALVARD !

Une voix de mère supérieure, dure et tranchante. Quelques ivrognes des cages individuelles ayant déjà été libérés suivant ce rituel incantatoire, j'ai pensé naturellement que c'était enfin mon tour.

Une jolie jeune femme est descendue. Jolie, c'est un signe, c'est Liberté, la pure et juste, qui descend au secours d'Innocence. Une jolie jeune femme aux cheveux clairs, élancée frêle, aux traits fins et doucement effacés même, au regard vague. L'uniforme hideux ne gênait pas la fraîche légèreté de sa démarche, des pas comme des soupirs de printemps, d'une grâce presque trop éthérée. Une jolie fille, plus jeune que moi.

– Sanz Halvard, c'est toi ?

– Oui.

Cette fois je n'ai pas pu saluer Elvis. La dernière image que j'ai de lui est celle d'une brute abandonnée sur un banc étroit, qui fait de petits bruits de bouche, bébé, dans la lumière pisseuse d'un cachot.

Le tutoiement, bien que toujours aussi surprenant (car nous ne nous connaissons pas, je ne suis pas plus jeune qu'eux, nous ne sommes pas hippies, nous ne sommes pas tellement dans le show-biz), le tutoiement – « C'est toi ? » – me dérangeait moins lorsqu'il était employé par une jolie jeune femme fragile. Malgré tout, en franchissant la grille de la cage, je surveillais attentivement ses mains, fleurs pâles et délicates. Je l'imaginais mal sortir sévère une paire de menottes et me les passer à la Laborde, mais j'avais appris depuis quelques heures les bases d'une technique d'approche intéressante : la méfiance.

Non, rien, pas de menottes. Cette fois, c'était la bonne. Voilà : je me suis trompé, comme toujours, mais en sens inverse (il a suffi que je me laisse corrompre par le monde, où la suspicion règne en maître, pour qu'aussitôt je commette une injustice à l'égard de cette douce créature – une belle leçon). Pas de menottes, vive la Femme. Les mains de Liberté restaient des fleurs et les miennes de joyeux animaux dans la nature. D'un geste souple et magnifique, Liberté a refermé la grille sur mes ennuis, sur mon passé criminel. Sans un mot, comme guidés par un même étrange désir, nous avons remonté ensemble l'escalier en colimaçon vers la sortie, côte à côte. Pour rester vraiment fidèle à la réalité, je dois préciser qu'elle me tenait par le coude, assez fermement. Un peu comme si une tenaille d'acier essayait de me broyer les os. (Je ne parvenais pas à faire le lien entre la créature

41

diaphane que je devinais du coin de l'œil et cette poigne de lutteur.) Mais en haut des marches, elle m'a lâché.

Elle m'a amené jusqu'au guichet d'accueil, et m'a lâché. Oui. Et là, sur l'espèce de petit comptoir, mon sac m'attendait. Mon matelot. Comme si rien ne m'était arrivé entre-temps. À côté de mon sac se trouvaient un grand cahier ouvert et une pochette transparente dans laquelle je distinguais mes accessoires pour la vie en plein air, ceinture, lacets, cigarettes, briquet, cinquante francs, et un tract de marabout que j'avais gardé pour sa longueur exceptionnelle qui nous expliquait tout dans le détail : « Heureusement que je viens d'arriver d'Afrique. Professeur Baba Komalamine, aux dons hérités de la pure source de son papa, grand marabout et ses vingt-cinq ans d'expérience, est connu dans le monde entier et la région parisienne, c'est une preuve FATALE. Connu aussi dans la forêt sacrée. Dès le premier contact je vous dis tout. Je travaille n'importe quelles difficultés de famille et tous les problèmes les plus désespérés, chance, travail, examen, l'impuissance sexuelle fait aussi partie de mes domaines, succès, maladie, frigidité précoce, vendeurs, amour, spécialiste du combat de la vie moderne, transaction entre époux, affection retrouvée, fascination sexuelle, travail entre hommes et femmes dans quelques jours. Prévoit tous les dangers et contre tous les ENNEMIS, même si tu as du mal qui circule dans ton corps je te l'enlève dans deux jours devant vous, et pour te donner de la chance je le fais dans une semaine. Rend INVULNÉRABLE toute personne désireuse de l'être, pour que personne te prend ton bien-aimé et tout ce qui vous tourmente dans la vie, et tu sauras le soir que tu auras ton résultat ce qui ne sera pas tard. Tu viens ici tu retrouves l'être aimé ou qui vous est cher dans la même semaine et il courra derrière toi comme le chien derrière son maître, ou alors si tu veux chasser quelqu'un de chez lui ou du pays. Je neutralise toute adversité et je sur-monte et désagrège l'obstacle. Grande réussite dans l'examen du sexe pour avoir de la force en amour. Sans aucune gêne prendre contact avec Prof. Komalamine qui stupéfie le monde actuel, pour tous vos problèmes qui vous tracassent maintenant ou depuis longtemps. »

– Signe, m'a demandé Liberté en désignant le grand livre ouvert.

En haut de chaque page, en gros caractères, étincelaient trois mots magiques : « REGISTRE DE SORTIE ». On me proposait de vivre, il me suffisait de signer pour partir à l'aventure. J'ai cherché Sanz Halvard dans la longue liste de malfrats en tout genre – je suis là, je suis là, entre ivrognes et voleurs –, j'ai signé d'une main solennelle (une signature dense, comme on signe un contrat de mariage, ou comme signeraient les bébés en débarquant sur terre, s'ils savaient écrire et se montraient un peu moins nerveux), et j'ai pris mon sac formidable. À nouveau, Liberté m'a pris le coude, fermement (ce métier ingrat rend rude). Je me suis tourné vers elle en souriant. Elle m'a passé les menottes.

13

Prof Baba Komalamine, toi qui es tellement connu dans la région parisienne et la forêt sacrée, je crois que j'ai du mal qui circule dans mon corps. J'espère que la police fait partie de tes domaines et sans aucune gêne je prends contact avec toi pour que tu désagrèges mes ennemis en une semaine. Ou moins, si tu peux.

Liberté m'avait roulé dans la farine. (Quel défaut de forme, dans la nature humaine, toujours nous pousse à vouloir jouer les Sherlock Holmes de notre existence, à essayer d'interpréter les petits indices du présent – l'apparente douceur de cette fausse sœur, mon sac au guichet, trois mots sur un cahier – en imaginant que nous sommes assez malins pour en déduire l'avenir, ne serait-ce même que les secondes qui suivent ?)

J'en ai marre, maintenant. Escorté par cette sournoise de Liberté, escorté par Perfidie vers la fourgonnette qui ronronne au milieu de la cour du commissariat, couillon de pantin à bout de forces dans la lumière douloureuse et glacée qui tombe des nuages bas du matin, je n'apprécie pas du tout le combat de la vie moderne, Baba. Je fais un trop piètre guerrier.

Perfidie m'a déposé lourd dans la fourgonnette – en me poussant pour que j'aille m'écraser sur un banc, le dos contre la tôle – puis elle est repartie. En entrant, j'ai interrompu une conversation, je suis désolé.

– Pourquoi es-tu si agress… ?

Deux flics assis côte à côte à l'arrière (un mâle et une femelle, pas moches) m'ont jeté ensemble un bref coup d'œil agacé et, ayant ainsi pu s'assurer que j'étais parfaitement négligeable, ont repris leur discussion sans plus se soucier de moi.

– Pourquoi es-tu si agressive, enfin ?

– Mais je ne suis pas agressive, Thibault. Je t'aime.

Bon, ça remonte le moral, allez.

J'aurais aimé participer, me joindre à eux par quelque banalité de circonstance (« Ne lui en veux pas, Thibault, elle est trop entière ») pour me sentir à nouveau humain, mais je savais qu'en une seconde l'amoureux le plus ordinaire pouvait redevenir le plus ignoble des flics. Je n'aime pas le risque, je suis trouillon, je l'ai déjà dit.

J'ai regardé la cour par la vitre arrière de la fourgonnette, une cour d'une laideur affligeante, sinistre, vulgaire, mais je m'en serais bien contenté.

Perfidie est revenue s'installer en face de moi (les deux tourtereaux sous leurs képis se sont tus aussitôt) et nous sommes partis. Avec tout ça, j'avais oublié de me demander où nous allions. Et je n'ai pas eu le temps de me poser la question car je me suis aperçu que je souffrais à hurler, aïe, que les menottes étaient en train de me scier littéralement les poignets (une image pénible m'est venue à l'esprit : mes os comme les fils électriques que l'on dénude, en coupant la gaine de caoutchouc avec une pince). Celle que j'avais prise pour un ange m'avait mis aux fers comme la dernière des saletés de matonnes.

– Les menottes me font un peu mal, mademoiselle, je crois qu'elles sont trop serrées.

– Madame.

– Excusez-moi. Les menottes me font mal.

– Ah ?

Adossée nonchalamment à la tôle de la fourgonnette, les épaules et le cou détendus, les jambes lourdes et lasses, la bouche molle, elle posait sur moi un de ces insupportables regards au second degré, empreints d'intérêt factice et joué pour être perçu comme tel – les sourcils haussés de manière exagérée, le visage tendu ostensiblement mais sans conviction vers son interlocu-teur –, cette attitude, savamment composée, d'effort manifeste.

– Oui, vous les avez un peu trop serrées.

– Tu crois ?

– (Ne me tutoie pas, ordure.) Je crois, oui, regardez.

Elle a hoché gravement la tête et s'est mordu les lèvres.

– C'est affreux. Hou. C'est sûrement parce que tu bouges. Il ne faut pas que tu remues, Sanz, plus tu remues plus ça fait mal.

– Non mais même si je ne remue pas, ça fait mal.

– Oh mon Dieu. Mon Dieu mon Dieu… C'est vrai ?

– Ça vous amuse ? (Halvard, tu es un homme.)

– Non, non, au contraire. Ce doit être très douloureux. Rien que de regarder, ça me fait mal. C'est de ma faute, je n'ai pas fait attention. Je suis toujours dans les nuages, tu sais.

– Ça ne vous ennuie pas de les desserrer un peu ?

– Je t'avoue que si. Je suis fatiguée, là. J'espère que tu ne m'en veux pas… J'ai l'impression, quand même. Non ? Remarque, je comprendrais. Je n'aimerais pas être à ta place, c'est très rouge, ça ne doit pas être agréable. Je suis vraiment désolée. Tu vois, on nous fait une mauvaise réputation, mais on n'est pas insensibles, dans la police. Le mieux c'est que tu arrêtes de remuer les mains, parce que plus tu remues plus tu auras mal. Et ça me fait de la peine.

Je n'avais plus qu'un mot en tête : SALOPE. Une fraction de seconde, je me suis vu – image appétissante – bondir bras tendus et la défigurer avec mes poings, avec le fer des menottes, lui broyer le nez, les pommettes, la bouche, sauvagement, faire gicler le sang. Elle semblait là pour ça, pour se faire détruire, pour se faire haïr, députée de l'infâme. Et puis, à la voir onctueuse et sûre de son petit pouvoir, avachie dans son arrogance, j'ai pensé que non, finalement, un autre mot lui convenait mieux : CONNASSE. Elle profitait, bonne dinde, des privilèges de la fonction – comme un cadre EDF qui ne paierait pas l'électricité et laisserait tout allumé jour et nuit. Si je rêvais quelques secondes plus tôt de lui massacrer le visage, je n'avais plus maintenant d'envie qui puisse me réconforter. Je me sentais face au vide. La grande force de la bêtise, c'est qu'on ne peut rien faire contre elle. Je n'éprouvais que du dégoût.

– Vous êtes triste à voir, vous êtes pitoyable. (HAL-VARD !)

Elle m'a dévisagé un instant, abasourdie, et les tourtereaux, d'un même mouvement couplé, ont fait pivoter vers moi deux faces incrédules. Elle s'est levée calmement, sa fureur toujours enrobée dans cette nonchalance affectée qu'elle semblait considérer comme un signe de puissance, elle s'est levée lentement, me faisant bien comprendre par là que « ça allait tomber ». Puis elle m'a pris la tête à deux mains et vlam l'a projetée fort contre la tôle derrière. Humiliant et pas agréable au niveau du crâne, mais au moins, pour la première fois, j'avais tenté un geste de révolte. J'avais encore la fougue, à cette époque.

46

14

J'étais enfermé dans une cage en plexiglas. Ramené dans le commissariat de départ, exhibé dans la grande salle principale, derrière des vitres de plastique sale marquées de coups et de rayures (traces pathétiques de mes innombrables prédécesseurs) qui en prouvaient la fiabilité. Seul et maté.

Je ne pourrais pas vraiment décrire les heures, longues, qui ont suivi : d'abord parce qu'il ne s'est rien passé d'intéressant à raconter, ensuite parce que, je dois le reconnaître, j'ai fini par perdre un peu la tête.

Les premières minutes, je demandais simplement à travers le plexiglas qu'on me laisse aller aux toilettes, qu'on me donne une cigarette, je suppliais, je criais, je tapais du poing contre ces abominables panneaux de plastique sourd et muet. Mais c'était à peine si je parvenais, grâce aux plus puissants de mes hurlements, à attirer de temps en temps l'attention de deux ou trois de mes geôliers, qui dressaient la tête et tournaient vers moi un œil morne et légèrement contrarié, avant de replonger pensivement vers leurs dossiers ou leurs machines (à la manière de la tortue léthargique qui retourne au brin d'herbe après avoir entendu un chien aboyer dans le lointain), le front perplexe trois secondes encore. Si nos âmes nous survivent, c'est ce que doit ressentir un mort qui revient parmi ses amis et se rend compte épouvanté que ses cris d'amour et ses grands gestes (« Je suis là, les gars ! ») restent sans réponse, inaudibles, invisibles, ou transposés dans notre monde en courant d'air, pétale qui tombe, ampoule qui grésille, démangeaison, que personne ne remarque. Je suis là, les gars.

Le pire était sans doute de me savoir aux mains de la police, de la justice, de la vérité. Kidnappé par des gangsters dans la cave d'un pavillon de banlieue, j'aurais pu nourrir l'espoir, même infime (même vain, peu importe), de leur échapper, et me réfugier dans l'élaboration de quelque plan d'évasion, assommer le type qui vient me porter le plateau de nourriture, par exemple. Être prisonnier du mal n'est jamais un problème, on peut le combattre, au péril de sa vie s'il faut. Être prisonnier du bien, c'est une autre histoire. On ne peut pas attaquer le bien. Je me voyais mal simuler un malaise cardiaque, attendre qu'un flic entre, le saisir à la gorge devant tous les autres ébahis, l'étouffer, prendre son arme et sortir du commissariat en tirant sur tout ce qui bouge (les vrais truands peuvent se le permettre, du moins les plus furieux d'entre eux, mais moi, modeste traducteur, je n'avais pas la trempe). J'étais enfermé dans quatre mètres carrés et personne au monde (hormis mon brave voisin, qui formait probablement un comité de soutien) ne savait que j'étais coincé là. Les gangsters au moins demandent une rançon, et tous vos proches sont glacés d'inquiétude. En ce moment, ma mère proposait un petit café à mon père, dans la cuisine de Morsang-sur-Orge. Ma sœur laissait un message enjoué sur mon répondeur à propos de la soirée de la veille dans le bistrot camerouno-russe. Mes amis paressaient devant la télé. Ma fiancée Cécile grignotait des pistaches en écoutant Janis Joplin. Seule ma chatte, grâce à la faim qui torture, pressentait que quelque chose ne tournait pas rond.

Bref, dépassé par la situation, j'ai tourné fou. De cette journée, je ne garde en mémoire que quelques gestes : je marchais de long en long, je cognais des pieds et des mains, je hurlais, je crachais, j'ai pissé par terre, je secouais le banc mal fixé, je me jetais contre le plexiglas. Ce n'était plus, comme au début, une conduite destinée à attirer l'attention sur moi, mais un vrai déraillement solitaire. Je les avais tous oubliés, là-bas dehors.

Lorsque j'ai vu trois ennemis approcher de ma cage, trois terreurs en civil (ou plutôt en uniforme de jeune inspecteur dynamique en civil : baskets et jean, tee-shirt blanc, gilet de cuir noir, poignet de force, holster au flanc), trapus, sûrs, prêts à tout casser (et comme

« tout », ici, il n'y avait que moi), le torse en avant et les cheveux en arrière, j'ai pensé qu'ils venaient me calmer. Eh bien non. Ils se sont installés très paisiblement dans la cage avec moi, comme s'ils voulaient simplement passer un moment en ma compagnie, faire une pause dans ce cadre agréable. Assis sur le banc, ils regardaient autour d'eux, savourant apparemment le calme rare de l'endroit, rayonnants d'aise distraite.

15

– Alors, Albar, comment tu te sens ? m'a finalement demandé celui qui avait l'air le plus con.

Je n'ai pas répondu (je m'étais souvent demandé si j'étais de la trempe de ces Sean Connery qui trouvent toujours quelque bonne plaisanterie à lancer lorsqu'ils ont un revolver sur la tempe, eh bien non). Mais j'éprouvais tout de même un certain soulagement à constater qu'ils connaissaient mon nom, ou à peu près. Mon dossier n'avait pas été égaré pendant le transfert, quelques personnes (même des serpents vicieux, tant pis) savaient encore qui j'étais et peut-être pourquoi on m'avait enfermé là.

– Est-ce que tu peux nous donner l'adresse de ton collègue, s'il te plaît ? m'a gentiment demandé celui qui avait l'air le plus sournois.

– Mon collègue ?

– Ouais. Ton ami Arrabal, là, a dit le Con.

– Hannibal ?

– Oui, pardon. Arrabal c'est un chanteur, non ? Hannibal, bon. Tu vois, que tu le connais.

– Non, je ne l'avais jamais vu avant ce soir.

– Tiens… C'est original, ça, comme système de défense.

– Dingue, a dit le Sournois. Il a de l'imagination, notre petit pote Halvard. En général, ils disent : « Oui, c'est mon meilleur ami. »

– Exact, a dit le Con. « Je le connais pas », fallait y penser. Chapeau, Albar.

– Var. Et je vous assure que je dis la vérité.

– Écoute, a dit le Sournois, tu n'as pas l'air idiot, on va discuter entre personnes sensées. On s'énerve, mais c'est un métier pénible, tu sais. On ne te veut pas de mal. On a l'air de brutes ? Bon. Mais honnêtement, est-ce que tu penses qu'on peut te croire ? Mets-toi à notre place, et réponds franchement.

– Oui, je… Non, d'accord, je reconnais que ce n'est peut-être pas très crédible, tout le monde doit dire la même chose.

– À la bonne heure ! a dit le Con. Tu vois, qu'on peut se comprendre. Donne-nous son nom et on se quitte bons amis.

– Mais je vous ai dit que je ne le connaissais pas !

– Bien, a fait le Sournois, je pensais que tu étais intelligent, je me suis trompé. Ça peut arriver, tu vois, même à un flic. Je n'ai pas voulu admettre tout de suite que tu te foutais de notre gueule.

Là-dessus, celui qui n'avait l'air ni con ni sournois s'est levé avec peine et s'est dirigé lentement vers moi, comme s'il trouvait navrant d'être toujours obligé de faire la police. Je me demandais pourquoi il n'avait pas encore parlé, celui-là. J'aurais dû me douter que c'était la Brute : il n'avait l'air de rien d'autre.

L'heure du pugilat venait de sonner, et je n'entrevoyais que maintenant l'inutilité des précautions que j'avais prises depuis leur entrée (bien fléchi sur les jambes, fiston, lève ta garde). Je n'avais pas le droit de me protéger. Essayer d'éviter le coup de la Brute serait même une erreur tactique qui aurait pour seule conséquence d'aiguillonner ses nerfs, sans, je pense, lui faire oublier son projet initial – le cas échéant, le Sournois serait là pour le lui rappeler. Je pourrais peut-être esquiver le premier coup, le deuxième à la rigueur, mais pas plus (d'autant que j'étais terriblement fatigué, affamé, faible – et même en pleine possession de mes moyens, très vif sur jambes et enduit d'huile, j'aurais eu peu de chances d'échapper longtemps à ces trois sportifs dans ce local minuscule autour duquel quinze autres de leurs amis montaient la garde). Quant à répliquer (esquive, petit pas de retrait et crochet du gauche en contre), l'idée était un peu amusante, mais sans plus.

– Je peux te poser une question, Albar ? a fait le Con.

– Hein ? Oui…

Le Sournois souriait, la Brute attendait. Quelque chose semblait vivement intéresser le Con sous ma ceinture (que je n'avais toujours pas, d'ailleurs).

– Tu aimes te faire enculer ? (Ils ne pensaient tous qu'à ça ou quoi ?) C'est pas une proposition, rassure-toi. (C'était effectivement une bonne nouvelle.) Non, moi ça me dégoûte plutôt, les pédés. Je te pose cette question parce que si t'aimes pas ça, ça tombe mal.

Le plus sérieusement du monde, la Brute m'a pris les couilles à pleine main (qu'on me pardonne le terme, mais dans cette situation, Racine lui-même n'aurait pas dit autre chose). Il m'a guidé ainsi jusqu'au mur, la main ferme mais polie, comme on mène un aveugle à sa chaise. Ses deux petits camarades se sont approchés de nous. Il m'a plaqué contre le mur, m'a attrapé par le col à deux mains et m'a littéralement soulevé de terre. Derrière, les visages du Sournois et du Con ont sensiblement changé d'expression. Surtout celui du Con :

– Si t'es pas pédé, connard, t'as vraiment pas de chance (ce n'est qu'une demi-surprise, je ne suis pas particulièrement verni en ce moment). Ce soir, on t'amène direct à Fleury (la prédiction d'Elvis se réalise, pour l'instant tout est normal), et j'aime mieux te dire que là-bas, les mecs, ils sont pas difficiles, ils prennent ce qu'ils trouvent : ils sont tous pédés (on ne me la fait pas : « certains », a dit Elvis). Un bon petit paquet de chair fraîche, ils vont pas cracher dessus, tu peux me croire. Même si t'es pas terrible. Enfin c'est un goût personnel, hein. Tu vas en prendre plein ton cul, ma grande. (Ce qui désamorçait la tension, ce qui me permettait de ne pas succomber à la détresse, c'était que la Brute qui me soulevait approuvait en silence toutes les paroles du Con, en hochant gravement la tête (« Oui oui, exact, ils vont pas cracher dessus, oui oui, plein ton cul, exact »), comme un clerc bonasse qui confirme du bonnet les menaces d'un huissier.) Et si la pédale c'est pas ton genre, tant pis pour toi, Babar, faudra t'y faire. T'auras le temps d'y prendre goût, t'en fais pas. On va te laisser deux ou trois mois là-bas, et le jour du procès, tu seras devenu une vraie petite tantouze (« Une vraie petite tantouze, oui oui, c'est exact »).

Quand la Brute m'a lâché, les traits de mes trois opposants ont de nouveau fondu en masques douceâtres – surtout ceux du Sournois, qui regrettait que son collègue ait cédé à la colère, car au fond il m'aimait bien, lui :

– Alors bien sûr, ce qui est toujours possible, c'est que la mémoire te revienne. L'arrestation, la garde à vue, ça peut t'avoir secoué. On va te laisser un peu de temps, essaie de te concentrer. Si tu ne retrouves pas l'adresse de ton ami, on sera obligés de te mettre trois mois à l'ombre en attendant. Ça s'appelle la préventive. C'est moche, mais c'est la loi, ce n'est pas à moi de la changer. Et puis pense aussi à lui, ton collègue, qui doit être en train de se marrer dans les bars. Et qui continuera pendant que tu moisiras à Fleury. C'est injuste, non ? Écoute, réfléchis à tout ça, je repasse te voir dans un moment.

Avant de refermer la porte de la cage derrière eux, le Con s'est retourné pour me lancer :

– N'oublie pas que c'est plein de pédés, là-bas.

Ils ne sont pas repassés me voir. Je suis resté encore une éternité à divaguer dans ce trou. Je m'appelais Halvard Sanz et je flottais dans le vide.

16

Bien après la tombée de la nuit, lorsqu'un brave ouvrier de l'entreprise policière est entré dans la cage pour me passer les menottes, je l'ai accueilli à bras ouverts. Je voulais quitter ce sas.

– On va à Fleury ?

L'ouvrier m'a regardé d'un air étonné, et sur le coup j'ai cru que mon flair l'épatait.

– Toi au moins, tu ne te fais pas d'illusions sur ce qui t'attend. Je te comprends, remarque. T'es pas vraiment sur le chemin du bonheur, pour l'instant. Mais Fleury, ce sera peut-être pour plus tard. Tout de suite, je te monte à la PJ.

En traversant le commissariat, nous avons croisé l'un des deux ouvriers chasseurs (le mâle) qui la veille était allé me chercher dans le vaste monde libre pour m'amener ici. Il m'a accordé un regard neutre, professionnel, le genre de regard que pose de temps à autre, sur des produits qui défilent, un employé d'usine robotisée chargé de vérifier que rien ne coince dans la chaîne.

Au moment d'entrer dans l'ascenseur avec mon cornac, en pressentant le voyage bref mais tendu qui s'annonçait, j'ai repensé à une sorte d'étude que j'avais réalisée quelques mois plus tôt (pour mon compte) à propos de la mise en présence forcée de deux inconnus dans un espace réduit (étude qui s'était vite orientée exclusivement sur les ascenseurs, car c'est à peu près le seul espace réduit où peuvent se retrouver côte à côte deux étrangers libres). Au risque de rompre la continuité du récit, je vais essayer de résumer les modestes réflexions que j'avais notées à l'époque sur un coin de table, car il me paraît dommage qu'elles ne profitent pas au moins à quelques personnes.

CONSEILS POUR PARAÎTRE À L'AISE DANS UN ASCENSEUR

Passer un moment dans un placard avec un inconnu est embarrassant. Face à notre prochain, nous sommes timide et confus, nous ne savons pas où mettre les yeux, nous avons envie de nous faire tout petit (et, chose curieuse, l'autre paraît toujours serein et fort, comme s'il ne se rendait pas compte de l'incongruité de la situation). Alors quelle attitude adopter pendant le trajet pour surmonter notre malaise ?

Faire l'impatient et tapoter du pied donnent l'air ridicule d'un businessman surexcité. D'un autre côté, regarder l'autre dans les yeux, à quelques centimètres, l'inquiète. Quant à vouloir engager la conversation avec lui, c'est une erreur : même pour une discussion très banale, le temps de voyage est trop court.

– Bonjour.

– Bonjour, monsieur. La politique politicienne, j'en ai ras le bol.

– Oui, ils nous prennent pour des abrutis.

– Exact. Allez, bonsoir.

Enfin, rester comme pétrifié après avoir appuyé sur le bouton, les yeux sur ses chaussures ou sur une paroi lisse, laisse supposer que la présence de l'autre nous effraie. Ce qu'il faut éviter absolument. Car en ascenseur, tout est basé sur le rapport de forces. Il est impératif, dès la mise en présence, de prendre l'ascendant sur notre prochain. Plus qu'une simple attitude, il s'agit donc d'un travail progressif, dont le but est d'amener l'adversaire en position d'infériorité. Car deux personnes ne peuvent se sentir simultanément à l'aise dans un ascenseur. On peut le regretter, mais c'est ainsi.

Tout d'abord, il faut s'empresser de demander « Quel étage ? » avec désinvolture, avant même d'être tout à fait à l'intérieur. Si nous traînons, il nous devancera sans scrupule – or cette question est primordiale, car elle nous place d'emblée comme le patron de l'endroit. « Un habitué », songera-t-il. Mais rien n'est encore gagné, bien sûr. Il est maintenant indispensable de se placer le premier près des boutons et d'attendre qu'il quémande. « Quatrième, s'il vous plaît. » Ensuite, un nouveau point sera marqué si nous appuyons précisément, d'un geste souple et sûr, sur le bouton qui correspond pile à son étage (ce n'est pas sorcier, comme manœuvre, mais cela impressionne toujours – « Il connaît l'emplacement exact des boutons, un habitué… »). Ensuite, tout est simple : il suffit de conserver l'avantage, en profitant du léger éblouissement causé par notre « ouverture » pour entamer avant lui, avant qu'il ne se ressaisisse, notre « développement ». Le développement est la matérialisation de l'attente placide, l'attitude que prend naturellement un homme sûr de lui entre le rez-de-chaussée et le quatrième, et peut revêtir plusieurs formes : un air que l'on chantonne à mi-voix, un doigt qui caresse nonchalamment le panneau à boutons, un coup de peigne dans la glace. À nouveau pris de vitesse, il est coincé : on imagine mal deux étrangers chantonner ensemble dans un ascenseur (ou pire, se recoiffer côte à côte, ou caresser ensemble le panneau à boutons). Il ne peut pas non plus se mettre à chantonner pendant que nous nous donnons un coup de peigne : une personne décontractée dans un ascenseur, ça passe merveilleusement, mais deux, ça frise le burlesque. « Ils n'ont qu'à se mettre à danser, tant qu'ils y sont. » Non, il ne pourra que rester figé et muet, dominé, embarrassé. C'est dur, mais l'heure n'est pas aux états d'âme. Il a perdu. Il voudra se cacher dans un trou de souris, tandis que nous serons parfaitement à l'aise. Il ne restera plus alors qu'à conclure (la « fermeture ») : lorsqu'il sort, vaincu, et marmotte timidement « Au revoir », nous nous contenterons d'un léger signe de tête et d'un sourire distrait, qui achèveront de l'accabler. Ouverture, développement, fermeture, l'affaire est réglée. Resté seul pour un ou deux étages encore, nous nous sentons gai et léger : le trajet s'est parfaitement bien passé pour nous.

Mon cornac m'a prié d'entrer devant lui. Je me suis immédiatement posté près du panneau à boutons.

– Quel étage ?

Je n'y croyais pas trop, bien entendu. Je savais ma méthode relativement fiable, mais dans les conditions présentes, je n'avais que très peu de chances de prendre le dessus. Je partais avec trop de handicap pour espérer lui faire courber l'échine.

Une nouvelle fois, il a paru interloqué. Il devait commencer à comprendre pourquoi on m'avait attrapé et enfermé.

– T'es groom, dans le civil ? Troisième.

Comme prévu, le trajet s'est très mal passé pour moi. Je n'ai rien pu faire. Je n'aurais pas été crédible si je m'étais mis à chantonner. Caresser négligemment le panneau à boutons n'aurait pas non plus semblé naturel, à cause des menottes (et surtout, mon pantalon serait tombé). Enfin, il n'y avait pas de miroir pour que je puisse me recoiffer d'une main distraite (de toute façon, je ne sais pas ce qu'il serait allé imaginer, que je voulais me faire beau pour aller à la PJ, ou je ne sais quoi). Non, je ne pouvais que baisser la tête, affreusement mal à l'aise. Et inévitablement, au niveau du premier étage environ, c'est lui qui s'est mis à siffloter. Je fondais de honte, j'étais vaincu (j'avais envie d'entrer dans un trou de souris, comme dans mes pires cauchemars), je fixais mes chaussures sales. Moi, l'auteur de la méthode. Fallait-il qu'ils soient forts, les diables. Je n'étais pas sorti de l'auberge.

17

– Merci, Peluchon. Laissez-le là. Assieds-toi, toi.

J'étais assis face au commissaire, je crois. J'aurais aimé écrire : le commissaire était un grand homme tout en os, au regard clair, aux tempes grisonnantes, portant une veste de tweed et des lunettes à monture d'écaille. Mais ce serait mentir. Le commissaire était une masse adipeuse et rougeaude engoncée dans un costume en solde. Tout débordait par le col, vers une pauvre tête bouffie, congestionnée, noyée dans le surplus de gras que rejetait le costume et recouverte de quelques cheveux visqueux, que l'on devinait imbibés plutôt que sales, victimes de la formidable pression d'huile. Il illustrait parfaitement le principe du raffinage : une tonne de graisse brute à la base, le visage qui rejette la sueur, de l'huile pure qui suinte des cheveux.

Après avoir méticuleusement installé une feuille dans sa machine à écrire, il m'a examiné un instant. Ses petits yeux humides semblaient faire des efforts pour rester à la surface. Ils ne se laisseraient pas submerger par la graisse.

– Il paraît que tu as oublié l'adresse de ton complice ?

– Je ne l'ai jamais sue.

– Ce n'est pas grave, m'a dit placidement le Principe du Raffinage. Je prends ta déposition, raconte.

– J'ai déjà tout raconté à l'inspecteur… Muller.

– Ah oui ? Il avait oublié son carbone, figure-toi. Je fais un double.

– En rentrant chez moi, hier soir, j'ai vu un jeune homme qui tapait sur un vieux. J'ai essayé de le défendre mais…

– Tu n'as pas bien compris les règles. Tu ne vas jamais au cinéma ? Tu ne sais pas ce qu'on fait aux menteurs, dans la police ? Mon petit Casal, montre-lui.

– Avec quoi, Chef ?

– La matraque.

Le petit Casal a ouvert tranquillement l'un des tiroirs de son bureau et en a sorti une sorte de gourdin. J'étais si vide et si perdu que, sur le moment, ça ne m'a même pas paru étrange.

Le petit Casal a fait le tour de son bureau en tapotant sa matraque dans la paume de sa main gauche (de toute évidence, il allait plus souvent que moi au cinéma) et s'est approché de moi sans cruauté apparente, très professionnel, comme s'il venait simplement attendrir ma viande. Je me sentais nerveux.

Je n'avais jamais pris un violent coup de bâton sur la tête. Je n'arrivais même pas à imaginer ce que l'on pouvait ressentir sous le choc. Une sensation de casse, sans doute, de bois qui casse.

— Trois coups, ça suffira.

— C'est vous le patron.

À partir de là, tout s'est passé très vite. J'ai aperçu du coin de l'œil le bras du petit Casal qui s'élevait au-dessus de moi, le commissaire qui souriait en face, j'ai essayé de me protéger la tête avec mes bras en opposant le fer des menottes au gourdin, et le commissaire a dit que j'étais stupide, est-ce que je croyais vraiment qu'ils allaient me taper dessus avec un gourdin ?

— Va coucher, Casal. Excuse-nous, Sanz. On aime bien faire des blagues, avec Casal.

— On adore ça, Chef, a confirmé Casal en retournant derrière son bureau, ravi de m'avoir joué un bon tour.

— On la fait à tout le monde, celle-là. Et ils ont tous aussi peur. Tu n'as pas à avoir honte. C'est humain.

— Je n'ai pas honte.

— Bon, j'arrête de t'embêter, je suis vache. Allez, continue ton histoire, excuse-moi. Tu veux une cigarette ?

— Oui. S'il vous plaît.

— Vous avez arrêté de fumer, Chef.

— Ah, c'est vrai ! Où ai-je la tête ? Je n'en ai pas, désolé.

On se sentait bien, ici, avec ces deux joyeux drilles. La police à visage humain, c'est tout de même autre chose. J'ai tout raconté d'une traite, sans fioritures, sans me soucier de ses petits yeux huileux qui me fouillaient l'âme. Qu'il me croie ou non, maintenant, je m'en foutais.

— ... et il est parti en taxi. Je rentrais chez moi quand vos deux inspecteurs me sont tombés dessus. Voilà.

Il ne tapait plus sur sa machine depuis déjà quelque temps. Il me dévisageait sans un mot. Sa grosse figure défaite exprimait le plus complet abattement, ses mains restaient clouées de part et d'autre du clavier, il pétrifiait son lard. Consterné. Effondré.

– Oh mon Dieu. Mon Dieu, mon Dieu, mon Dieu.

C'était le cousin de Perfidie ou quoi ? On leur apprenait ça à l'école de police ?

– Mon Dieu, ce n'est pas possible.

Il s'est calé en arrière sur sa chaise, monstrueux, et a posé une petite main épaisse sur le sommet de son crâne (le bras avait juste la bonne taille).

– Quel malheur. Quelle catastrophe.

Bon, allez, Casal, dis ta réplique et passons à autre chose.

+ Comment avons-nous pu ? C'est une bavure, ne cherchons pas plus loin. C'est terrible à dire, mais… Une bavure, voilà tout.

– …

– Vous n'y êtes pour rien, finalement, dans toute cette histoire, monsieur Sanz ?

– Non. C'est ce que je vous ai dit.

– Et au contraire, vous avez essayé de protéger ce pauvre vieillard. C'est cela ?

– Oui.

– Doux Jésus Marie Joseph. Nous vous avons gardé tout ce temps pour rien ?

– Oui.

– Quelle injustice, Seigneur. Vous devez nous en vouloir.

– Un peu, oui.

– Ça, je vous comprends, monsieur Sanz. Mais pourquoi ne pas l'avoir dit plus tôt ?

– J'ai raconté la même chose la nuit dernière, dans l'autre commissariat.

– Eh oui, vous avez encore une fois raison. Tout est de ma faute. Je l'ai lue ce matin en arrivant, votre déposition. Mais vous savez, la vie d'un policier n'est pas de tout repos.

– Je sais, tous vos collègues me l'ont dit.

– Eh oui, voilà. Alors naturellement, ça m'est sorti de l'esprit. Pfuit. J'ai oublié, tout bonnement. Nous sommes débordés, avec cette racaille qui traîne dans les rues, de nos jours. Je n'ai pas plusieurs têtes, moi, monsieur Sanz. Comment voulez-vous que je pense à tout ? C'est sidérant, non, cette prolifération de la racaille ? Vous n'êtes pas gêné, vous, par toute cette racaille ?

– …

– J'aurais dû vous relâcher dès ce matin. Mais peut-on faire confiance à un morceau de papier ? Je lis que vous êtes une sorte de héros des temps modernes. Bon, ce n'est pas facile à croire… Mais maintenant que je vous vois, et après avoir entendu votre passionnant récit, d'accord. Je comprends à qui j'ai affaire.

Le petit Casal se concentrait de toutes ses forces pour ne pas éclater de rire.

– Vous n'êtes pas bavard, hein ? a continué le chef. Vous avez l'air fatigué. Vous n'avez pas bien dormi ? Allez, j'arrête de vous ennuyer, monsieur Sanz, j'ai déjà suffisamment honte de vous avoir gardé tout ce temps pour rien. Sans raison. Pour rien du tout.

Il a fermé les yeux en soupirant, affligé mais fataliste, et après un hochement de tête amer en direction de Casal (pour lui demander s'il ne trouvait pas lui aussi qu'il y a des fois où vraiment on aimerait mieux faire un autre boulot), il a décroché son téléphone.

– Oui, c'est Merlin. Dites à Peluchon de me monter les affaires de M. Sanz. Et la clé des menottes, bien entendu. Nous allons le relâcher immédiatement. Car figurez-vous qu'il est innocent. (Il me regardait avec tendresse.) Et nous n'avons rien trouvé de mieux à faire que de l'enfermer depuis hier soir. C'est normal, ça, Leduc ? Un homme qui n'a rien à se reprocher… Si, je vous assure. C'est lui qui le dit, nous n'allons tout de même pas mettre en doute la parole d'un honnête homme. Il faut le libérer tout de suite. Dites à Peluchon de se dépêcher.

Je ne pouvais qu'attendre le dénouement sans me défendre (je ne comprenais pas ce qu'il mijotait – s'il espérait que je relâche ma vigilance, me croyant libre, et que j'avoue tout par mégarde, sa stratégie me semblait approximative).

Peluchon est arrivé dans mon dos. Ma ceinture, mon sac matelot.

— Voilà, si vous voulez bien signer, monsieur Sanz, m'a dit Merlin en me tendant humblement sa copie. Qu'est-ce que vous attendez pour lui retirer les bracelets, la Peluche ?

J'ai remis ma ceinture et mes lacets, pris mon sac à l'épaule. Dans le sachet qu'avait déposé la Peluche sur le bureau, j'ai récupéré mes cigarettes, mon briquet, mon billet de cinquante francs et mon prospectus de Baba Komalamine.

Mais bien entendu, je ne pouvais profiter pleinement de ce moment rare (l'inverse de ce que doit éprouver un officier dégradé en public), car je savais que nous jouions une comédie dont la chute me serait dévoilée dans quelques instants. Casal guettait dans l'ombre, prêt à entrer en scène pour le bouquet final du rire policier.

— Eh bien, je ne vais pas vous retenir plus longtemps, monsieur Sanz, a fait Merlin en se levant, énorme, comme une île qui sort en quelques secondes de l'océan. Je n'ai qu'un désir, c'est que vous nous pardonniez un jour.

Il m'a pris par l'épaule et m'a fait pivoter vers l'ascenseur, deux battants d'acier à quatre ou cinq mètres de nous. J'ai jeté un coup d'œil au petit Casal. Il me souriait.

— Il va de soi que si, par le plus grand des hasards, vous recroisez le dénommé Hannibal – par miracle, je dis bien –, nous comptons sur vous pour nous tenir au courant. Nous ne pouvons combattre la racaille que si les bonnes gens y mettent du leur. Et vous êtes avec nous dans ce combat, n'est-ce pas, monsieur Sanz ?

Nous marchions vers l'ascenseur, côte à côte. Il me tenait toujours par l'épaule. Je me demandais par où ça allait tomber. (Dans les westerns, lorsqu'une crapule de la pire espèce tient un pied-tendre au bout de son colt, il lui offre souvent, en ricanant hideusement, une chance de s'enfuir. L'autre sait bien ce qui va se passer, mais fait demi-tour tout de même et se met à courir comme un dératé.)

La porte de l'ascenseur s'est ouverte.

– On se serre la main ? Sans rancune ?

Il va me faire une prise d'art martial ? J'ai serré la main de Merlin. Je suis entré dans l'ascenseur. Je me suis installé au fond. Tout au fond. Je faisais face à Merlin. Je n'avais jamais remarqué que les ascenseurs mettaient tant de temps à se refermer. Celui-ci semblait prévu pour le passage de tout un escadron. Merlin me regardait fixement, comme un père qui voit s'éloigner son fils. Un cliquetis m'a électrisé tout le corps : la porte. Encore quelques dixièmes de seconde et j'allais descendre. Les battants se sont refermés. Ah non. Merlin a posé doucement son gros pied au milieu, les battants se sont ouverts. Le Principe du Raffinage m'est apparu à nouveau.

– Monsieur Sanz…

Je m'y attendais, hein. Je n'ai pas à me plaindre, je m'y attendais.

– J'oubliais, monsieur Sanz : j'ai un petit conseil d'ami à vous donner. La prochaine fois que vous croiserez deux types en train de se taper dessus, passez votre chemin, ça vous évitera des ennuis.

La porte s'est refermée, l'ascenseur a commencé sa descente. Drôle de mentalité, le commissaire.

Je suis seul dans l'ascenseur. En un quart de seconde, le temps qu'une porte se ferme, je venais de passer de l'état de prisonnier, assuré de vivre les trois prochains mois, au moins, dans une cellule de quatre mètres carrés, à celui d'homme libre, dont l'avenir est grand ouvert. Je ne réalisais pas, j'étais comme mort, ou trop vivant, ivre, j'étais seul dans l'ascenseur.

La traversée de la salle du rez-de-chaussée fut un supplice. J'avançais tendu vers le paradis, au milieu des démons. La Peluche était là. Et une bonne quinzaine *clutch, tense, shrivel*

d'amis à lui. Ils me suivaient des yeux. À chaque pas, j'imaginais que je ne ferais pas le suivant. À chaque pas, je craignais que quelqu'un ne m'empoigne. Chaque mouvement autour de moi dans la salle me crispait. Mais à chaque pas, étrangement, je m'approchais de la sortie. Ils somnolaient mais n'allaient pas tarder à se rendre compte que j'étais un fuyard, que j'étais sur le point de m'évader – j'attendais qu'une alarme stridente retentisse. Le chasseur qui m'avait attrapé la veille se tenait non loin de la porte et me regardait venir. Je suis passé près de lui comme on passe sous une tuile qui vacille.

18

J'étais dehors. Il faisait nuit, il faisait froid.

J'ai marché quelques mètres sur le trottoir irréel. Je me suis arrêté, j'ai regardé les immeubles. C'était le plus beau moment de ma vie, voilà. J'ai allumé une cigarette, la braise crépite dans le froid. La fumée a un goût de noisette salée. Derrière une fenêtre éclairée, au troisième étage, une femme debout téléphone. Le monde autour de moi s'étend vaste et animé, sous la lumière des réverbères, partout. Et le temps à venir est vierge, l'avenir est libre et le monde est immense. Tout est à moi.

19

astounded   numb, transfixed

C'était une nuit de novembre, il faisait un froid épouvantable, je marchais n'importe où depuis vingt minutes éberlué, transi mais soûl de liberté, sorti de cage, comme un sauvage.

J'ai fait le point brièvement. Je laissais un mauvais moment clos derrière et revenais dans la vie ample et gaie, en prenant pleinement conscience de son ampleur et de sa gaieté. Il fallait faire attention, à présent. Non pas se replier et rester sur ses gardes, non, au contraire ; mais sachant que tout peut disparaître à cause d'un vieux singe chauve et de ce mécanisme aveugle appelé « forces de l'ordre », éviter d'aller les ennuyer. J'avais deux ennemis (dont un minuscule), il me suffisait de le savoir ; et si j'ôtais du monde le coiffeur et la police, j'avais encore largement de quoi m'amuser. Le coiffeur, je l'éviterais sans problème (bon, je ne pourrais certainement pas résister au plaisir de passer une fois devant sa boutique et de lui lancer un regard effrayant – car après tout il ne pouvait pas deviner que j'étais un agneau pacifique). Quant à la police, ennemie plus coriace et plus diffuse, monstre tentaculaire imprévisible, pour m'en tenir à distance – ou plutôt (car on ne s'éloigne pas de ce qui est partout) pour vivre dans les espaces libres – il suffirait que je respecte la loi, que je veille à ne pas dévaliser une banque ni séduire une mineure, et que je laisse les inconnus se faire casser la gueule sans intervenir. A priori, ça ne semblait pas sorcier.

Maintenant, le froid épouvantable me faisait plaisir, les trottoirs glissants d'eau glacée, les arbres ignobles, malingres, le béton mouillé, tout ce cauchemar d'hiver m'hébétait de plaisir. Je tournais en rond dans le quartier des Halles et grisé je me délivrais à chaque pas joyeusement de la cage. J'ai bu une bière dans un grand café, parc à beaux jeunes gens propres et fades, juste un demi vite pour me tremper un instant dans cette atmosphère de légèreté factice, un bain de filles minces et souples, de sourires, de poitrines élastiques et d'inepties lancées à voix claire. J'ai acheté *Libé* au kiosque de nuit pour parcourir en diagonale quelques articles au hasard, je l'ai jeté ensuite. Je me suis promené dans les allées d'un sex-shop hanté par de vieux vicieux perdus, entre des milliers de cassettes et de revues aux couvertures magnifiques, pour m'étourdir de nudité sans goût, de peau moite et de mélanges obscènes. La tête pleine de culs, je suis parti manger des frites molles au Burger King, sous les néons. Puis l'estomac plein de bouillie, j'ai traversé d'un pas lourd les jardins du Forum, avec plus que jamais l'impression d'être l'un de ces petits personnages de plomb que l'on voit posés dans les maquettes de cités idéales pour le bonheur de l'Homme, dans les bureaux d'urbanisme. Cette impression me plaisait.

Avec un sourire béat sûrement, je pensais en marchant à ce que disait, chaque année aux premiers jours de l'hiver, Catherine : « C'est l'époque des crachats gelés. »

S'il y a des crachats gelés, c'est que des hommes ont craché, même si c'est sale c'est bon signe, c'est qu'il y a de la salive, des hommes qui marchent dans les rues, où ils veulent, qui rentrent dîner chez eux ou partent boire un ballon au bar, dans le froid, crachent, des hommes partout qui marchent dans toutes les directions.

Je me souvenais d'un après-midi de printemps où j'avais été frappé par la laideur de l'humanité. Je venais d'écrire la confession d'une bouchère (avant de trouver cet emploi de traducteur, je rédigeais de fausses lettres pour de petites revues pornos (j'avais dû démissionner au bout de dix-huit mois : je ne pouvais plus m'approcher d'une fille sans avoir aussitôt l'esprit inondé d'images sirupeuses et ridicules qui me faisaient rire et me dégoûtaient, ce qui nuisait évidemment à la qualité de mon rapport sexuel avec la personne (vous vous abandonnez dans les bras d'une créature langoureuse et délicate, contre sa poitrine tendre, vous essayez de vous concentrer sur son souffle, ses cheveux, sur la douceur amoureuse du moment, mais sous vos paupières défile tout un bazar de culottes mauves et noires, de moues provocantes et grotesques, de permanentes platine, de jambes largement ouvertes, de peau collante, de bas résille et de gadgets en plastique rosâtre – et ce qui respire contre vous, juste là, ce qui vous embrasse l'oreille et vous glisse un doigt dans la bouche, devient une sorte de monstre affublé de tout ça à la fois : impossible de se laisser aller à la tendresse charnelle, ni même de la culbuter rageusement à la cosaque))), je venais donc de terminer la confession d'une bouchère qui s'était fait enfiler debout par son commis, par-derrière, en s'agrippant à un bœuf écorché pendu à un crochet (« L'animal saignait sous mes ongles, contre ma joue, contre mes seins, pendant que cette brute de Fernand me lardait les entrailles »), et j'avais décidé de sortir prendre l'air pour dissiper les écœurants relents de viande rouge, de gras et de sperme qui m'envasaient l'esprit. J'étais monté dans le premier bus pour n'importe où, histoire de trouver l'oubli dans le voyage (plus sédentaire qu'une machine à laver en panne, je ne quittais quasiment jamais mon quartier). Après une demi-heure d'un trajet peu distrayant (on n'imagine pas le nombre de grosses femmes moites et de boucheries qu'on peut trouver dans Paris), j'étais descendu au hasard dans le Nord et m'étais réfugié dans le premier square venu, celui des Batignolles. Et là, assis sur un banc en plein soleil, remué encore par le clapotis du ventre flasque de ma bouchère contre le bœuf à vif, j'avais pris l'humanité en pleine poire. Ces enfants qui vagissent et galopent en tous sens, qui se tordent de rire ou de douleur pour des broutilles comme de ridicules actrices de mélos muets ; ces vieilles guenons à cheveux violets, entassées en petites brochettes hargneuses sur les bancs, qui dévorent *Télé 7 Jours* (apprenant avec tristesse que Brenda est victime de sa passion) et maudissent la terre entière (bien entendu, je ne me rendais pas compte que, moi aussi, j'étais en train de maudire la terre entière) ; ces étudiantes bêtement obnubilées par leur dernière leçon (j'étais invisible ?) ou bêtement pâmées dans l'adoration de quelque séducteur de préau, ces grands crétins bellâtres qui humilient tout le monde jusqu'à seize ans et finissent leurs jours assistant plombier ou sous-inspecteur de police ; ces vieux introvertis qui se glissent sournoisement au cœur du parc, tout enveloppés de haine et de méfiance, un sac plastique à la main, et s'installent au milieu d'une allée, fiers de gaver de pain rassis des pigeons qui s'abattent par millions sur eux ; enfin, ces grosses dindes en K-way, qui trottent et suent inlassablement autour du lac en roulant des yeux braves et pleins d'espoir, congestionnées, bourrées de crème pâtissière, et que j'imaginais sans peine étreignant un bœuf encore tiède sous les coups de boutoir d'un ex-séducteur de préau.

Mais ce soir de novembre, immergé dans cette société vive et maladroite, je me sentais bien. J'aurais embrassé tout le monde. Tout ce qui m'avait énervé au printemps m'attendrissait maintenant, ce qui m'avait écœuré m'enivrait. Une boucherie fermée où la bouchère avait oublié un magazine, *Glamour* ; un vieux soûl qui se promenait sous un vieux parapluie ; un enfant très maigre et très rapide qui a percuté un feu rouge de plein fouet ; rue Saint-Denis, un Arabe assis par terre, déraciné, qui répétait à voix très basse : « Je suis député, je suis député, je suis député » ; une pute enrhumée ; une gamine à couettes qui trépignait de rage et de fatigue ; une femme aux oreilles décollées et un homme aux oreilles décollées, laids tous les deux, qui tenaient chacun par une main une jolie petite fille blonde aux oreilles décollées ; partout, des bars, des bistrots, des brasseries, des fast-foods, des restaurants, mexicains, japonais, italiens, thaïlandais, français, américains, chinois, africains, des voitures, des kiosques à journaux, des scooters, des magasins fermés aux vitrines éclairées, surtout des vêtements, des chaussures et des bijoux, des cinémas, des hôtels, des motos, des galeries d'art, des sex-shops, des vélos, des épiceries, des salles de jeu, des pharmacies.

Il m'a fallu plus d'une heure pour assimiler tout ce monde libre, et c'est au moment où je commençais à me calmer enfin qu'au milieu de ce grand cirque je suis tombé nez à nez avec une fille – Pollux Lesiak.

20

Après cette promenade de réacclimatation euphorique, j'avais donc fini par me décider à rentrer chez moi, quand, en tournant jovial au coin de la rue du Pélican, une petite rue déserte et sombre près de la Seine, j'ai heurté une grande chose froide, humide et molle.

Quelques minutes plus tôt, j'avais reçu une sorte d'avertissement, comme toujours : j'avais failli me faire écraser par une comédienne célèbre. Je traversais la rue du Louvre, non loin de la poste, quand un taxi venant de la rue Étienne-Marcel m'a foncé dessus. J'ai bondi en arrière, mais je n'ai pas osé tendre le bras pour stopper la femme qui traversait à côté de moi. Le taxi a freiné brusquement et paf tapé dans la femme (qui n'a pas eu grand-chose, de gros bleus, ou au pire une jambe un peu cassée). La comédienne est descendue, affolée, rapide et très belle avec ses petites lunettes bleues, et s'est précipitée vers la fille (il aurait bien sûr été injuste qu'elle se précipite vers moi, qui n'avais rien, mais enfin le monde est fait d'injustices). Pendant qu'ils attendaient les pompiers, je suis resté là un moment, dans l'espoir qu'un coup de foudre terrasse la comédienne au moment où elle croiserait mon regard. Elle m'a vaguement regardé une ou deux fois par-dessus ses lunettes rondes, mais sans réelle fascination. Alors je suis parti.

J'ai poursuivi ma route, sans me douter une seconde que cette collision avec une comédienne pouvait en annoncer une autre. Quelques instants plus tard, donc, je tourne gaiement dans la rue du Pélican et je percute une masse froide, humide et molle. Je recule d'un pas, effrayé, je regarde : c'est une femme, jeune. Trempée des pieds à la tête, une fille ruisselante, debout les bras ballants au milieu d'une grande flaque d'eau.

J'ai d'abord cédé à un réflexe de dégoût, l'impression d'avoir tamponné une otarie, ou quelque chose comme ça : j'ai reculé d'un bond et ébauché un mouvement de la main vers mon manteau pour m'essuyer, presque pour vite ôter les algues. Mais je me suis ressaisi (le geste pouvait la blesser, elle ne semblait pas d'excellente humeur), et j'ai porté cette main folle à ma bouche, en essayant d'adopter une petite mine comique.

– Oups, pardon.

Elle me dévisageait, muette et immobile. Une vision déconcertante, je ne savais pas quoi faire. Trempée. (Il n'avait pas plu depuis un moment.) De plus, elle tenait un tabouret cassé à la main. Cette statue de l'indifférence, mouillée, armée d'un tabouret, postée dans une petite rue obscure, ce n'était pas rassurant.

– Vous...

Non, je n'arrivais pas à parler. Elle me faisait peur. D'autant qu'il me semblait percevoir au fond de ses yeux une lueur de froid mépris, ce qui évidemment n'arrangeait pas mes affaires. (« Halvard Sanz n'aurait jamais dû tourner le coin de cette rue... ») La seule chose pourtant qui me paraissait inconcevable, c'était de continuer mon chemin comme si de rien n'était ou, pis, de faire demi-tour et de m'enfuir. Mais je ne pouvais pas non plus rester éternellement en face d'elle à me dandiner.

Je n'ai pas la vue assez aiguisée pour distinguer sur une joue les larmes de l'eau, mais ses yeux rouges et froissés laissaient supposer qu'elle venait de pleurer (en tout cas je préférais le croire, car imaginer qu'elle avait naturellement de grands yeux de lave, non merci). Elle m'apparaissait soudain un peu plus humaine. Une grande fille brune en pleurs tout inondée d'eau glaciale, bon, ses vêtements trempés comme de l'éponge (une robe très simple, bleu pâle, un blouson épais, bleu sombre, un petit sac de toile, bleu), les cheveux longs et luisants, collés d'eau par paquets, dégoulinants comme si elle sortait d'une mare – mais elle devait être jolie, sèche. Un tabouret, bon. Ce n'était pas du mépris, au fond de ses yeux, mais une sorte de fatalisme, de découragement. Elle me regardait m'empourprer ballot, elle me regardait sans haine, comme une femme dont ce n'est pas le jour. J'ai furtivement pensé lui expliquer que durant ces dernières vingt-quatre heures je n'avais pas non plus vécu que des moments magiques, mais je sentais que ce serait déplacé.

– Vous êtes tombée dans la Seine ?

Oui je sais que je n'aurais rien pu trouver de plus idiot à demander, mais ce face-à-face silencieux devenait terrifiant – et inconsciemment, depuis le début, j'avais associé cette fille à la Seine, toute proche ; elle ne pouvait pas, à mon avis, sortir d'ailleurs. À l'expression accablée de son visage, j'ai compris que je venais de perdre mes dernières chances de me mettre en valeur (et puis, pour ne pas avoir l'air embarrassé ou apeuré par son aspect, j'avais posé ma question sur un ton qui se voulait très naturel et décontracté (à peu près « Vous habitez le quartier ? ») – en me répétant cette phrase à voix haute, je comprends sa consternation).

Cependant, et beaucoup n'en auraient pas fait autant, elle s'est donné la peine de répondre (elle bougeait pour la première fois depuis que nous nous étions rencontrés) : affligée, elle a remué presque imperceptiblement la tête de droite à gauche, en se demandant si je n'étais pas un peu crétin, puis, d'un front fatigué, m'a désigné une fenêtre au-dessus de nous. J'ai levé la tête à mon tour, un appartement éclairé, une fenêtre cassée, au deuxième étage. Ça ne m'aidait pas tellement. Elle avait sauté de chez elle à travers la fenêtre, un tabouret à la main, dans une flaque d'eau ?

– Qu'est-ce qui s'est passé ?

– Un type m'a jeté une bassine d'eau sur la tête.

Elle avait une drôle de voix, les cordes vocales mal assurées, une voix un peu éraillée de petite fille grandie (elle semblait un peu plus jeune que moi, vingt-six ou vingt-sept ans). Enfin la discussion s'engageait (avec sans doute une suite facile, je pensais, car il manquait vraisemblablement plusieurs détails). Plus à l'aise, j'ai levé une nouvelle fois les yeux vers le carreau cassé.

– À travers sa fenêtre ?

Elle a lâché le tabouret et s'est enfuie à toute vitesse. Je n'ai pas une trop haute opinion de moi-même, mais de là à penser que je puisse être exaspérant au point qu'on se sauve en flèche pour ne plus me voir ni m'entendre… Alors naturellement, je me suis retourné pour savoir ce qui l'avait incitée à fuir.

21

Au coin de la rue Jean-Jacques-Rousseau, gyrophare tournoyant bleu sombre, une voiture de police s'apprêtait à tourner dans la rue du Pélican. À quelques mètres à peine. Je n'ai pas réfléchi, j'ai attrapé le tabouret par un pied et me suis lancé comme un enragé à la poursuite de la fille ruisselante.

Même avec le recul, je ne sais pas si j'ai eu cette réaction aberrante par désir de ne pas perdre la fille ou pour échapper à la police (dans les deux cas, je ne m'explique toujours pas pourquoi j'ai pris la peine de ramasser le tabouret, qui en outre me gênait considérablement dans ma course – je suppose qu'un spécialiste peut courir vite et bien même avec un tabouret cassé dans les mains, et même harassé par vingt-quatre heures de veille en cage, mais moi, qui cours dans des conditions normales comme une autruche arthritique soûle, ou disons comme un pélican, j'avais là toutes les peines du monde à m'échapper efficacement). La voiture épouvantable a brusquement accéléré dans mon dos, avec dans le virage un crissement de pneus à la new-yorkaise, sirène mugissante, fucking hell.

Une explosion de tôle derrière moi m'aurait fait rire si je n'avais été pleinement concentré sur mon sprint : ces ânes ne savaient pas tourner à la new-yorkaise, ils avaient heurté la voiture garée au coin. Cela me laissait quelques secondes d'avance, le temps qu'ils reculent et repartent en faisant hurler le caoutchouc sur l'asphalte, goddammit.

Heureusement, la rue du Pélican est courte. J'ai vu la fille (très rapide bien que gorgée d'eau) tourner au bout dans la rue Croix-des-Petits-Champs, sauvée. J'ai essayé d'accélérer dans la ligne droite car la voiture beuglante fondait maintenant sur moi (un flic par la vitre a crié « POLICE ! » pour que je n'imagine pas que c'était le facteur), j'ai plongé à mon tour dans la rue Croix-des-Petits-Champs et me suis précipité dans le premier immeuble (sans doute le seul de la rue à ne pas être protégé par un code, la chance revenait).

Dans le hall, dans le noir, je respirais fort. La sirène en chasse traînait dans le coin (« Ben ? Où qu'il est ? »). Ce n'est qu'à cet instant, en entendant résonner dans l'obscurité mon souffle de rat traqué, près des boîtes aux lettres de tous ces citoyens en règle, que j'ai réalisé que je ne m'étais pas conduit en être humain astucieux. Dix minutes plus tôt, j'établissais un plan d'avenir assez limpide, dont la seule et simple directive était de me tenir à l'écart des forces de l'ordre, et déjà je me retrouvais pourchassé. Sans avoir rien fait pourtant – encore moins que la première fois (bon, je tenais à la main un tabouret cassé qui ne m'appartenait pas, mais il ne faut pas exagérer). Pressentant que les flics n'allaient pas rester cinq heures à me chercher bêtement sur le trottoir désert, j'ai traversé la petite cour intérieure (sous la lune) et suis monté sans lâcher mon tabouret jusqu'au cinquième étage du bâtiment du fond. Enfin tranquille, je me suis assis sur la dernière marche.

J'ai entendu un clapotis dans mon dos, je me retourne : une silhouette effroyable me guette dans l'ombre.

Le second rat était là aussi, tout en haut, tout au fond du piège. Nous avions l'air fin. Elle a parlé la première, de sa petite voix brisée.

Elle m'a demandé pourquoi je la suivais, j'ai répondu que je ne la suivais pas, que j'essayais simplement de me cacher, moi aussi.

– Ah, d'accord. Vous avez des ennuis avec la police ?

– Non. Enfin si.

Curieusement, la seconde réponse me paraissait plus honnête que la première. Je n'avais pas d'ennuis avec la police, dans l'absolu, mais je venais de passer vingt-quatre heures entre leurs pattes, et à présent je me tapissais dans l'ombre au cinquième étage d'un immeuble pour échapper à une voiture de patrouille (car nous étions là, tout à notre amour, à rire à gorge déployée comme deux amants complices, enivrés par le plaisir d'être ensemble et pris dans le tourbillon de la passion naissante, mais nous semblions oublier un peu vite que le shérif et ses hommes rôdaient dans les parages, le nez au vent et la main sur la crosse). De toute évidence, l'avenir ne s'annonçait pas rose – ou alors les flics sont vraiment faciles à berner, et les vaches bien mal gardées. (Bon, avec moi, les vaches et le citoyen ne risquent pas grand-chose, mais les flics ne sont pas censés savoir que je suis un agneau pacifique. Comme le coiffeur, tiens. C'est vrai, en fin de compte, personne n'est censé savoir que je suis un agneau pacifique – j'espère que ça ne va pas me causer de problèmes.)

En tout cas, dans le grand steeple-chase initiatique de la vie, je commençais à trouver ma foulée : le mors aux dents, la tête et la corde, et vas-y mon grand. J'avais trébuché sur le premier oxer, mais j'avais vite retenu la leçon. Dès le deuxième obstacle, on remarquait des progrès notables : d'abord, à la différence de la première fois, j'avais réussi à échapper à la voiture de patrouille (je me trouvais donc « en cavale », avec tout le prestige et la saveur émoustillante que contiennent ces mots magiques dans la mythologie du gangster), et surtout, pour ce deuxième crime, j'étais bien mieux accompagné (n'importe quel gangster vous dira que même pour un forfait mineur (ce qui était mon cas, ne l'oublions pas), il est primordial de savoir choisir ses complices – c'est la base de tout, paraît-il ; or je me sentais plus à l'aise avec cette jeune femme humide mais jolie qu'avec un petit

on the sun

73

voyou marseillais bête comme ses pieds). Il s'agissait maintenant de ne pas relâcher ma vigilance, et peut-être même de voir si ma complice n'avait pas envie qu'on se serre les coudes, pour mieux faire face.

En lui expliquant que je ne la suivais pas, j'avais déjà su attirer l'attention de la femme grâce à une utilisation savante de ma formidable puissance comique (ce comique masqué, dit « du timide qui s'enfonce tout seul » – le plus efficace), il ne me restait plus maintenant qu'à récolter le fruit de mon travail. On peut avoir l'impression que nous n'avions pas encore vraiment posé la première pierre du vaste manoir de notre amour, mais il valait mieux que j'essaie de me persuader que les opérations se déroulaient pour l'instant selon le schéma classique des grandes conquêtes, des grandes réussites amoureuses – cette inexplicable alchimie, ce phénomène surnaturel qui fait que, soudain, un homme fascine une femme –, il fallait à tout prix que j'aie l'impression de la fasciner, afin de garder un moral de vainqueur. Même si ces histoires de moral de vainqueur – d'autoroute vers la conclusion glorieuse (c'est-à-dire les langues qui se cherchent, embrasement des corps, passion qui emporte tout sur son passage) – sont surtout faites pour les cadors de la séduction, les athlètes, les tombeurs. (Ce simple mot, tombeur, me glace : on imagine un type qui marche dans une rue très animée, un petit sourire aux lèvres et les bras flottant gracieusement de part et d'autre de son corps mince mais musculeux, tout enveloppé de souplesse et d'enivrant nonchaloir, il tourne les yeux vers une fille sur sa droite et bam elle tombe raide amoureuse en arrière avec un soupir de vierge, la poitrine tremblante et les joues roses, il tourne les yeux vers une fille sur sa gauche et bam elle tombe raide, il tourne les yeux vers une autre fille, tiens, elle résiste, non voilà elle soupire et bam elle tombe, il poursuit paisiblement son chemin de prince de la lumière.) Des magiciens de la vie, ces gars-là. Pas moi. S'il y a bien un terrain dans lequel je m'embourbe, c'est celui de la séduction de la femme. Je suis certain que si j'échouais sur une île, seul homme au milieu de cinq cents femmes en manque, lubriques et haletantes, qui me lanceraient des regards dégoulinants de concupiscence, alanguies nues sur les rochers ou se frottant la croupe contre l'écorce rugueuse des grands arbres, Halvard, Halvard, je serais incapable d'en séduire une. Bon, certains ne savent pas sauter à la perche ou faire prendre une mayonnaise, moi je ne sais pas mettre en pratique la technique d'approche et d'assaut indispensable à la conquête de la femme, je n'ai pas à en avoir honte. Je ne sais pas non plus sauter à la perche ni faire prendre une mayonnaise, mais en réfléchissant, je suis sûr que je pourrais trouver des trucs que les autres ne savent pas faire tandis que moi oui, des trucs que je sais faire à merveille, sans le moindre effort et comme à la parade.

Jusqu'à ce jour, j'avais toujours eu beaucoup de chance dans le domaine de l'amour. Des concours de circonstances, les hasards de la vie, les coups de pouce de mon ange gardien (Oscar (il faudra vraiment que j'en parle), que fabriquait-il depuis quarante-huit heures ?), j'avais toujours réussi à me retrouver dans les bras des filles qui me plaisaient. À condition que je n'aie pas au préalable essayé de les séduire. Je ne pouvais qu'espérer qu'elles veuillent bien s'approcher de moi pour m'embrasser (ensuite les langues se cherchent). Gloire donc à Oscar qui souvent les poussait vers moi.

Pollux Lesiak, ça n'avait pas l'air de lui venir tellement à l'esprit, de venir vers moi pour l'amour. A priori, je ne la tentais pas.

Une fille du tonnerre, pourtant. Je l'ai déjà dit, mais je n'en revenais pas. (Des yeux immenses, très sombres, que je ne me risquerais pas à décrire davantage, par crainte de tomber dans le puits noir et vaseux des charmes rebattus – « des yeux immenses », déjà, c'est limite. Quand on voit ça dans un roman, on rigole ; mais quand on voit ça sur un palier la nuit, moins. Des yeux

immenses. Pollux Lesiak dans les yeux de Pollux Lesiak.)
Une fille belle comme le soleil – dans la mer.

Mieux valait encore une fois laisser faire Oscar. Laisser
faire. De toute façon, je ne me sentais capable de rien
d'autre. Je ne sais si c'était la récente et alarmante découverte de la notion de *problème*, ou le contrecoup tardif des
sévices (j'exagère) subis pendant ma détention, ou bien
cette situation particulière (nez à nez avec la femme de
ma vie au sommet d'un immeuble), mais j'avais l'esprit un
peu désorganisé, contrairement à mon habitude.

Ce qui me paraissait fort regrettable, car je ne retrouverais pas de sitôt une occasion pareille de me lancer
dans la vie conjugale :

D'un côté, la plus belle fille de la planète, celle qui
m'est destinée (premier coup de bol – pour certains, le
destin prévoit des monstresses, mais ils sont bien obligés
de se plier à la volonté de l'impalpable : c'est leur moitié,
cette bonne femme qu'ils ont sous les yeux). De l'autre
côté, moi seul en face d'elle. Pour décor, un palier paisible sur lequel nous étions bloqués pour un moment,
sous peine de tomber dans les griffes de l'Ordre. C'est
déjà une belle situation, même lorsqu'on ne sait pas quoi
se dire. Alors avec un sujet de discussion aussi dense et
palpitant que le mystère de l'eau et du tabouret… Si je ne
m'en sortais pas, je n'avais plus qu'à m'allonger sur un lit
en attendant la mort. C'est vrai, le plus délicat, lorsqu'on
est seul sur un palier avec la plus belle fille de la planète,
c'est d'engager la conversation. On a la pétoche. Dans
mon cas, il ne me restait plus qu'à lui demander comment elle s'était retrouvée trempée sous une fenêtre cassée, un tabouret à la main. Elle jugerait naturel que je
pose la question et n'y verrait pas la manœuvre d'un
habile dragueur (il y avait peu de risques). Oscar
m'offrait le bonheur sur un plateau à roulettes. Si je ne
me débrouillais pas avec ça, je pouvais m'en aller loin de
tout, tête basse, je n'avais plus rien à faire dans la jungle
de l'amour. Alors j'ai demandé ce qui lui était arrivé, et
tout s'est passé comme dans un rêve enchanteur.

scared stiff   chatter-up
(draguer fisherman)

Je m'appelle Pollux. Oui, je sais... Pollux Lesiak. Je suis parisienne, je suis née à Boulogne-Billancourt. Je vais avoir vingt-six ans en mars. Je suis Poissons. Ce soir j'étais triste. Je suis triste depuis un an et demi, mais ce soir un peu plus. Avant, j'étais plutôt joyeuse. J'étais légère en tout cas. Et puis j'ai rencontré quelqu'un, et à partir de là je n'ai plus été légère. Je travaille à Beaubourg, j'ai suivi des études pour ça, je voulais faire quelque chose au musée, je ne sais pas trop quoi, mais ça ne m'intéresse plus. Ça m'ennuie. Tout m'ennuie maintenant, je me sens lourde et j'ai mal à la tête. Donc j'ai rencontré ce type et je suis tombée amoureuse de lui. Je ne sais pas ce que je fais avec lui, il est lugubre, il est dur avec moi, il est coincé, je m'ennuie, je ne sais pas pourquoi je ne le quitte pas, je suppose que je suis amoureuse de lui mais ça me paraît bizarre. Il m'impressionne, peut-être, je suis vraiment bête. Ou c'est parce qu'il est dur et froid avec moi. Ou parce que d'un certain côté ça se passe plutôt bien. Mais ça, ça arrive avec d'autres. Bon, je ne sais pas. Alors je l'ai quand même quitté, ce soir, parce que c'est pas possible de rester avec quelqu'un qu'on n'aime pas, de se laisser enfoncer dans une existence aussi laborieuse, c'est comme de la vase noire, je ne peux pas être amoureuse de quelqu'un qui me plonge dans la vase noire, je ne peux plus rien faire, je ne peux même plus me débattre, ça colle, c'est noir, c'est dégueulasse. Alors ce soir je l'ai regardé pour la première fois avec un peu de recul : il est lugubre. Je crois que je suis amoureuse de lui quand même. Mais je ne l'aime pas. Oui, bon, ça ne veut rien dire. Enfin, je suis partie, je lui ai dit et je suis partie dans la rue. Je me sentais plus légère, comme avant, je me sentais plus claire, comme si je revenais dans l'air et la lumière, je pouvais marcher. Mais j'étais triste, aussi. Je suis peut-être bête. Non : quand même, c'est dur, de quitter quelqu'un avec qui ça s'est si mal passé pendant si longtemps. L'impression d'avoir raté, de n'avoir pas eu ce qu'il fallait. Mais peut-être qu'il ne fallait rien, qu'il n'y avait rien. Je me sentais légère mais je pleurais, dans les rues, je pleurais comme une fontaine, je ne pouvais plus m'arrêter, j'ai marché je ne sais combien de temps et je pleurais. Ça m'épuisait. Je ne pouvais plus que marcher dans le vide et pleurer. C'est un peu bête à dire, hein, ces trucs-là. Tu sais, cette histoire de… les yeux pour pleurer, quoi. Et la fatigue. Plus de forces pour rien. Alors je me suis arrêtée, parce que je ne pouvais rien faire d'autre. Je me suis assise par terre et j'ai continué à pleurer, sans bouger, c'était juste pour me vider de mes larmes, de tout ce qu'il restait. Je ne bougeais plus et ça continuait à couler. Je me sentais bien et mal en même temps, je ne sais pas. Alors bon, je fais du bruit, quand je pleure. Je renifle et je pousse des petits cris, je crois. Quand je dors, je ronfle. C'est l'autre abruti qui me l'a dit, ça le gênait. Donc j'étais assise là, je pleurais, et au bout d'un moment j'ai entendu une voix au-dessus de moi, mais je n'ai pas compris ce qu'elle disait. Et puis un peu plus tard, ça a gueulé encore, à la fenêtre, et là j'ai compris que le bonhomme voulait que je parte. Je ne faisais pas beaucoup de bruit, pourtant. Tu vois, pas des hurlements de douleur ou des choses comme ça, juste des petits reniflements de pleurs, comme tout le monde. Alors j'ai rien dit, parce que ça me paraissait idiot. Il est revenu et il a dit : « Tu peux pas aller chialer ailleurs, espèce de connasse ? » J'ai regardé au-dessus de moi, il y avait une grosse tête rouge à la fenêtre, une tête ulcérée. Je suis sûre que ça ne le dérangeait pas, il m'entendait à peine, mais il ne voulait pas que je pleure sous sa fenêtre, c'est tout. C'était sa fenêtre. Il ne supportait pas de voir ça. Il était tout rouge. J'ai dit « Va te faire foutre ! » et une minute plus tard il m'a balancé une bassine d'eau sur la tête. Je suis sûre que, s'il avait eu un fusil, il m'aurait tiré dessus. Parce que je pleurais. J'ai eu l'impression d'être toute seule au fond d'une fosse, avec le monde furieux et tout rouge au-dessus de moi qui me lançait de l'eau froide. Il a refermé sa fenêtre à toute vitesse, comme s'il avait la trouille que je sois Wonder Woman et que je bondisse jusqu'au deuxième étage pour lui mettre mon superpoing dans le nez. C'était comme s'il disait « T'as pris une douche, t'as plus qu'à foutre le camp, on est enfin débarrassés de toi ». Je sentais le monde entier qui applaudissait. J'étais partie de chez l'autre, j'étais légère et triste, et le monde entier me jetait de l'eau froide sur la tête et refermait sa fenêtre, et je restais toute seule au fond d'une fosse avec toute cette haine au-dessus, et moi maintenant pleine de colère, je me sentais très dense maintenant, prête à résister à tout ce qui venait d'en haut, j'étais vide trois secondes plus tôt et brusquement j'étais pleine de rage. Il y avait ce tabouret cassé, à côté, déposé sur le trottoir, comme une arme. Je me suis levée, j'ai pris le tabouret cassé, et je l'ai lancé de toutes mes forces dans la fenêtre. Un beau bruit de verre qui éclate, la fenêtre en mille morceaux, ouverte, détruite. Et le tabouret est retombé sur le trottoir avec un beau bruit de violence, ça m'a fait plaisir. Je l'ai repris et je me suis dit que si le bonhomme rouge sortait la tête, je lui lançais mon tabouret pour que ça le cogne. Mais non, il restait dedans, il avait la trouille, il devait être tout recroquevillé à regarder les éclats de verre sur son tapis, et j'ai pensé que sans doute il appelait les flics. Pour qu'ils me mettent dans une vraie fosse, plus sûre. Quand tu es arrivé, quand tu m'es rentré dedans au coin de la rue – assez fort – je ne savais pas si tu venais de tout ce monde au-dessus, ou si... Bon, je me sentais toute seule, je ne savais pas.

22

Je ne savais pas trop non plus. Cette fille toute seule qui pleure assise et reçoit une bassine d'eau glacée sur la tête, je sentais que c'était mon genre. Je devinais comme une affinité. Son histoire laissait bien sûr un goût de sinistre, ces longs mois de vase noire pour n'aboutir qu'à la fuite, ce temps passé dans l'obscurité, cette frustration, mais elle en parlait sans tristesse, sans accablement. Effectivement, à regarder, elle paraissait légère, de cette légèreté nouvelle qu'on ressent lorsqu'on vient de se débarrasser d'un poids et qu'on a l'impression, par réaction, de ne plus toucher terre – cette légèreté lumineuse, vaporeuse, que j'avais ressentie en sortant de chez les fous policiers.

Oh, le récit de cette aventure m'avait enthousiasmé. Une heure plus tôt, j'avais le monde en face, le monde autour, le monde agité, le monde merveilleux, et maintenant le monde avait disparu et j'avais Pollux Lesiak en face.

Bien entendu, je découvrais l'existence d'un rival. Mais je ne m'affolais pas, je ne m'en plaignais pas : quand on rencontre quelqu'un, il y a toujours un rival dans les environs. Un type qui se cache quelque part, qui le plus souvent même ne se cache pas tellement, et auquel il faut prendre la personne rencontrée par hasard (qui elle-même doit vous prendre à sa rivale, votre fiancée, tapie dans l'ombre). C'est la loi de l'espèce. On ne rencontre pas des gens tombés de la dernière pluie d'amoureux. Mais moi, coup de chance terrible : mon rival était un grand crétin lugubre, coincé, ennuyeux, enlisé dans la vase noire – j'aurais pu tomber plus mal. C'est la grande roue du destin, ça. Une roue qui aurait très bien pu s'arrêter sur « Rival magnifique et drôle », eh bien non, l'aiguille avait choisi « Rival lugubre et stupide ». Je suis très modeste de nature, mais je crois que là, honnêtement, j'avais de bonnes chances de l'envoyer au diable. À condition que « stupide, lugubre, ennuyeux », ce ne soit pas également dans ma nature. Non, je ne pense pas. (« Enlisé dans la vase noire », je ne savais pas encore tout à fait – il allait falloir que je surveille ce point-là.) Je parlais de poisse ? Exactement le contraire : j'étais verni.

la poisse : bad luck   lucky

Pour lui faire comprendre que je venais moi aussi de la fosse au moment où je l'avais percutée, otarie noire et gluante, et que je n'avais absolument rien à voir avec les gros types rouges et ulcérés du monde du dessus, je lui ai raconté mon aventure avec les gardiens de la paix (par rapport à la version que j'ai donnée plus haut, j'ai un peu romancé – je les ai tous décrits comme de gros types ulcérés et rouges : oui, j'espérais secrètement qu'elle allait sentir, elle aussi, des affinités entre nous). Elle s'était assise sur la dernière marche de l'immeuble et, debout face à elle, je mimais les scènes dramatiques, accompagnant mon conte de gestes éloquents, pathétiques et gracieux. Elle m'écoutait avec beaucoup d'attention et un sourire à pierre fondre et ses yeux gigantesques et, posées sur sa robe bleu simple, sur ses genoux, ses mains fines et immatérielles et plus belles que les jardins suspendus de Babylone, elle écoutait tout ce que je disais et ça me déboussolait qu'on m'écoute comme ça, mais ça me donnait du courage. Je commençais à me sentir pousser des ailes. Travail entre homme et femme dans quelques jours, je le sentais. Dans quelques heures, même, peut-être. Nom d'un chien.

Après quinze ou vingt minutes de bavardage décontracté, à la bonne franquette et comme à la maison, je n'étais plus le même homme (je découvrais les délices de la conversation – c'était simple, je n'en revenais pas : je te lance une phrase à la diable, tu me réponds comme si de rien n'était, je réponds à mon tour, à toi, à moi, et allez donc !). Je me sentais expert et beau, je n'avais plus de limites. Je posais des questions, je répondais aux siennes avec une aisance remarquable, je souriais, je me caressais les sourcils du bout des doigts, je faisais de petites moues, je riais avec beaucoup de naturel – ah, mon rival, le malheureux.

Cela dit, les corps ne s'embrasaient toujours pas. Il nous faudrait bientôt quitter notre petit nid d'amour, les flics ayant probablement bouclé leur ronde, et si nous n'avions pas le cran de parler franchement (« Je t'aime »), je craignais que la montagne que nous étions sur le point de déplacer ensemble n'accouche d'une souris qui se mettrait à danser la gigue du destin cruel dès que le chat que nous n'aurions pas osé appeler un chat serait parti.

L'idéal aurait été qu'elle me propose la botte. Mais je n'y croyais pas trop. Ce n'était pas le genre de fille à proposer la botte. Elle attendait visiblement que je prenne l'initiative, sans se douter une seconde qu'il n'y avait pas l'ombre d'une chance. Elle attendait, pourtant, elle attendait (je veux le croire) – sous ses airs paisibles et détachés, elle n'excellait peut-être pas dans le domaine de la séduction, elle non plus (elle ne se rendait pas compte que tout le boulot était déjà fait, qu'elle n'avait plus qu'à dire n'importe quoi, même un mot qui n'a rien à voir, même tambour ou cordonnier histoire de dire quelque chose, un code, même dans une langue étrangère si elle se sentait vraiment mal à l'aise sur ce terrain-là, j'aurais compris, et c'était parti pour la folie de la chair, sans chichis ni manières). Une entêtante odeur d'eau de boudin commençait à m'étourdir. J'ai réagi illico, à la James Dean :

– Tu veux qu'on aille dîner quelque part ?

Moi. Halvard Sanz. Le piètre. Tu veux qu'on aille dîner quelque part. Et avec une de ces décontractions, mon vieux. Comme si je lui accordais une faveur, puisqu'elle insistait, ou comme si je pensais à autre chose en même temps. Magiciens de la vie, donnez-moi mon badge ! Je n'avais jamais osé demander l'heure à une fille laide et sourde, et d'une seconde à l'autre je me transformais en cador irrésistible, comme mes idoles, en jeune prince de la conquête amoureuse. Tu veux qu'on aille dîner quelque part. Halvard Sanz, bourreau des cœurs. Ensorceleur, don Juan, bourreau des cœurs. Salaud, va.

Mais j'effectuais là mes premiers pas dans l'univers du charme facile, et je crois que toute entreprise, toute exploration d'un monde nouveau nécessite quelques tâtonnements. Je n'ai pas correctement évalué l'ensemble des paramètres. Avec quelques semaines d'entraînement dans les jambes – la séduction n'a rien à voir avec les jambes, pour l'homme, mais la phrase sonne bien comme ça – je n'aurais sans doute pas commis cette erreur, j'aurais eu tout de suite une vision plus globale de la situation. Elle m'a demandé si je connaissais un bon restaurant de poisson, postbranché de préférence et tenu par des jeunes, car il n'allait pas être facile pour elle de se faire admettre ruisselante dans un établissement classique. J'ai dû reconnaître que je n'y avais pas pensé, mince – j'ai essayé de lui expliquer qu'elle était si jolie qu'elle sécherait vite, mais ça ne voulait rien dire. Dans l'affolement, j'ai proposé qu'on attende la pluie, plutôt que le séchage de ses vêtements : il ne nous resterait plus alors qu'à marcher une petite demi-heure, pour que je coïncide, et le restaurant le plus tatillon de Paris nous accueillerait comme des princes. Mais ce n'était pas très intelligent non plus, de miser sur l'orage – les éléments naturels ne sont pas spécialement les amis de l'homme, je le devinais. Et là, coup de théâtre : j'ai dit quelque chose de magnifique. Qui nous a ouvert en grand les portes de l'avenir. Une phrase.

– Si tu veux, tu peux venir te sécher chez moi, j'habite juste à côté, je te prêterai des vêtements de ma fiancée.

Et voilà. Tel quel, génial. Bien sûr, si l'on cherche la petite bête, on peut noter une sorte de bourde vers la fin de ma phrase (je débutais, rappelons-le). Je ne sais pas, j'étais lancé, je me sentais porté par l'aisance du séducteur, je n'ai pas su m'arrêter à temps. La faute bête. Bon, rien de dramatique tout de même, je n'ai pas eu l'impression qu'elle tiquait outre mesure (heureusement, car ce n'est pas très gracieux pour une fille, les tics outre mesure). Et puis après tout, il fallait bien que je lui parle de cette rivale qu'elle allait devoir terrasser. Pour ma part, j'avais déjà repéré la cible et commencé le travail depuis un moment, il était grand temps qu'elle entre en action, elle aussi.

En trois mots trois virgules, je venais de proposer à une fille que je ne connaissais pas de venir se déshabiller chez moi. Tu viens chez moi et tu te déshabilles. Qu'on me les montre, les tombeurs capables de ce genre de prouesse. Évidemment, je m'avançais un peu, car pour qu'il y ait prouesse il fallait d'abord qu'il y ait réponse de la partenaire (il doit y en avoir des tonnes, des séducteurs de pacotille qui proposent à des femmes de venir se déshabiller chez eux et qui essuient un échec). Tout à l'euphorie intime suscitée par ma phrase, je ne doutais plus de rien, je me voyais en crack. J'oubliais ce que j'avais appris ces dernières heures, la prudence et l'humilité, j'oubliais que rien ne se passe jamais comme prévu, que sous le masque enchanteur du triomphe peut se dissimuler le visage hideux de la débâcle et que la vie est un bordel monstre, j'oubliais que, depuis la baignoire, le feu avait pris dans la forêt.

Pourtant, elle m'a répondu. Et malgré ma confiance euphorique et mes chevilles enflées à bloc, j'ai eu toutes les peines du monde à en croire mes oreilles :

– D'accord.

Et pas le genre de « D'accord » lâché du bout des lèvres, à contrecœur : non, le « D'accord » à fond les ballons dans le sens du cœur.

Sans plus nous soucier des flics qui nous guettaient peut-être encore, planqués derrière les réverbères, nous avons laissé son tabouret cassé sur le palier du cinquième et nous sommes sortis de l'immeuble. Mentalement main dans la main.

Avec le recul, je me demande si nous avons bien fait de nous laisser aller à tant d'insouciance et d'abandonner derrière nous, là-haut, son arme contre le monde.

23

Dehors, pas un flic. Le calme plat, la rue est à nous, la paix règne sur le monde. Le paradis la nuit. Une ville sans flics, comme un jardin sans taupes. Viens mon amour, marchons paisiblement, je vais te passer les vêtements de ma fiancée et nous irons au restaurant en toute décontraction.

Pour ne pas recroiser le chemin des rabatteurs de la poisse, nous avons évité de repasser sous la fenêtre brisée de l'ulcéré, qui surveillait sans doute la rue du Pélican à la longue-vue. Et devant le commissariat de la rue du Louvre. Et dans les grandes artères, qui fourmillent de fonctionnaires. Il nous a donc fallu effectuer un détour de quelques centaines de mètres, ce qui ne s'est finalement pas avéré gênant tant le voyage s'est déroulé de manière agréable : nous marchions en mocassins de plume sur des trottoirs de velours. Un trajet hors du temps, fluide et lent, calme et enivrant, des méandres de bien-être vers mon appartement (douillet). Je ne sais plus de quoi nous parlions, tant c'était naturel – je serais aussi incapable de me rappeler nos mots que le nombre de nos pas ou de nos respirations.

Seul écueil dans ce ruisseau d'eau très douce qui serpentait jusque chez moi : à mi-chemin, elle m'a posé la question piège. Je n'ai pas réussi à savoir si elle était sérieuse ou non, mais c'était tout de même habilement joué de sa part, car je me suis retrouvé comme deux ronds de flan. Elle m'a demandé si, en lui proposant de venir se changer chez moi, je n'avais pas une idée derrière la tête.

– T'aurais pas une idée derrière la tête, toi, par hasard ?

Si la femme désire tétaniser l'homme qui lui fait la cour, il suffit qu'elle lui demande s'il n'a pas une petite idée derrière la tête, lui, par hasard. Elle ne se mouille pas, ne dévoile rien de ses propres intentions (il ne peut pas deviner si elle plaisante ou non), et le plonge dans la plus pâteuse confusion. Si je répondais non, je me plaçais dans une situation délicate qui risquait d'entamer une bonne partie de mes chances de conquérir son cœur. En gros :

– Je te plais ? demande-t-elle.

– Pas tellement, non.

Grosso modo. Je me retrouvais donc en mauvaise posture. Et si je répondais oui, ce n'était pas mieux. La scène devenait même carrément ridicule.

– Dis donc, toi, tu ne serais pas en train d'essayer de m'attirer dans un piège pour me sauter dessus ? demande-t-elle.

– Si.

Il me restait bien sûr l'option « Et toi ? » mais ça me paraissait minable, comme issue de secours. Ah la garce. Bon, qu'est-ce que je réponds ? Vite. N'importe quoi, allez, elle me demande ça pour plaisanter. À l'impro, cador.

– T'aurais pas une idée derrière la tête, toi, par hasard ?

– Moi ? Non…

Le cador, la classe. Où diable suis-je allé chercher cette réponse ? L'impro à l'état brut, le tréfonds de l'âme qui prend le contrôle de la situation – la réponse imprévisible, quasi géniale, qui surgit des profondeurs de l'inconscient comme un jet de lave d'un volcan éteint depuis des siècles. *inmost depths*

NE FAITES PAS TROP CONFIANCE AU TRÉFONDS DE VOTRE ÂME

Enfin, il fallait bien que je dise quelque chose, de toute manière. Et puis ce n'était pas si grave, en comparaison de toutes les trappes qui s'ouvrent sous nos pieds dans ce monde. Il suffirait que je lui fasse comprendre le contraire dans quelques heures. La femme aime qu'on la déroute, je l'ai lu quelque part – séduire, c'est surprendre (je ne sais plus si j'ai trouvé ça dans Stendhal ou *Marie-Claire,* ou si ça m'est venu tout seul un soir d'allégresse, mais je crois que ça fonctionne). Je le vérifierais bientôt : je n'ai pas la moindre idée derrière la tête, croit-elle, et l'instant d'après, ou presque, je la pousse à la renverse sur mon lit (je savais bien que je n'aurais jamais l'audace de la pousser à la renverse sur mon lit, mais disons : et l'instant d'après, ou presque, une lueur de désir brille au fond de mon œil). Elle serait surprise, déroutée, elle s'abandonnerait sans peine.

Hasard pour m'éviter les secondes pénibles qui devaient logiquement suivre la révélation peu exaltante que je venais de lui faire (quelques pas en mocassins de plomb sur un trottoir d'œufs – il s'installe toujours un petit malaise entre l'homme et la femme lorsque l'un des deux annonce à l'autre que non merci ça ne l'intéresse pas), un camion de pompiers est passé dans la rue, ce qui m'a permis de détourner très vite la conversation. (Au moins, les pompiers sont mes alliés sur terre, c'est toujours ça de pris.) J'ai pu changer de sujet et lui raconter que, tiens, un camion de pompiers, à chaque fois que je me promenais dans mon quartier et que je voyais passer un camion de pompiers, un bastion de neurones pessimistes au fond de moi m'avertissait qu'il fonçait droit sur mon immeuble. Toujours j'avais dans un coin de l'esprit la certitude que les braves gars mettaient les gaz et brûlaient les feux rouges, sirène vagissante, pour aller tenter d'éteindre l'incendie qui ravageait mon appartement (une cigarette mal éteinte, le bébé du dessous qui a joué avec les allumettes, ma chatte qui a ouvert le gaz en essayant de grimper sur la cuisinière, un terroriste qui a déposé une bombe sur mon paillasson par erreur). Un jour, le bastion de neurones alarmistes avait fait tant d'émules sous mon crâne que je m'étais mis à courir derrière le camion pour en avoir le cœur net – ah non, ce n'était pas chez moi. Et les fois suivantes, je m'étais contenté de contrôler le pincement d'angoisse en serrant les mâchoires et en pensant à autre chose (à n'importe quoi, le championnat du monde de boxe, le tapir de Colombie, les brochettes de lotte, les tableaux de Catherine, les jolies filles, l'hôtel d'Angleterre à Carteret). Car si je me mettais à galoper comme un cheval fou derrière tous les camions de pompiers qui passaient dans le premier arrondissement, ma vie deviendrait un enfer.

En lui expliquant cela, bizarrement, il ne m'est pas venu une seconde à l'esprit que ce camion-là pouvait filer droit chez moi, justement. Si ça se trouve. Une nouvelle farce de la vie, peut-être – l'ironie du sort (expression terrifiante). Il faut dire que je n'avais pas besoin d'artifices pour éloigner de moi les idées noires : Pollux Lesiak était le championnat du monde de boxe, une brochette de lotte, les tableaux de Catherine, Pollux Lesiak était l'hôtel d'Angleterre à Carteret, toutes les jolies filles et le tapir de Colombie.

Nous sommes arrivés devant mon immeuble et, non, il ne brûlait pas. À cet instant, les braves gars devaient essayer de sauver les dernières poutres de l'appartement d'un malheureux désespéré hurlant – qui n'avait pas de bol, certes, la fatalité venait de pointer arbitrairement sur lui son index injuste, c'est bien triste, mais enfin faut pas non plus que ce soient toujours les mêmes:

Je lui ai désigné la fenêtre du quatrième.

– J'habite là.

Curieusement, la lumière de ma chambre était allumée. Ah. Aurais-je oublié d'éteindre hier soir en partant ? Le plus troublant, c'était le carreau cassé. Car j'avais la quasi-certitude de n'avoir pas cassé le carreau hier soir en partant.

24

Nous avons escaladé les quatre étages un peu nerveusement, Pollux Lesiak et moi. Amusant, tout de même, ces fenêtres brisées qui nous poursuivaient. Il ne devait y avoir dans tout le quartier que deux fenêtres éclairées brisées : l'une sous laquelle je la rencontrais, l'autre derrière laquelle je l'emmenais. En montant, nous nous demandions le sens ésotérique incroyable et dingue que pouvait bien receler cette surprenante coïncidence extraordinaire, et ne trouvions rien de très stimulant à répondre. On ne peut évidemment tirer de conclusions hâtives, tout le monde sait qu'il ne faut pas généraliser, mais dans le doute on doute, et nous espérions tous deux vivement qu'il n'existait pas un lien trop étroit entre les fenêtres brisées et la haine aveugle des crétins obtus, des rougeauds ulcérés. Pourvu que ce soit un hasard, cette fenêtre, pourvu qu'il n'y ait aucun rapport avec la haine, voilà ce que nous nous disions. J'ouvre ? Tout ce que nous souhaitions, Pollux Lesiak et moi, c'était de ne pas découvrir, embusqués chez moi, quelques gros rougeauds ulcérés.

Malheureusement, ce fut le cas.

J'ai ouvert la porte. L'appartement que j'habitais à l'époque était constitué d'une très grande pièce, qui faisait office de tout, et de plusieurs petites. Je travaillais, mangeais et dormais dans cette grande pièce, sur laquelle donnait directement la porte d'entrée. J'ai ouvert. Ma chatte Caracas s'est précipitée vers moi en miaulant. Comme à son habitude, elle m'a sauté au cou. Sur la poitrine, plutôt. Mais je ne l'ai pas attrapée au moment où elle tentait de s'agripper à moi : elle est retombée lourdement sur la moquette, l'air ahurie. Puis indignée. Elle ne semblait pas deviner que la présence de neuf ou dix personnes installées chez moi était susceptible de bouleverser un peu nos coutumes.

Assise à mes pieds, les sourcils haussés, Caracas posait sur moi deux gros yeux stupéfaits où se mêlaient l'incompréhension et la colère. Elle n'était pas la seule. Derrière elle, les neuf ou dix envahisseurs, assis sur mon lit, sur mes chaises, sur mon canapé, mon cher fauteuil, me dévisageaient de la même manière : une vingtaine de gros yeux stupéfaits braqués sur moi. Caracas, elle, ne se souciait déjà plus de moi et repartait d'un pas philosophe vers son panier. Inutile de me cacher la vérité plus longtemps : sur ces neuf visages tournés vers moi, apparaissait peu à peu un je-ne-sais-quoi d'ulcéré. Peu à peu les mêmes lèvres tremblantes, les mêmes yeux outrés, la même expression de fureur hagarde que le coiffeur chauve, et probablement que le videur de bassine. J'ai avancé timidement pour voir si le mirage ne se dissipait pas, comme sur ces cartes postales pour enfants dont l'image se modifie lorsqu'on les bouge un peu. Non. Ils étaient toujours là. Neuf personnes abasourdies, qui avaient pris possession de mon appartement. Inexplicable. Et inquiétant. Je les connaissais tous.

Je me suis retourné : dans l'embrasure de la porte, Pollux Lesiak me regardait avec une petite moue sympathique qui semblait dire « Je sais ce que tu ressens. Et moi non plus, je ne comprends pas ce qu'ils fabriquent ici. Mais je devine l'état dans lequel tu te trouves actuellement, Halvard ». À ce moment-là, rien sur terre ni au ciel ne pouvait me réconforter davantage que cette petite moue. Je crois que je ne me suis jamais senti aussi proche de quelqu'un, que je n'ai jamais eu à ce point la sensation de faire équipe avec quelqu'un dans le combat de la vie moderne. J'ai aussitôt pris la décision de l'épouser plus tard, et j'ai de nouveau fait face à l'occupant. Si seulement nous avions pensé à emporter son tabouret.

Je me serais mis à tournoyer dans la pièce en brandissant le tabouret à bout de bras pour les détruire tous dans un grand fracas magnifique d'os brisés et de chairs éclatées.

Mais non.

J'y ai pensé fort, j'ai essayé de les dissoudre, mais non. Ils étaient toujours là. En pleine nuit. Atterrés par ma présence. Muets. La fenêtre cassée. L'un d'eux s'est levé du canapé sans un mot, Laurent. Debout, avec l'air du type qui va bondir sur moi en hurlant un truc religieux, pour me planter un poignard dans le ventre. Bon, c'était ça, la quatrième dimension ? Dans ces situations-là, en règle générale, la marche à suivre est simple : il faut réunir ses esprits au plus vite et analyser la situation.

Nous pouvons reconnaître ici Laurent, Jean-Luc, Jérôme, Stéphanie, Bachir, Pascal, Brigitte, Michel. Des amis, ce serait mentir. Des connaissances, c'est le mot. Je ne les aimais pas plus que tout au monde, ces gens-là. Il y avait en revanche avec eux quelqu'un que j'appréciais davantage : Cécile, ma fiancée. C'était la seule à ne pas me regarder méchamment. Éberluée, tout de même. Et la présence dans mon dos de la plus jolie fille du monde occidental ne pouvait être la seule cause de son ahurissement. Bon, mais alors quoi ? Qu'est-ce qu'ils avaient à me dévisager comme ça ? Qu'est-ce qu'ils foutaient tous chez moi à cette heure ? Ils voulaient me faire une surprise à l'américaine pour mon anniversaire ? Généralement on n'attend pas tout ce temps, on allume dès que la porte s'ouvre et tous ensemble, on y va, on crie « SURPRISE ! » C'était mal synchronisé, leur truc. Et puis on ne fait sûrement pas des têtes pareilles quand on s'apprête à crier « SURPRISE ! » Non, de toute façon mon anniversaire ne venait qu'un mois plus tard – je suis né le 16 décembre.

Ma garde à vue ? Je me lamentais à l'idée que personne sur terre ne pensait à moi en ces heures douloureuses, et tout ce monde-là était au courant, se mourait d'inquiétude sans pouvoir rien faire que d'attendre ici dans l'angoisse qui poisse les nerfs ? Qui les aurait avertis ? Le voisin ? Et ma fenêtre ? Ils auraient cassé ma fenêtre d'un coup de poing vengeur et furibard pour protester contre l'injustice du monde à mon égard ? Je n'arrivais pas à analyser la situation, c'était agaçant.

Eux – Qu'est-ce que tu fous là, Halvard ?

Moi – Là ? C'est chez m…

Eux – T'as rien ?

Moi – Quoi j'ai rien ? Tu parles des flics ?

Eux – Quels flics ? T'as été récupéré par les flics ?

Moi – Récupéré ? J'aurais pas dit ça comme ça.

Eux – Qu'est-ce que tu racontes ?

Moi – Qu'est-ce que je raconte ? J'allais te poser la même question.

Eux – Tu t'es pas suicidé ?

Moi – Hein ?

Je n'avais pas trop le moral ces deux derniers jours, c'est certain, mais ils ne perdaient pas de temps, tout de même. Ils semblaient extrêmement étonnés. Ces gars-là ne plaisantent pas, dis donc. Vous tombez dans votre baignoire, vous êtes écroué à tort pendant vingt-quatre heures, inutile d'insister : le mieux à faire est de vous tirer une balle dans la tête. Non, je ne m'étais pas suicidé, non. J'avais envie de vivre encore un peu, pour voir. Intégristes. Ils n'étaient pas censés savoir ce qui m'était arrivé, de toute manière. Oui mais alors quoi ? (J'allais réussir à analyser cette situation, oui ou non ? – je n'espérais plus d'éclaircissements de leur part, ils me fusillaient de regards incrédules en attendant que je consente enfin à leur expliquer pourquoi j'étais encore vivant.) Il me semble que si un ami ne met pas les pieds chez lui pendant vingt-quatre heures, je ne suis pas automatiquement persuadé qu'il est mort.

Brusquement, la lumière. La solution m'apparaît, brillante, je réunis mes esprits en un éclair et j'analyse aussitôt la situation (ouf) : mon répondeur. L'un de ces ploucs a dû téléphoner, a prévenu les autres, et hystérie collective.

La veille, j'avais laissé sur mon répondeur un message annonçant que je ne pouvais pas décrocher car j'avais la tête dans le four : je ne m'en sortais plus, j'étais débordé par les factures, on venait de me couper l'électricité, le gaz et le téléphone, et je voulais en finir une fois pour toutes avec le Système.

Bon, je sais bien qu'il n'y a pas de quoi se tordre de rire sur le parquet pendant plus d'une demi-heure, mais de là à prendre l'information au sérieux… D'autant qu'à cette époque je changeais de message chaque jour – en restant toujours dans la tradition des grands comiques, genre Fernandel. Je disais ce jour-là que j'avais la tête dans le four parce qu'on m'avait coupé le gaz, et ils accouraient pour me sauver ? Et Cécile ? (J'ai appris plus tard que, non, elle était venue me voir par hasard et avait trouvé trois ahuris complètement affolés au pied de l'immeuble.) Qu'allais-je faire de tous ces amis fidèles qui s'étaient précipités comme un seul homme pour me délivrer de l'amère étreinte du désespoir, et semblaient à présent m'en vouloir de ne pas être allé au bout de mon idée, les empêchant ainsi de me sauver ? Moi, pour l'instant, je prenais la chose avec le sourire. À l'époque, je prenais souvent les choses avec le sourire, au départ.

Même si leur présence retardait le feu d'artifice de chair, de membres qui s'entremêlent, de mains avides, de sueur et de salive que me proposait tacitement Pollux Lesiak, ils étaient plutôt drôles à voir, en Zorros frustrés. Et surtout, se sentir encore vivant quand neuf personnes ont déjà à la main les poignées de terre qu'elles jetteront sur votre cercueil procure un agréable sentiment de puissance indestructible, curieusement le sentiment d'avoir échappé de justesse à la mort. C'est idiot, du point de vue de la logique, mais tonifiant du point de vue de la joie de vivre irrationnelle.

– Ne me dites pas que vous avez cru à cette histoire de four ?

– T'es con ou quoi ? Évidemment, on y a cru. On essaie de t'appeler depuis hier soir ! Plus de vingt-quatre heures !

J'ai jeté un coup d'œil vers le répondeur : 28 messages.

– Mais pourquoi vous avez cassé la fenêtre ? Vous n'avez quand même pas escaladé les quatre étages par la façade pour venir me sortir la tête du four ?

– On a appelé les pompiers.

– Les pomp... ? Oh non.

Les pompiers. Mes amis les pompiers. Le camion de pompiers que nous avions croisé revenait de chez moi. Le premier camion de pompiers qui ne m'ait pas inquiété depuis des années, il fallait que ce soit pile celui qui déploie sa grande échelle pour venir briser ma fenêtre. Il faisait déjà très froid, à cette époque de l'année. Zut. Pas de chance. Mes amis les pompiers. Salauds.

NE COMPTEZ MÊME PAS SUR LES MEILLEURS, ON NE LE DIRA JAMAIS ASSEZ

Mon sourire s'estompait imperceptiblement.

C'est à ce moment que j'ai remarqué la bouteille de whisky que Cécile tenait à la main. Cécile aimait le whisky. Une petite bouteille de temps en temps, ça lui donnait le moral. Et pour supporter le choc de ma double disparition (décès et évaporation), elle avait probablement eu besoin de quelques gorgées d'eau de feu. Elle s'est levée et s'est avancée vers moi en titubant, avec l'aisance et la grâce fragile d'une marquise boiteuse sur un chemin de boue, m'a pris dans ses bras et m'a embrassé en chuchotant qu'elle était contente de me voir bien vivant, qu'elle avait eu peur, et qu'il ne fallait plus jamais que je recommence, parce qu'elle m'aimait et que de toute façon on ne se jette pas dans le four pour une histoire de factures. Bien qu'un peu gêné vis-à-vis de Pollux Lesiak – mais c'était sa rivale Cécile, tant pis, il fallait bien que les deux femmes se rencontrent avant la lutte pour l'homme – j'étais heureux de constater que l'une au moins des neuf personnes héroïques qui m'attendaient ici ne semblait pas furieuse de voir qu'une lueur de vie subsistait encore en moi.

– Vous auriez pu… Je ne sais pas, c'est très gentil de vous être inquiétés, mais vous auriez peut-être pu attendre un peu avant de demander aux pompiers de casser ma fenêtre.

– Et rester tranquillement sur le paillasson pendant que tu crevais à l'intérieur ? Tu vas pas nous engueuler, en plus, non ?

– Non.

– On pourrait tous être tranquillement au plumard, je te signale.

– Justement, oui.

94

Je me suis retourné pour adresser une petite grimace complice à Pollux Lesiak – notre dîner d'amoureux tombe à l'eau, chérie, mais ne leur en voulons pas, nous avons la vie devant nous – et la présenter à mon équipe d'intervention, je voulais lui faire une petite grimace, une petite grimace complice, mais j'ai fait une petite grimace complice dans le vide car Pollux Lesiak avait disparu.

25

Je me suis précipité dans l'escalier : personne. Je me suis précipité à la fenêtre, j'ai passé la tête dans le trou des pompiers sans me lacérer les oreilles : personne sur le trottoir, personne dans la rue. Comment peut-on se volatiliser ainsi ? Je l'avais perdue. À peine une heure que je la connaissais, et j'avais perdu ma compagne de toujours.

Laisser échapper un long râle plaintif, voilà ce qui me ferait du bien.

Lorsque je me suis retourné, ils m'ont soudain semblé nettement plus gros, les gardiens de ma vie. Hormis Cécile, qui picolait comme un ange dans un coin. Et Caracas, qui plissait les yeux, compatissante. Jérôme est sorti de la cuisine avec un camembert et une bière. Stéphanie téléphonait à quelqu'un, l'œil contrarié. Jean-Luc regardait les disques. Énormes, affalés chez moi, ils occupaient maintenant tout l'espace, ils absorbaient mes objets, ils se fixaient, lourds, agressifs, les yeux luisants de graisse jaune entre des paupières de couenne. Et il fallait que je les embrasse, que je les remercie.

– C'était qui, cette fille ?

– Une amie.

– Pas mal. Faudra que tu nous la présentes. Tu nous dois bien ça.

– Bon, t'arrêtes de tirer cette tronche, Halvard ? Je te jure, ça fait plaisir.

– On est là pour toi, au cas où t'aurais pas remarqué.

– La prochaine fois, tu te débrouilleras tout seul.

– Ouais, si on t'emmerde, faut le dire.

– Ça t'écorcherait la bouche, de t'excuser, au moins ?

– De m'excuser ?

Je sentais un faisceau de haine se diriger contre moi. Ce qui comptait, c'était eux. Leur geste magnifique, tous pour un : allez, faisons fi de nos petits soucis personnels, fi aussi des occupations passionnantes qui nous attendaient ailleurs, c'est pas tous les jours qu'on a un pote dans le four, rendons-nous utiles, serrons-nous les coudes, groupons-nous et demain. Une occasion de sauver quelqu'un, ça ne se loupe pas.

C'était un peu de ma faute, aussi, tout ce bazar. C'était de ma faute. Je commençais à avoir l'habitude.

– Bon les gars, c'est formidable, ce que vous avez fait. Ça me touche beaucoup. Je vous revaudrai ça. Mais je suis très fatigué, là.

– Ça veut dire quoi ?

– J'aimerais vous proposer de rester un moment, pour que vous ne vous soyez pas dérangés pour rien, mais j'ai passé des moments assez durs, depuis hier, et…

– Tu nous fous à la porte ?

– Les grands mots. Je suis crevé, c'est tout.

– Crevé ? On te croyait mort et tu nous jettes dehors parce que t'es crevé ?

– Soyez sympas.

J'ai essayé de garder le plus longtemps possible le ton aimable de l'hôte navré. Je pensais au coiffeur que j'avais voulu sauver et qui s'était retourné contre moi, et à ces gens qui avaient voulu me sauver et se retournaient contre moi. Ni sauver, ni être sauvé. Ça se corsait, la vie devenait délicate. Je pensais à Pollux Lesiak. Qui s'était sauvée. Mais qui avait oublié quelqu'un, dans sa fuite. Sans doute j'étais un boulet, je l'aurais ralentie.

Comme Biscadou.

Plus j'essayais de me calmer pour ne pas offenser mes invités, plus j'avais envie de leur marteler le crâne à coups de poing. Les meilleurs étaient partis les premiers, la sagesse populaire a toujours raison. Ma sœur Pascale, mon avocat Biscadou, mon épouse Pollux Lesiak : ils avaient tous su s'en aller à temps vers les contrées sereines où les êtres humains ne se veulent pas de mal et jouent de la flûte en dansant gaiement d'un pied sur l'autre, ils s'envolaient et toujours me laissaient planté dans les marécages. Pollux n'était plus là, je restais seul dans l'enclos des bêtes grasses et baveuses qui louchaient sur moi. Et cet enclos, c'était chez moi.

Je leur ai demandé de partir. Gentiment. Ils ont refusé. Je les avais déjà volés d'un véritable sauvetage (« Jérôme, éteins le gaz ! Bachir, les fenêtres ! Les fenêtres, bon sang ! Aide-moi, Jean-Luc, prends les pieds ! Stéphanie, dégage ce putain de chat du lit ! Bachir, nom de Dieu, les fenêtres ! »), je n'allais pas les frustrer une seconde fois, les priver de l'heure de gloire, les embrassades, les remerciements. Un petit truc à manger, au moins, non ? Ils ne partiraient pas, ils exigeaient le respect. Ils se sont carrément mis en colère, tous contre moi. Les bêtes baveuses. Alors je me suis énervé, voilà. Pourtant, je suis quelqu'un de plutôt calme.

Je les ai poussés un par un vers la porte encore ouverte. Chacun en sortant me lançait une petite pelletée d'injures, des choses très fines et blessantes comme connard ou pauvre mec ou je te savais pas comme ça ou connard. En gros : ils croyaient que j'étais un type bien et comprenaient soudain que j'étais une ordure, incapable de remercier correctement les gens qui m'empêchaient de commettre un acte que je n'avais même pas eu l'honnêteté de commettre. J'ai fermé la porte et n'en ai plus jamais revu un seul.

Caracas est venue se frotter contre mes mollets, en se déséquilibrant quelques pas à l'avance comme un ivrogne qui va s'appuyer contre un mur bienvenu. Cécile cherchait une nouvelle bouteille dans le placard. Je l'avais vue se soûler trois fois ces cinq derniers jours, au whisky, et n'aimais pas trop qu'elle dépasse le cap du litre

– car après un premier stade hilare et insouciant, elle devenait tendre, langoureuse, mielleuse, molle, puis triste, abattue, désespérée, boudeuse, bilieuse, nerveuse, irritable, hargneuse, forcenée, hurlante. Mais je suis allé m'asseoir près d'elle sur le lit, et j'ai bu deux ou trois gorgées avec elle.

Les yeux perdus et rieurs, elle m'attrape hagarde à deux mains, comme si un abîme venait de s'ouvrir dans le matelas sous elle. Pollux. Elle me parle à l'oreille les mains dans mes cheveux, avec de petits bruits de salive dans mon cou, monologue hilare qui tombe et s'accroche : « Je me demandais où t'étais, je disais il est parti, qu'est-ce que je vais faire, je savais pas où t'étais, je croyais pas que t'étais mort dans le four mais je pensais quand même qu'est-ce qui lui est arrivé, où il est, je me faisais du mauvais sang, j'ai bu un petit coup parce que j'étais nerveuse comme tout. » Pollux. Elle me touche pataude en parlant doucement, les épaules, le ventre, les bras, les joues, elle m'empoigne et passe ses lèvres lourdes humides sur mon oreille, Pollux, presse sa poitrine soûle contre la mienne, se colle et se frotte péniblement, les yeux clos – les joues brûlantes, elle sent l'alcool et le fruit mûr, elle bave, elle pleure d'épuisement, elle tord mon pull entre ses doigts.

Pollux.

Trois minutes plus tard, elle hurle, les yeux mouillés de fureur. C'est parti, allez. Je veux lui prendre la bouteille de whisky mais elle s'agrippe, elle en renverse partout sur le lit, elle essaie de boire et ne trouve pas exactement sa bouche. Qui était cette pute avec toi, Halvard ? Pollux. D'habitude je prends la pose du bonze et je laisse faire jusqu'à ce qu'elle tombe, de toute façon elle ne peut pas casser grand-chose, mais ce soir je n'ai plus une goutte de sang tibétain dans les veines. Du fond de son panier, Caracas me regarde. Cécile essaie de crier quelque chose mais s'emmêle la langue autour de la luette et ça sort brouillé – une radio mal réglée, le volume à fond.

Alors je m'emporte et je la maîtrise. Une main ici, une main là, donne-moi cette bouteille, tss tss, un bras autour des épaules, une jambe sur les genoux, le Super Boucher de l'Oural terrassant la Tripière de Belleville, clac je te maîtrise. Sèche-moi ces grosses larmes, c'est fini… Chut… C'est fini, Halvard est là. Mais lorsque le Super Boucher se lève pour aller ranger la bouteille, c'était couru : la crise de nerfs. Comme un bébé auquel on arrache son hochet, mais avec la puissance vocale d'une femme de trente ans. Et puis sur une personne d'un mètre soixante-dix, par rapport à un gnard de cinquante centimètres, les mouvements sont très amplifiés. Effrayant. Je panique, je sens que la situation m'échappe, je suis dominé, la Tripière de Belleville est déchaînée. Elle hurle et tamboure, je reste debout devant et j'ai mal à la tête. Si je ne fais rien, je vais me désintégrer sur place, comme un verre de cristal dans les mains de la meilleure soprano du monde, qui le jette au sol et saute dessus à pieds joints.

Je cours vers la cuisine, le Super Boucher de l'Oural va frapper fort, je remplis un bol d'eau froide, je reviens et le jette à la figure de la Tripière. Mon plan, au départ, consistait à ne jeter que l'eau, à la figure de la Tripière. Mais évidemment j'avais rempli trop vite, j'étais revenu trop vite, le bol était mouillé, je n'ai pas de ventouses aux doigts, ça glisse, et allez rattraper un bol une fois qu'il est lancé. On peut toujours courir on arrivera trop tard. Voilà. C'est fait c'est fait, je ne vais pas regretter ça toute ma vie. Bol et eau arrivent ensemble en pleine face de tripière. Faïence contre os, un bruit désagréable. Mais j'ai la conscience tranquille, de toute façon. Il m'a échappé, ce bol. C'est malheureux, mais je n'y peux rien.

J'ai cru voir Caracas dodeliner de la tête en levant les yeux au ciel. Cécile s'était tue, soudain. La pommette ensanglantée, un œil fermé, elle me fixait de l'autre avec l'air hébété du jeune voyou qui n'avait peur de rien et vient de se prendre un coup de poignard dans le ventre (moi, je devais avoir l'expression du type qui guettait le cambrioleur derrière la porte et se rend compte qu'il a poignardé son meilleur ami). Elle est restée pétrifiée quelques secondes, elle s'est levée, elle a pris son sac et son manteau, elle m'a lancé un regard borgne et méprisant, elle est sortie sans un mot.

Les bras ballants, Super Boucher regarde ses chaussures. Il n'en mène pas large. Il est très fatigué. Super Boucher n'est pas homme à se laisser abattre, mais il sent tout de même le découragement le gagner peu à peu. Il réalise qu'il vient de se comporter avec Cécile comme le gros rougeaud à bassine s'est comporté avec son épouse Pollux Lesiak. Serrons-nous la main, collègue. Moi, en plus, j'ai jeté la bassine avec. Ah, pas bête. Merci du tuyau, pour la prochaine fois. Et encore bravo.

Super Boucher ne sait plus trop où il en est.

Caracas me regarde, pose le menton sur ses pattes avant croisées, puis ferme les yeux. Bon. Il faut que je trouve un carton à fixer sur le carreau cassé.

26

Les jours suivants, soyons honnête, je n'ai pas particulièrement brillé. J'étais morose. Et pas tranquille. On dira que je me plains sans arrêt. Je ne suis peut-être pas solide, je ne sais pas.

Cécile m'en a voulu. Nous avons continué à nous voir, mais entre l'histoire du bol et l'air absent que j'arborais quand je relâchais ma vigilance de fiancé (j'ai toujours su composer des expressions très crédibles, mais à cette époque, je crois qu'un œil entraîné pouvait repérer sans trop de difficultés sur mon visage les marques que le lancinant regret enfoui au plus profond de mes entrailles douloureuses y imprimait en filigrane lorsque mon impitoyable for intérieur me rappelait sans prendre de pincettes que j'avais perdu à tout jamais celle que j'avais réussi par miracle à trouver parmi deux milliards d'autres, Pollux Lesiak), elle s'est aigrie (Cécile). Lorsqu'on lui demandait ce qui était arrivé à sa pommette et à son œil, elle disait que je l'avais frappée. Un accès de fureur incontrôlable, pour une histoire de jalousie, et je m'étais rué sur elle comme une bête.

De bonne guerre, allez. Ceux à qui elle racontait ces salades se tournaient vers moi et me jetaient un regard écœuré. (Je leur donnais la nausée, c'était clair.) Et que pouvais-je dire ? Expliquer que j'avais voulu lui lancer de l'eau froide au visage et que le bol m'avait échappé ? Ne l'écoutez pas, elle s'est cognée dans une porte ? J'avais peu de chances de convaincre. Alors pour ne pas rester stupidement muet, je grognais : « Ne l'écoutez pas, elle raconte n'importe quoi », mais bien sûr c'était léger, comme système de défense.

– Monsieur Sanz, vous êtes accusé d'avoir attaqué la BNP de la Madeleine, le 15 novembre au matin, armé d'une kalachnikov et de six grenades offensives, et d'avoir abattu trois clients et un gardien de la paix au cours de la prise d'otages qui a suivi.

– N'écoutez pas ce juge, messieurs les jurés, il raconte n'importe quoi.

Notre idylle perdait de sa superbe. Je ne pensais qu'à Pollux Lesiak, Cécile s'en rendait compte – ou pensait peut-être à quelqu'un d'autre aussi, je n'en sais rien. Malgré tout, nous avons continué un moment à nous voir. Nous nous raccrochions corps et âme à ce que nous appelons, dans notre jargon si particulier d'amoureux de la femme, le cul. Depuis le premier jour, de ce côté-là, c'était le triomphe des sens et l'exaltation de la nature humaine. Car au départ souvent ça patine. Nous non. Oh, fallait voir. Nous voulions donc profiter encore un peu de ces facilités techniques : c'était toujours ça de pris sur la difficulté d'être. Après tout, tant que de nouveaux prétendants ne venaient pas frapper à la porte de la chambre pour embarquer l'un des deux, nous n'avions aucune raison de nous priver.

Mais dans ces moments-là, son œil tuméfié me lorgnait. À quelques centimètres, ce petit œil innocent perdu dans une mare de violet boursouflé, qui me fixait comme si j'étais le dernier des monstres : insupportable. Elle aimait garder les yeux ouverts, bon, je ne me sentais pas le droit de lui demander de fermer le gauche, s'il te plaît. Mais ce petit juge bouffi qui me fusillait à bout portant, non, c'était impossible. Si je fermais les yeux, c'était encore pire – je m'imaginais un œil énorme braqué sur moi. Et comme elle n'aimait pas la levrette (ça lui faisait un peu mal), nous avons cessé de nous voir.

Donc je me suis retrouvé seul, ce qui ne tombait pas si mal. J'avais besoin de réfléchir. De mettre à plat mes petits soucis et d'essayer de m'organiser.

Je divisais le monde en deux parties (Pollux Lesiak et le reste), et chacune me posait un problème.

Pour Pollux Lesiak, je ne pouvais pas faire grand-chose. Elle était repartie, elle s'était de nouveau fondue dans l'inconnu – inutile de me lancer à sa recherche, la terre est vaste et les gens bougent sans arrêt.

J'ai téléphoné aux renseignements : « Pollux Lesiak, vous dites ? Liste rouge, monsieur, je suis désolé. » Non. Elle était là, toute proche, je la voyais, pour ainsi dire, je tendais la main et clac, on me tapait sur les doigts. S'il vous plaît. « Non, monsieur, vous comprenez bien que c'est impossible. » L'ignoble rigidité de la loi, aveugle et sourde. C'était comme si je découvrais en plein désert, après trente jours de marche, une bouteille d'Évian enfermée dans un cube de verre incassable, déposée là par un sadique. Ensuite, tantalisé, j'ai bien essayé d'aller la chercher à Beaubourg, mais c'est presque aussi vaste que la terre, ce centre. Et là aussi, les gens bougent dans tous les sens et sans arrêt. Je ne savais pas à qui demander, pauvre explorateur, j'errais dans les étages en espérant l'apercevoir, je m'adressais de temps en temps à quelqu'un qui me paraissait sympathique – « Vous ne connaîtriez pas une certaine Pollux Lesiak ? » –, et toujours j'obtenais la même réponse : « Une certaine quoi ? » J'ai téléphoné je ne sais combien de fois, au standard, au musée et à douze mille postes au hasard, en demandant toujours d'une voix sûre, calme et pressée à la fois :

– Oui, Pollux Lesiak, s'il vous plaît.

– Qui ?

– Pollux Lesiak, pour Halvard Sanz.

– Désolé, monsieur, vous avez dû vous tromper de numéro. Cette personne ne fait pas partie de notre service.

Elle travaillait peut-être dans une annexe. Elle avait peut-être déjà démissionné. Elle m'avait peut-être raconté des mensonges. Après une semaine d'enquête, j'ai abandonné. Au fond de moi, je ressentais toute l'horreur, toute la misère du mot « bredouille ».

J'espérais qu'elle allait revenir frapper un jour à ma porte, mais c'était uniquement pour opposer quelque chose au vide. Je n'y croyais pas. À la vue de tous ces zouaves lourdauds qui m'attendaient chez moi, elle avait fort bien pu penser que je faisais partie de leur équipe (après tout elle ne me connaissait pas, n'avait pas eu l'occasion de découvrir les mille facettes fascinantes qui composaient mon personnage). Et à la vue de Cécile m'enveloppant d'amour ivre, elle avait fort bien pu décider de neutraliser (sans doute au prix d'efforts surhumains) l'ardent désir qui la poussait instinctivement vers moi (peut-être n'avait-elle pas les mêmes théories que moi sur la bagarre sentimentale, sur le barbotage de fiancé à la rivale, peut-être Pollux Lesiak était-elle une fille très sport). En tout cas, elle ne reviendrait pas d'elle-même. Elle laissait faire en confiance, j'en étais sûr. Comme moi. À cette époque, je m'en remettais encore à la vie. C'est d'ailleurs pourquoi je ne m'affolais pas trop, en dépit de l'aspect critique de la situation. Car j'utilisais depuis mon plus jeune âge la technique dite « de la petite souris ». Très impressionné marmot par ses résultats stupéfiants, je continuais à faire confiance à ce système. Il me semblait que, dans n'importe quelle situation, il suffisait de laisser le problème se reposer sous l'oreiller, sans s'en soucier le moins du monde, pour qu'en une nuit la dent se transforme en pièce de cinq francs (avec l'âge, la magie met souvent bien plus d'une nuit à opérer – mais avec l'âge on apprend également à se montrer un peu plus patient). Jusqu'à présent, cette méthode m'avait toujours parfaitement réussi. Quand je n'avais plus de boulot, par exemple, il suffisait que je ne m'en occupe pas, et quelque temps plus tard, au moment précis où j'allais dépenser mon dernier franc, une lettre dans la boîte me proposait d'écrire un papier sur les sèche-linge pour un journal d'entreprise ou de travailler quelques semaines dans un bar. Et même si ces jours-ci certaines valeurs et techniques auxquelles je croyais vacillaient sur l'étagère de la certitude, il ne fallait pas les remettre toutes en question. Il suffirait que je ne cherche pas Pollux Lesiak pour la trouver un matin dans mon lit, ou presque.

De toute façon, et je le savais depuis longtemps (ce n'est pas cette fois une croyance personnelle, c'est l'un de ces impénétrables axiomes inscrits dans les tables de fonctionnement du monde, comme la loi des séries ou la vitesse constante de la lumière), on croise toujours deux fois les gens qui nous intéressent. La vie nous donne une deuxième chance, par gentillesse ou charité, ou parce que ça l'arrange. C'est alors à nous de ne pas commettre de boulette, de ne pas louper cette deuxième occasion, car nous n'en aurons plus d'autre (il ne faut pas demander la lune). Il reste à espérer que lorsque nous serons mis de nouveau en présence de la personne (par exemple : tous les deux dans le même wagon de métro), nous ne serons pas en train de lire un roman captivant ou de discuter à bâtons rompus avec quelqu'un, car alors nous passerons le reste de notre vie à nous demander si elle va se décider à venir un jour, cette deuxième rencontre, oui ou non ? C'est pourquoi, quand nous avons manqué la première chance, ensuite nous devons bien faire gaffe. (Il faut que nous fassions notre part d'efforts, que nous nous secouions (tiens, c'est curieux, ce mot), la vie n'a rien à voir avec Jésus-Christ et la bienveillance sans bornes.)

Finalement, j'étais donc tout à fait serein de ce côté-là : pour peu que j'ouvre l'œil, je reverrais Pollux Lesiak. Un jour ou l'autre.

De l'autre côté, le monde commençait depuis peu à montrer des signes de mauvaise volonté à mon égard. Tout cela était très nouveau pour moi, je débarquais (sur le terrain de l'autour hostile). (Pour la première fois peut-être, je faisais nettement la distinction entre mon entourage et moi-même, je m'apercevais avec dépit que ce n'était pas la même chose : si quelque chose autour me gênait (raisonnais-je finement), c'est que quelque chose de différent existait autour, et qu'il allait donc falloir faire avec. (La plupart des gens entrevoient cela dès l'âge de deux ou trois ans.) Mais faire avec, faire avec, c'est facile à dire (c'est même assez beau, c'est humble, c'est humain, c'est tempéré, poétique – faire avec). N'importe qui peut essayer de mettre ça en pratique, de passer sa vie à prendre des coups dans la poire, à se faire sans cesse projeter au sol par les béliers hargneux de l'entourage et à se relever en se répétant « C'est bon, c'est bon, je fais avec, pas de problème », mais ça ne me tentait pas trop.)

Avec un coiffeur et la police, passe encore. Oui, il reste beaucoup de place à côté, j'avais mis au point une méthode simple en sortant du commissariat, j'aurais pu faire avec. Même avec les truands de seconde zone, genre Hannibal, et les radiateurs électriques. Passe encore, bon. Mais si on y ajoute les ulcérés qui lancent des bassines de leur fenêtre (il y en a certainement plus qu'on ne pense), les connaissances qui ne sont pas de véritables amis, les pompiers (non, pas les pompiers, c'est un beau métier, pompier), les répondeurs téléphoniques et les fiancées qui reçoivent malencontreusement un bol dans la figure… Pour continuer ma petite route paisible en évitant tout cela, il allait falloir que je louvoie comme un serpent.

C'était techniquement impossible. À moins de m'enfermer chez moi ou de m'enfuir sur une île déserte. Et je n'avais pas la moindre envie d'aller vivre sur une île déserte, tout seul, oublié de tous, sans rien à faire pour m'occuper, non merci.

27

Sur le tard, je venais de comprendre que les pompiers qui cassent votre fenêtre par erreur et les bols qui vous échappent des mains, c'est la vie – ce qui dérape. C'est ainsi que se déroule une existence humaine, d'erreurs en tuiles. La femme de votre vie disparaît de votre univers comme une bulle de savon, avant même que vous n'ayez eu le temps de lui effleurer la main, quoi de plus naturel ? Je venais de rentrer dans le rang et passerais sans doute le restant de mes jours à jouer de malchance, comme tout le monde.

28

Un peu refroidi, j'ai donc décidé de rester un moment à l'abri. Durant trois semaines, je suis resté chez moi avec Caracas. J'ai pensé que c'était une bonne occasion pour gagner de l'argent et j'ai demandé à Marthe Hermel, la directrice du service traduction de la maison d'édition pour laquelle je travaillais, si elle n'avait pas un roman court à me donner pour mettre à profit ces journées oisives et sûres. Femme épatante (le génie de la vie, Marthe), elle a compris tout de suite, a approuvé ma décision de me tapir trois semaines pour m'habituer à ma nouvelle condition d'être humain vulnérable, et m'a rappelé un quart d'heure plus tard pour m'annoncer qu'elle m'avait trouvé un petit livre à traduire.

J'aimais beaucoup Marthe. C'est l'une des personnes que j'ai pu fréquenter pendant ces trois semaines de protection. Il fallait sortir, mais prudemment : je n'ai donc vu ou entendu que les gens que j'aimais sans crainte (ceux qui n'attendaient rien de moi) – Marthe, ma sœur Pascale, mes parents, et bien sûr Catherine.

MES AMIS
(PARENTHÈSE DE BIEN-ÊTRE)

Je suis allé dîner deux fois chez Marthe en lui demandant de n'inviter personne, elle m'a fait son saumon à l'unilatérale, la seconde fois du canard, elle me racontait ce qu'elle appelait ses marécages (Marthe avait toujours des aventures explosives avec les hommes, de joyeux petits Viêt-nam amoureux, torrides et meurtriers, ces histoires où l'on se bat dans la mélasse enivrante – dont elle sortait fourbue, harassée mais heureuse (« C'est de la bonne fatigue »)), on parlait toute la nuit, de travail, d'amour et de chats (le sien s'appelait Louis), elle ouvrait des bouteilles de bordeaux sombre et lourd qui réconforte, merci Marthe génie de la vie, elle me montrait de vieilles photos de famille, les années cinquante, sa si jolie tante en robe légère dans un jardin, élégante et jeune et fragile, morte jeune, on se prenait aussi en photo pour laisser de petites traces dans l'histoire du monde, elle me disait de ne pas m'en faire et de me lancer gaiement à l'assaut de l'ennemi.

J'ai dîné trois fois avec ma sœur, dont une chez elle. Je lui ai raconté la suite de notre rencontre avec le bouillant Hannibal, elle m'a parlé de ses amours : de longues passions, toujours. Elle tombait raide amoureuse, changeait d'appartement pour emménager avec son fiancé, plongeait dans la vie conjugale, projets de mariage et d'enfants, plus rien ne l'arrêtait, laissez-moi passer je fonce vers le bonheur domestique, et tout à coup boum elle en rencontrait un autre par hasard et, juste le temps de toussoter et de jeter un coup d'œil derrière elle, elle se lançait avec lui sur la nouvelle route de l'amour éternel, c'est rien je m'étais trompée dans mes calculs. Cette fois, elle venait de s'unir à un acteur marseillais. En tant que frère aîné, qui doit faire profiter sa petite sœur de son expérience de la vie, je lui ai dit « Méfie-toi des Marseillais ». Mais elle m'a répondu du tac au tac qu'Hannibal était la brebis galeuse, et ce Marc Parquet celui que les dieux avaient posé sur terre pour elle, il ne fallait pas perdre de temps pour officialiser les choses, son instinct maintenant bien rôdé ne pouvait plus la tromper. À cette époque, Pascale était un peu frappée. Elle parlait à la lune, se faisait tatouer des petites souris sur les chevilles (quatre sur chaque), voyait des âmes volantes partout, s'était acheté en guise d'animal domestique un bernard-l'ermite qui s'appelait Ramón (et vivait en liberté dans son appartement comme un chat minuscule), elle chantait pendant des heures allongée par terre et ne mangeait quasiment que des graines et des algues. Elle était hôtesse de l'air.

Je suis allé passer un week-end chez mes parents, qui habitaient encore Morsang-sur-Orge. Pile ce qu'il me fallait, trois jours de paix confortable, trois jours comme un bain chaud. Mes parents étaient deux planètes sereines et sûres au-dessus du monde, qui comprenaient ou devinaient tout, qui pardonnaient tout, qui ne se vexaient jamais, ne s'énervaient jamais, deux entités rayonnantes qui avaient toujours exactement les mots, les gestes, les regards justes. J'étais heureux de les voir, comme une voiture qui fume est heureuse de voir le garagiste savant.

Catherine, qui habitait Lille, m'a téléphoné plusieurs fois. Elle ne pouvait pas venir, elle travaillait à l'Opéra. Elle m'appelait la nuit après le spectacle, de longues heures, elle me racontait des anecdotes et des bêtises, ou bien des choses pour me calmer, pour me sortir de ma glu. Mon remède, Catherine. Je ne peux pas parler d'elle, pas plus que le blanc ne peut parler du jaune une fois que l'œuf est battu.

J'ai passé trois semaines de douceur et de quiétude, avec mes cinq alliés, à l'abri de tout le reste dehors sauvage. J'aurais bien continué longtemps ainsi, mais ce n'était pas possible. D'abord parce qu'il faut voir du pays, des personnes, des choses – même si l'on trouve des menaces et du danger à chaque coin de rue, tant pis, on ne peut résister à l'attrait de l'extérieur inconnu (de toute façon, ça ne doit pas être si redoutable, des tas de gens vivent là, autour, partout, et s'y promènent – il doit bien y exister un moyen de rester en vie). Et si dans le monde et les choses je parvenais à retomber sur Pollux Lesiak, ça valait le coup d'aller jouer les kamikazes. Car au cours de mes trajets vers les maisons amies, Marthe, Pascale, mes parents, je ne l'avais pas retrouvée. Eh non. J'avais bien regardé, pourtant, sachant qu'Oscar pouvait me l'envoyer à tout moment. Je ne lisais jamais dans le métro ni jamais ne bavardais à bâtons rompus avec qui que ce soit. Même sur le chemin qui mène de la gare de Savigny à Morsang, à vingt-cinq kilomètres de Paris, j'ouvrais l'œil (et le bon). J'avais trente mille fois moins de chances de rencontrer Pollux Lesiak à Morsang qu'à Paris, bon, mais le hasard se fout bien des probabilités. Pourtant, rien, non. Sur la fin, j'ai même essayé une technique assez subtile : je marchais en regardant mes chaussures, afin de percuter le plus de gens possible. Car je sentais bien qu'il ne fallait pas que je la cherche. Ce serait plutôt du genre paf, excusez-moi je… oh, Pollux Lesiak, si je m'attendais ! La deuxième fois que je suis allé chez Marthe, par exemple, j'ai parcouru le kilomètre et demi qui séparait nos deux appartements en fixant mes pieds (avec la traversée des Halles, grouillantes, je multipliais considérablement mes chances de choc frontal). Je me suis cogné contre des tas de personnes et me suis chaque fois excusé en relevant lentement la tête, prêt à m'exclamer « Oh ! » d'un air stupéfait, mais non, je n'ai heurté que de parfaits inconnus. Que je semblais agacer, d'ailleurs.

Alors j'ai décidé de sortir, de revenir au monde. Trois semaines sur l'aire de repos auprès de ces personnes que j'aimais m'avaient remis d'aplomb. Je me sentais requinqué, hors de la couveuse et pimpant, plein de fougue et de courage, il fallait y aller. Et curieusement, j'en avais envie. L'instinct de mort, ça doit s'appeler. Qui pousse les gens à se surpasser, à défier sagesse et raison, à prendre des risques inconsidérés – faire un pas dehors, par exemple.

29

J'ai eu l'idée de commencer par les faibles. Je sais bien que cela ne signifie pas grand-chose, que les plus petits et les plus fragiles peuvent vous envoyer des torgnoles comme les autres, mais je me disais qu'à tout prendre, puisqu'il fallait retourner dans la forêt, mieux valait emprunter les chemins fréquentés par les malheureux, les chétifs, les vulnérables, plutôt que d'approcher directement les gros costauds dangereux qui vous tombent dessus du haut des arbres.

Une fois à l'intérieur, je verrais bien.

Je me suis glissé dans mes grosses chaussures, j'ai enfilé mon manteau, pris mon sac matelot en bandoulière et me suis engagé timidement sur le trottoir avec la ferme intention de ne m'adresser dans un premier temps qu'aux faibles. D'abord le coiffeur, tiens, histoire de conjurer le sort et de repartir sur de bonnes bases.

J'allais passer devant sa boutique, voilà ce que j'allais faire, j'allais lancer un œil nucléaire à l'intérieur pour lui laisser entendre que je n'étais peut-être pas un agneau pacifique et qu'il pourrait lui en cuire de m'avoir joué ce sale tour avec les flics, je m'arrêterais même un moment devant la vitrine sans le lâcher du regard. Et je me masserais le menton, pour le glacer d'épouvante. Gros, vieux, fébrile, mentalement instable, l'ennemi idéal, à terrasser d'un battement de cils : parfait pour se faire la main, pour entrer dans la partie. Je lui foutrais la trouille de sa vie, à cette blatte. À nous deux, vieil homme.

Cinquante mètres avant son salon de coiffure, j'ai commencé à travailler une mine patibulaire pour bien entrer dans la peau du personnage, pour ne pas avoir l'air d'un débutant ou d'un plaisantin, pour y croire moi-même : front buté, sourcils légèrement froncés, paupières à peine tombantes, prunelles très denses, noires et glacées, mâchoires de granit, lèvres serrées, narines un peu dilatées (un rien, à peine visible, il fallait que ce soit crédible – si j'apparaissais derrière sa vitre en montrant les dents, les narines largement ouvertes et les mains en position d'étranglement, il n'y croirait pas une seconde). J'ai remué un peu la tête pour me décontracter la nuque. J'allais me régaler. Dix mètres avant le salon, j'ai ralenti. Le pas de celui qui va remplir son contrat – un pas lourd, implacable. Le type qui ne rigole pas avec le boulot : lentement, sans rien laisser au hasard. La brute. Halvard Sanz.

À cet instant, je me suis aperçu de profil dans le miroir d'une boucherie, et je dois reconnaître que ce rôle de brute que rien n'arrêtera ne m'allait pas à merveille. Les quartiers de viande suspendus aux crochets paraissaient plus inquiétants que moi – et de loin. Mais c'est peut-être parce que je me connaissais. Un œil moins familier se laisserait sans doute abuser. L'odeur qui sortait de la boucherie m'a redonné confiance en moi, fureur aux tripes, et je me suis présenté devant la vitrine du coiffeur. Marche lentement, Halv. La paupière, la paupière, un peu plus tombante. Bien. Tu as la fureur aux tripes. Tu n'as absolument rien à voir avec un agneau pacifique.

J'ai plongé mon regard à l'intérieur comme un trait de feu dans une grange à foin. Il était seul. Parfait. Assis grisâtre et misérable sur son fauteuil de coiffeur. Pitoyable. Il m'a repéré tout de suite – il n'avait que ça à faire, le

111

pauvre, regarder dehors en attendant l'improbable client. Marche plus lentement, Halv. Foudroie-moi ce moins que rien. Son visage a changé de couleur, une lueur folle est apparue au fond de ses yeux, reflet tremblotant des pensées qui se bousculaient sous son crâne (et dont la nature ne faisait aucun doute pour moi : « Bon Dieu, se disait-il, cette mâchoire de granit, ces narines un peu dilatées… Il vient me régler mon compte ! »). Mets la gomme, Halvard. Tu es la brute et lui la blatte. La fourmi, lui. Toi, le taureau.

Il était tétanisé. J'ai donc pensé que je pouvais me permettre de m'arrêter un instant et de lui faire face. Je voulais qu'il sente que la vitre qui nous séparait ne constituait qu'une membrane fragile entre nous, un dernier rempart dérisoire. La bouche entrouverte, les yeux écarquillés, il regrettait à présent jusqu'au cœur de sa triste moelle d'avoir voulu me causer du tort.

Alors que je m'apprêtais à me masser le menton comme dans mes rêves les plus fous, il s'est levé. Quoi ? Je vais me masser le menton, il va se rasseoir vite fait. C'est à cet instant que je me suis rendu compte de ma méprise : ce qui brillait si vivement au fond de ses yeux n'était pas de la terreur mais de la colère. Ce vieux trou du cul n'était rongé ni par le remords ni par la crainte, il n'était pas en train de prier le ciel pour que j'épargne au moins les doigts d'or qui lui permettaient d'exercer son art – *brisez-moi les côtes et les genoux si vous voulez, taureau, mais ne touchez pas à mes mains, je vous en supplie* – non, il se disait : « Revoilà enfin ce morveux qui a volé ma chaîne, je vais pouvoir me faire justice moi-même, puisque la police ne sert plus à rien de nos jours. » Il s'est approché d'un pas lourd, implacable, la brute, et m'a défié derrière la porte vitrée.

Il ne comprend même pas que je suis en droit de me venger. Borné comme mille mules, il continue à me foncer dessus. Alors que non seulement je suis innocent et lui coupable (envers moi), mais en plus je suis jeune, pas trop frêle, patibulaire j'espère, et lui petit, vieux et faible.

Le monde à l'envers, comme on dit. Ou sans doute le monde à l'endroit, malheureusement.

NE CHERCHEZ PAS À VOUS VENGER, ÇA NE DONNE RIEN

Ah, nom d'un chien. Comment ce type avait-il pu deviner que j'étais un agneau pacifique ? Il m'arrivait pas mal de déboires, d'accord, mais j'avais l'air si piteux que ça ? Ma revanche tombait à l'eau. Alors j'ai finalement décidé de ne pas me masser le menton – ça ne rimait plus à rien – et avant qu'il n'ouvre la porte et ne me force à engager un pugilat dont les conséquences pourraient s'avérer pénibles (physiquement pour lui – car je suis sûr que si je voulais, si un jour j'allais puiser un peu dans mes réserves musculaires et nerveuses (ce que je n'ai jamais songé à faire), je pourrais me montrer redoutable – et tout le reste pour moi (nouvelle plainte au commissariat, confirmations des doutes de mes ennemis, amère déception de Biscadou)), j'ai simplement tourné la tête et continué mon petit chemin sur le trottoir – du même pas de malabar qu'en arrivant, pour ne pas me ridiculiser quand même.

Après tout, je n'avais aucune raison de rester, je n'étais pas venu pour me battre. J'étais simplement venu pour l'effrayer.

Mieux valait tirer un trait sur ces sombres événements – je ne te connais plus, coiffeur, tu peux dormir tranquille – et repartir de zéro vers un monde meilleur en pardonnant à ceux qui nous ont offensé.

30

Malgré ce premier échec auprès d'un faible, j'ai décidé de conserver la même tactique : doucement. Ne pas y aller à l'aveuglette, à la laissez-passer-l'artiste. J'avais buté contre le premier faible, mais il ne fallait pas généraliser. Il s'agissait d'un faible que j'avais essayé d'apeurer, il semblait à peu près normal qu'il ait voulu se rebiffer. Le tout était de ne pas les attaquer, de ne pas les brusquer. Ce qu'il faut, si l'on veut se faire bien voir des faibles, c'est les aider. Leur porter secours. Alors, faibles et reconnaissants, ils ne peuvent plus nous faire le moindre mal.

Une nuit, en revenant de chez Marthe à pied (plus de métro, et je préférais marcher malgré le grand froid tremblogène plutôt que de me retrouver seul dans une voiture avec un chauffeur de taxi – en ces temps de crise, j'avais toutes les chances de m'asseoir derrière un forcené suicidaire ou un crampon chaleureux qui m'emmènerait de force taper le carton dans un coupe-gorge polonais devant un godet de schnaps artisanal (un seul emmerdeur ou un seul malade qui sillonne Paris cette nuit-là, et à tous les coups c'est pile pour ma pomme) : méfiance est sœur de prudence, donc tante de sûreté, et j'étais prêt à me fendre d'un ou deux kilomètres de marche pour ne pas retomber tout de suite dans le malheur (je pouvais toujours craindre de me faire malmener au coin d'une rue par un gang de zoulous désœuvrés, mais à ce compte-là on ne met plus le nez dehors – et JE VOULAIS SORTIR)), j'ai rencontré une jeune femme à quelques mètres de chez moi.

Cette pauvre fille grelottait en sweat-shirt et en jupe devant la grille du métro. L'oisillon tombé du nid, très bonne image. L'oisillon meurtri, assommé, secoué de spasmes et nu comme le ver qu'il n'a pas mangé depuis la veille : elle claquait des dents, plissait douloureusement les yeux, se serrait dans ses propres bras, transie, chétive, apeurée, très moche.

Comme faible, on ne pouvait pas mieux faire. La princesse des massacrés. Peau-d'Âne, Cendrillon, Cosette, la petite fille aux allumettes : des veinardes, à côté d'elle. La vie me souriait enfin, en mettant sur ma route celle qui me permettrait de suivre mon plan de marche à la lettre. D'autant que cette apparition me rappelait celle de Pollux Lesiak un mois plus tôt, seule aussi, debout aussi, transie aussi – ça ne pouvait être que de bon augure (même si la comparaison s'arrêtait là : d'une part parce qu'il m'était absolument impossible de me cogner contre elle de manière naturelle, il aurait fallu que je lui fonce droit dessus, que je la tamponne en plein poitrail (pour aller nulle part, vers le métro fermé), elle m'aurait pris pour un homme très agressif ; d'autre part parce que je n'avais pas envie de me cogner contre elle pour pouvoir ensuite engager une conversation badine et pleine de sous-entendus qui nous mènerait jusqu'à la conclusion glorieuse, puisque je la trouvais fort moche. (De toute façon, je ne voyais plus les filles, même fort belles, depuis cette heure passée avec Pollux Lesiak)).

Décidément, la roue de la chance tournait vite : c'est elle qui m'a adressé la parole lorsque je suis passé près d'elle.

– Vous savez à quelle heure ouvre le métro, s'il vous plaît ?

– Vers cinq heures et demie, je crois.

– Et… Vous avez l'heure ?

– Non. À mon avis, il est trois heures et demie, quatre heures.

– Oh non. Encore une heure et demie.

– Vous devez avoir froid, non ?

– Je suis morte de froid. Vous savez s'il y a un bistrot ouvert, dans le coin ? Je connais rien du tout, j'arrive de province.

– Je crois que le seul endroit où vous pourrez trouver quelque chose d'ouvert, à cette heure-là, c'est vers Châtelet.

– C'est loin ?

– Pas tout près.

– Bon. Tant pis. J'ai un peu peur d'aller traîner par là-bas toute seule, il paraît que c'est pas très bien fréquenté. Je vais attendre ici, c'est pas grave. Merci.

Non. Ça n'allait pas se terminer comme ça. Je ne pouvais pas la laisser là. Petite provinciale debout seule au coin d'une rue de Paris, avec rien sur le dos par moins soixante, non. Oscar m'envoyait la créature idéale, je n'avais pas le droit de tourner les talons et de rentrer me coucher. D'ailleurs, dans cette situation, n'importe qui aurait réagi comme moi, même un magicien de la vie, très à l'aise sur terre, qui n'a pas besoin de faibles pour s'en sortir.

– Écoutez… Vous ne pouvez pas rester ici, dans ce froid.

– Oh, c'est rien. Une heure et demie, après tout, ça passera. J'en ai vu d'autres.

– Je vous propose une chose : je n'ai pas sommeil pour l'instant. Alors si vous voulez, vous venez attendre cinq heures et demie à la maison. J'habite juste à côté.

– Pardon ? Heu… C'est gentil, mais… Non, non, merci.

– Pourquoi ? Oh ! Ne croyez pas que… Je veux dire, je ne veux pas… Enfin, ne pensez pas que j'aie une idée derrière la tête, quoi.

– Non, bien sûr, mais…

– C'est juste pour… C'était simplement pour vous aider. Je vous fais un café, je vous laisse tranquille, et vous partez dès que le métro ouvre.

– Vous êtes sûr ?

– Je vous assure que vous n'avez absolument rien à craindre de moi : pour tout vous dire, je préfère les garçons.

– Ah bon ?

– On est comme on est, hein.

– Oui, excusez-moi. Bon, je suis peut-être naïve, mais c'est d'accord.

Et voilà comment j'ai emballé ma première faible. (Entre parenthèses, si j'avais voulu l'attirer dans un piège pour abuser d'elle à la fourbe, je me serais débrouillé comme un chef – mais c'est toujours quand on cherche un sept qu'on reçoit un as.) Elle m'a probablement dit son nom, mais je ne m'en souviens pas. J'ai donc pris la petite Peau-d'Âne sous mon aile et l'ai amenée chez moi, à l'abri, au chaud, sur mes coussins moelleux, au royaume de la tendresse et du café fumant. Pendant le trajet, elle a bien dû me remercier une centaine de fois, en me répétant qu'il était vraiment rare de trouver à notre époque, et dans cette ville de fous, des êtres humains qui prêtent encore attention aux autres et acceptent de leur rendre service quand ils le peuvent. Elle ne le savait pas, mais c'était elle qui me rendait service, en ne m'attaquant pas.

Lorsque nous sommes arrivés, comme par hasard, il n'y avait pas les pompiers, rien de cassé chez moi, pas de héros furibards installés partout. Juste Caracas, qui m'a fait une sorte de petit sourire de chat, du fond de son panier, sans doute pour me montrer qu'elle comprenait l'importance que revêtait pour moi ce premier contact rapproché avec l'inconnu.

J'ai posé Peau-d'Âne sur mon fauteuil confortable, j'ai allumé la télé, j'ai monté le chauffage, j'ai vérifié que tout dans la pièce autour d'elle était en place, qu'il ne manquait rien pour accueillir l'étrangère de passage (qui trouvera toujours une soupe et un morceau de pain chez nous) et suis allé donner à manger à Caracas. En versant la boîte dans son assiette, je savourais par avance les deux heures qui allaient suivre : un contact facile avec une représentante du monde extérieur.

NE SAVOUREZ JAMAIS RIEN PAR AVANCE

Lorsque je suis revenu de la cuisine, Peau-d'Âne avait sensiblement monté le son de la télé et zappait frénétiquement entre les quelques chaînes qui émettaient encore à cette heure-là. Je ne sais pourquoi, il m'a semblé que quelque chose avait changé – une sorte de décalage, brusquement (pas encore de dérapage, mais…). Sur son visage, peut-être, son expression. Ou bien dans son attitude. Elle paraissait très sûre d'elle, voilà. Elle montait le son, elle changeait les chaînes. J'ai eu l'impression qu'elle venait de s'installer, de prendre ses marques très rapidement. Ce n'était pas une impression désagréable, non, puisque je lui avais précisément proposé de venir ici pour qu'elle s'asseye et se réchauffe comme chez elle, mais j'étais tout de même un peu déconcerté de voir la petite princesse des sinistrés manier la télécommande avec tant d'aisance. Ça ne signifie pas grand-chose, on peut être humble et faible et savoir malgré tout se servir d'une télécommande. Mais comment dire ? Elle me semblait soudain… moins timide.

Ayant réussi à trouver des clips sur une chaîne, elle avait encore augmenté le volume. Je lui ai gentiment demandé de baisser un peu, un tout petit peu si ça ne la dérangeait pas, car ma voisine était une adorable octogénaire à l'article de la mort, qu'un cancer des voies respiratoires empêchait déjà de dormir : si elle avait pour une fois réussi à échapper un moment à la douleur en tombant par hasard dans un sommeil bienfaisant, sinon réparateur, il eût été dommage (et cruel) de la remettre à la torture pour quelques notes de musique. (Honnêtement, j'exagérais un peu (c'était simplement afin d'éviter de passer pour un réactionnaire aux yeux de Peau-d'Âne) : sous l'octogénaire agonisante se cachait en réalité un jeune et robuste Sénégalais du nom de Cissé Sikhouna, véritable agglomérat de muscles qui travaillait dix-huit ou vingt heures par jour (probablement dans quelque chose comme un abattoir clandestin de charolais survitaminés (tués à mains nues, je suppose, un bon coup de poing sur la nuque)), qui dormait donc comme une masse, à poings fermés (une masse aux poings fermés, il avait également cette allure en état de veille), et qui devait être aussi proche de la mort que Mathusalem le jour de sa première dent – mais je n'avais pas envie de me lancer dans une longue discussion avec Peau-d'Âne pour lui expliquer que je n'aimais pas la télé qui beugle : il est parfois plus simple et plus sage de travestir un peu la réalité.)

– Oh, je suis vraiment désolée, je ne savais pas. Je baisse tout de suite, excuse-moi.

– C'est rien, c'est rien, tu ne pouvais pas deviner.

– Pauvre femme. Pourvu que je ne l'aie pas réveillée.

– Je ne crois pas, non. (Tu aurais pu amener la fanfare de la Garde Républicaine, Cissé Sikhouna n'aurait pas bougé un cil.) J'espère pour elle, en tout cas.

– Je suis désolée. Tu m'invites gentiment, et je fous le bor… et je mets la pagaille. J'ai honte, je t'assure.

– Mais non, arrête, c'est rien.

– C'est parce que je n'entends pas très bien, tu sais, il ne faut pas m'en vouloir. J'ai eu un accident, quand j'étais gamine, et… C'est assez bas, là ?

Voilà comment je l'aimais, ma Peau-d'Âne. Accidentée, meurtrie, douce.

– Oui, tu peux même monter un peu. Tu ne dois plus entendre grand-chose, là. Tu veux boire quelque chose ?

– Tu as du vermouth ?

– Hein ?

– Du vermouth.

– Euh… Non, je n'ai pas de vermouth, non. Tu ne veux pas autre chose ?

– Non merci. C'est pas grave.

Du vermouth ? Cette fille devenait inquiétante. Du vermouth. Et curieusement, alors que douze secondes plus tôt elle parlait comme un bébé phoque qui a mangé du miel, il m'a semblé, quand elle a dit « C'est pas grave », que si elle avait ajouté « ducon » ça n'aurait pas changé grand-chose à l'impression d'ensemble. Une intonation dure : la fille déçue, presque méprisante. Si elle m'avait demandé de l'eau, bon, j'aurais compris qu'elle soit fâchée que je n'en aie pas quelques gouttes à la maison. Mais du vermouth.

Non, ce qui me tracassait surtout, c'était ce visage qui, à deux reprises, m'était apparu durant une fraction de seconde sous la peau de l'âne. La télécommande, le vermouth... Comme un écueil à fleur d'eau que l'on aperçoit entre deux vagues. Peau-d'Âne me semblait instable. Bon, Halvard, tu dramatises tout, tu vois le danger partout. Tu vas attirer la poisse.

Je suis allé écouter mon répondeur (« Bonjour, vous êtes bien chez Halvard Sanz. Je ne suis pas là pour le moment mais vous pouvez me laisser un message après le signal sonore » – ne plus rien négliger). Trois messages : l'un de Pascale, qui m'annonçait qu'elle venait de trouver un appartement à Joinville-le-Pont pour y installer son idylle avec Marc Parquet (il y avait même une petite chambre pour le futur fruit de cet amour, formidable) ; l'un de Cécile, qui me demandait si je n'avais pas trouvé ses ovules Pharmatex quelque part ; et le troisième de Catherine, qui me racontait des âneries avec un accent bizarre (elle sait ce qui me remonte quand je ne suis pas au mieux). Pendant que j'écoutais, Peau-d'Âne avait vigoureusement remonté le son de la télé. Je crois que c'était pour m'indiquer que mes amis étaient très gentils mais qu'ils l'empêchaient d'écouter sa musique, avec leurs conneries, mais sur le moment, pour ne pas m'affoler, j'ai préféré penser que c'était simplement par discrétion : elle ne voulait pas risquer de surprendre malgré elle des paroles trop intimes. Bon, cela dit, elle a tout de même entendu le message de Catherine.

– Ah ah, qu'est-ce qu'elle raconte, celle-là ? Elle est pas un peu con ?

– Non, c'est...

J'ai jugé raisonnable de ne pas répondre, finalement. J'apercevais sous la peau grise et râpée du petit âne blessé le bout du groin de la brute immonde, et ne voulais surtout pas en découvrir plus. Remets ta capuche, sale bête. Fais un effort. Je ne te demande pas grand-chose. Je ne veux pas que tu me sautes dessus, c'est tout. Pendant une heure et demie, laisse-moi croire que tu es une pauvre créature innocente, battue, rejetée de tous, même si, en réalité, tu es une femme puissante et ulcérée.

– Excuse-moi de te demander ça, tu vas penser que je suis gonflée, mais… Tu n'aurais pas quelque chose à manger ? Un tout petit truc, juste pour me caler. J'ai rien avalé depuis deux jours.

J'aimais bien l'idée qu'elle n'ait rien avalé depuis deux jours. Pas par cruauté, bien entendu (les plus psychologues auront peut-être déjà remarqué que je ne suis pas très cruel), mais parce que je l'avais engagée pour ça.

– Bien sûr. Pourquoi tu ne le disais pas ? Va voir dans la cuisine, regarde dans les placards ou dans le frigo, prends ce que tu veux.

– C'est vrai, je peux ? T'es vraiment sympa. Ça me gêne, de te demander tout ça. T'es super sympa. Si tout le monde était comme toi, je crois que les choses iraient un peu mieux sur terre.

N'exagère pas, petite, n'exagère pas. Je ne fais que mon devoir. Mais si tout le monde était comme moi, oui, la terre serait un paradis, tu n'as sans doute pas tort. Car je suis sympa, c'est exact. Il me semble que tu as trouvé les mots justes. Je suis super sympa. Avec moi, tout paraît simple. Je suis fait pour aimer, je suis fait pour communiquer, je suis fait pour vivre avec les autres. Je suis un sacré bonhomme, tu sais. Mais ne me remercie pas, cependant. Car pour tout dire, tu ne trouveras pas grand-chose, dans la cuisine : une vieille pomme de terre et deux ou trois gâteaux secs, voire un petit-suisse si tu as de la chance. Oh je sais ce que tu vas me dire, tu vas me dire que ce n'est pas grave, que c'est l'intention qui compte, et que cette chaleur humaine dont je fais preuve avec tant de naturel te réconforte autant qu'une bonne soupe. Tu as peut-être raison. C'est vrai, je t'ai donné les clés de ma cuisine sans te connaître.

Elle s'est retournée à la porte pour m'adresser un grand sourire (un de ces sourires dont on dit généralement qu'ils suffisent, comme remerciement), elle est entrée dans la cuisine, et je ne l'ai plus jamais revue. C'est en tout cas la dernière fois que j'ai vu la jeune fille tremblante que j'avais rencontrée près du métro. Celle qu'on appelait Peau-d'Âne. Ce que j'ai vu ensuite, quelques minutes plus tard, je ne sais pas vraiment comment ça s'appelle.

31

La première chose que j'ai faite lorsqu'elle a refermé la porte de la cuisine derrière elle, c'est d'aller m'installer dans mon gros fauteuil confortable à sa place. C'était un peu symbolique et mesquin, mais il fallait absolument que je me rassure en retrouvant de bonnes bases de propriétaire, de grand de ce monde qui accueille une laissée-pour-compte. J'ai respiré lentement pour calmer ma peur (qu'est-ce qu'elle va me faire ?) et promené un regard serein (avec un petit sourire forcé) sur la vaste pièce : j'étais chez moi. J'ai dodeliné de la tête pour me dire qu'on était vraiment bien ici. Ensuite, je me suis demandé pourquoi elle avait refermé la porte, mais comprenant vite que je ne pourrais répondre à cette question sans m'imaginer toutes sortes de mauvaises raisons, j'ai préféré la laisser dans le sac des grandes énigmes du comportement humain et me concentrer sur la douceur du chez-soi. Rien n'a bougé, ici, hein. On dira ce qu'on voudra, avoir son petit nid… J'ai pris la télécommande. On va voir ce qu'on va voir, maintenant. On va voir qui dirige la baraque. Bye-bye les clips, ciao, du balai, je change de chaîne. Et voilà le travail. Qu'est-ce qu'on a, là ? Ose me dire que tu n'as pas dîné avec Sylvia hier soir. Bon. Je vais changer encore, tiens. Ah ah. Je fais ce que je veux, faut le savoir. Alors, voyons voyons. La chasse à la bécasse. Ce n'est pas inintéressant, ça. Tiens tiens, à l'aube, je ne savais pas. Oh regarde-moi celui-là, avec son fusil. Eh eh, voilà une bonne émission. Et puis bien filmée, attention. Je n'entends pas très bien, cependant. Et si je montais un peu le son ? Oui, pourquoi pas ? Qui m'en empêche ? Allez hop. Ah, là d'accord. C'est mieux comme ça. Parfait. L'image, le son, tout est bon. Je pourrais encore changer de chaîne, si je voulais, mais je préfère rester là-dessus. Ça m'intéresse. Je sais bien que ce n'est pas du goût de tout le monde, la bécasse, je sais que certains préfèrent les clips, mais je n'y peux rien. Je suis chez moi. Voilà voilà voilà. Très bien. Voilà. Le son est bon, l'image est bonne. C'est impressionnant, toutes ces bécasses, dis donc. Bon. Qu'est-ce qu'elle fabrique ? Elle ne va tout de même pas mettre trois heures pour avaler une pomme de terre et un petit-suisse. Elle a sans doute décidé de manger discrètement au-dessus de l'évier pour ne pas me mettre de miettes partout ici. Parce que les pommes de terre crues, c'est dingue ce que ça fait comme miettes. On n'imagine pas. Et le petit-suisse, n'en parlons pas. Si jamais ça éclabousse… Là, honnêtement, c'est gentil de sa part. Mais enfin, je ne suis pas si à cheval sur la propreté. Tu peux venir faire deux ou trois miettes, étrangère, je passerai l'aspirateur. De toute manière, elle devrait avoir fini, il me semble. Quoique… Le papier du petit-suisse, peut-être. Jamais commode à enlever, ces trucs-là. Ça colle, ça se déchire, on n'en sort pas. En tant qu'hôte, tout de même, la moindre des choses serait que j'aille lui donner un coup de main. Non, elle va me trouver trop pesant. Je l'invite ici, d'accord, mais à partir de là, elle peut bien se débrouiller un peu toute seule. Alors, voyons ces bécasses. Et ça vole, et ça vole. Ben mon vieux, il est pas bien dégourdi, ce chasseur.

Elle s'est endormie dans le frigo ou quoi ? Qu'est-ce que tu en dis, Caracas ? Elle dort, elle. Dommage. Les chats ont un instinct terrible, paraît-il, ça vous flaire un danger à des kilomètres, mais peut-être pas quand ils dorment. Les panthères ou les pumas, par exemple, ça ne dort que d'un œil, c'est toujours sur le qui-vive, ces bêtes-là, parce qu'on ne sait jamais les coups durs qui peuvent vous tomber dessus dans la forêt pendant la nuit ; mais Caracas… Je la réveille ? Histoire de voir si elle ne sent pas un ennemi dans le coin ? Non, ce ne serait pas naturel : je la secoue, elle ouvre un œil étonné ou agacé, et puis quoi ? Je ne vais pas aller la poser devant la porte de la cuisine pour voir si elle ne prend pas un air affolé. Continue à dormir, va. Je vais essayer de m'en sortir tout seul. Qu'est-ce qu'elle peut me faire, de toute façon ? Je sais me défendre. Si elle est en train d'assembler des fourchettes et des couteaux pour fabriquer une sorte de grand harpon et venir me le planter dans le ventre, c'est que je suis vraiment maudit. Non, je ne pense pas. D'un autre côté, ça fait dix bonnes minutes qu'elle est là-dedans. Tiens, il a enfin réussi à descendre une bécasse, celui-là. Regarde ça comme elle est grosse. Houlà. Chapeau. Il va se régaler, ce soir.

Un moment plus tard, j'ai commencé à m'inquiéter : car j'ai entendu de puissants coups de marteau qui provenaient de la cuisine. Je ne me suis pas levé tout de suite, non. Il ne faut pas exagérer et avoir peur de tout. C'est tout moi, ça. Un rien et je m'affole. Ce vacarme assourdissant, ça ne veut pas forcément dire qu'elle est en train de détruire ma cuisine. Si on se fie aux apparences… Elle essaie peut-être simplement d'enlever le papier du petit-suisse. Quand on ne sait pas s'y prendre, on s'énerve, on cherche des solutions extrêmes. Mais Caracas s'était réveillée, évidemment – Cissé Sikhouna lui-même avait dû grommeler dans son sommeil –, et bien que je n'aie jamais eu l'occasion d'observer de près un chat d'appartement en présence d'un péril mortel, je me suis demandé si l'expression de Caracas ne reflétait pas quelque chose de ce genre-là : les yeux qui lui sortaient de la tête, les oreilles aplaties, le poil hérissé, les lèvres pincées. Dans la cuisine, les coups redoublaient d'intensité et ne ressemblaient pas tout à fait à des coups de marteau, en fin de compte : quelque chose de plus détraqué, de plus sauvage. Un peu comme si elle avait fait entrer par la fenêtre une équipe de démolisseurs des pays de l'Est.

Raisonnablement, je pouvais maintenant laisser de côté mes bécasses et aller voir, sans pour autant passer pour un maniaque qui ne supporte pas qu'on déplace le moindre bibelot chez lui. Je suis dans mon droit. Simple curiosité, disons. J'ai écouté quelques secondes derrière la porte, ce qui ne m'a bien entendu rien apporté de plus qu'un peu d'inquiétude supplémentaire : elle a arraché le robinet de l'évier et s'en sert pour taper de toutes ses forces sur la cuisinière ? (Ce ne serait pas très rationnel, comme comportement, mais je ne vois rien d'autre.) Un dernier coup d'œil à Caracas avant de plonger dans l'enfer du vandalisme : toujours électrisée, elle semblait m'encourager du regard (*Je suis avec toi, grand*), mais se gardait bien de venir m'épauler. Les animaux assument leur trouille, c'est la différence avec nous (alors le courage est le propre de l'homme ?) (le plus agréable, dans la vie, c'est qu'on en apprend tous les jours).

Au pire, comme je l'ai dit, je m'attendais à découvrir en ouvrant la porte cinq ou six colosses blonds en maillot de corps et en jean, les cheveux en brosse et les épaules luisantes, en train de démolir mon électroménager moderne à grands coups de masse et de pioche. Je n'étais pas loin. J'ouvre (la porte ne grince pas mais ça ne gâterait rien) et me retrouve face à la scène la plus abominable à laquelle puisse assister celui qui tient à sa cuisine comme à la prunelle de ses yeux (ce n'est pas mon cas, mais je projette – c'est pour la question dramatique (si j'écris : « J'ouvre et me retrouve face à une scène un peu contrariante », c'est la déception) (et puis j'aimais bien ma cuisine, tout de même)). Le cataclysme atomique dans la maison, le chaos alimentaire, véritable Pompéi de mangeaille entre cuisinière et frigo, tout est ravagé dans la cuisine équipée. Si les placards s'étaient ouverts pour vomir mes provisions en cascade, l'effet n'aurait pas été plus consternant. Du foutoir partout, de haut en bas, des paquets de tout ce qu'on veut, des pots ouverts et renversés, des bocaux et des bouteilles, un supermarché dévasté – je ne pensais pas avoir tant de réserves. Et sur le carrelage, des épluchures de pommes de terre, des traînées de crème fraîche, de l'huile, des coquilles d'œufs, de la sauce tomate, un gros morceau de beurre aplati, quelques bouts de tomate écrasés. Et au milieu de ce cirque gluant, hystérique à genoux par terre : la faible. La furie préhistorique, le monstre. Échevelé, le monstre tapait de toutes ses forces avec une poêle sur un couteau pour essayer d'ouvrir une boîte de maïs. Le monstre dans toute son horreur, qui levait haut la poêle au-dessus de sa tête et frappait le manche du couteau avec un grognement rageur, en faisant gicler le jus de maïs.

Dans ces moments-là, on a beau se dire « Qu'est-ce qui lui prend, ce n'est pas possible » : si. On a beau se dire qu'un être humain ne peut pas se transformer ainsi en quelques secondes et que, de toute façon, une femme seule ne peut pas causer autant de dégâts : si. Il faut se rendre à l'évidence avec le drapeau blanc de l'inexplicable, allez prends-moi et fais de moi ce que tu veux, toute-puissante évidence, c'est possible, d'accord. J'ai demandé au monstre ce qu'il faisait, histoire de lui laisser le temps de dire quelque chose avant de me jeter sur lui pour lui ôter la vie : il a levé sur moi un visage en sueur et cramoisi, conforme à ce que j'attendais. La face de la bête. Ce qui m'a pris au dépourvu, ce qui m'a empêché de bondir au mépris du danger pour le supprimer de la surface de la terre, c'est son expression. Hormis les traces de l'effort, ni écume au coin des lèvres, ni sang dans les yeux, ni rictus sauvage. Au contraire, un gentil sourire.

– Je n'arrive pas à trouver l'ouvre-boîte.

Encore heureux. Parce que si c'est juste par plaisir, je boude. Je décide de ne pas demander au monstre pourquoi il a préféré s'agenouiller sur le carrelage ni pourquoi il a jeté des aliments partout (sans doute une habitude, quelque chose comme la pop cuisine ou l'extension du cri primal à l'art culinaire) et lui tends l'ouvre-boîte – rangé, de manière assez ringarde j'en conviens, avec les couverts. Pendant qu'il finit d'ouvrir la boîte de maïs avec un sourire d'aise, je remarque la grosse marmite posée sur le feu (ce n'était pas le plus frappant à première vue). Je m'approche en prenant garde de ne pas déraper sur de la tomate ou de la crème fraîche et jette un coup d'œil à l'intérieur : un liquide marron, à la surface duquel émergent quelques morceaux inidentifiables, stagne à l'intérieur en quantité suffisante pour nourrir un bataillon de la Légion étrangère (s'ils sont au milieu du désert et qu'il n'y a pas une racine ni un scorpion en vue à cinq cents kilomètres à la ronde, ils en prendront bien une lichette). Reconnaissant ce qui a dû être une tranche de pain de mie, un oignon entier et peut-être un morceau de saucisson (j'avais du saucisson ?) ou un petit-suisse, je devine que le monstre a vidé dans cette marmite absolument tout ce qui lui est tombé sous la main. Oui, d'ailleurs il y verse tout le contenu de la boîte de maïs, ajoutons le jus ça fera moins pâteux et ça peut pas être mauvais.

– Je nous prépare une soupe.

Nous ? Qui, nous ? Moi ? Même si je marche cent jours sans trouver un scorpion à suçoter, je ne touche pas à cette mixture de mort. Comment peut-on arriver à cet âge et s'adonner encore à des choses pareilles ? Je ne sais pas, je ne sais pas, j'essaie de me mettre à sa place, j'entre dans une cuisine inconnue et j'ai terriblement faim, disons que je suis sympathique mais un peu rustre et que j'oublie les bases de la courtoisie envers mon hôte, ou que la vie a été si cruelle avec moi jusqu'à présent que je n'ai plus envie de faire le moindre effort pour ménager mon prochain, même si je lui suis reconnaissant de m'avoir ouvert sa porte, même si je l'aime bien, mon hôte, même si je ne lui veux pas de mal, surtout pas, je sens bien qu'il m'a trouvé touchant quand je suis arrivé chez lui dissimulé sous ma peau d'âne, alors bien évidemment je n'ai pas la moindre intention de transformer sa vie en cauchemar ni par exemple de l'enfoncer s'il traverse une période un peu délicate – eh bien, non, je ne jette pas dans une marmite tout ce que je trouve dans sa cuisine. Je mange les pommes de terre crues à pleines dents, peut-être, je bois la sauce tomate à la bouteille et je trempe même mon pain dans la crème fraîche sans me soucier d'en répandre partout si je suis vraiment affamé et rustaud, mais je ne me dis probablement pas que je vais me régaler si je mélange tout et que je fais chauffer. Pourtant... Évidence, évidence, crache ton secret.

Ce que je vais faire, moi, c'est aller jeter un coup d'œil à mes bécasses. On ne sait pas ce qui a pu se passer pendant mon absence. Qui sait si le gars au fusil n'en a pas tué quelques autres ? Je vais m'installer dans mon fauteuil, bien tranquille, et je vais regarder ça. Toujours une ou deux choses intéressantes à apprendre. De toute façon, au point où on en est, je peux bien laisser le monstre finir seul. Qu'est-ce qu'on risque, hein ? Dis ?

Le chasseur tirait toujours dans les marais. Assise, Caracas me dévisageait en se demandant si j'avais perdu la raison, pour baisser ainsi les bras devant le monstre et ses activités délirantes (chez nous). La petite horloge que m'avait offerte ma mère marquait cinq heures moins vingt. Cinquante minutes. Je me suis dit que ce n'est rien dans une vie, si on prend un peu de recul. Je me le suis redit et ensuite je me suis dit que j'étais bien égoïste et tatillon de monter comme ça sur mes grands chevaux pour un peu de désordre dans la cuisine. Ça, dès qu'on vient déranger notre petit confort... Pour conclure, je me suis dit trois fois de suite que je ne risquais rien.

– Je t'en sers un bol ? a dit le monstre en passant sa grosse tête rouge de cuistot par l'entrebâillement de la porte de la cuisine.

– Non merci, j'ai déjà beaucoup mangé, ce soir.

– Sûr ? Tu as tort, tu sais. Ça peut pas être mauvais, il n'y a que des bonnes choses.

– Oui, mais... Non. C'est gentil d'avoir tout préparé, mais je n'ai vraiment plus faim, je ne pourrais pas en avaler une goutte.

J'avais hésité entre goutte et morceau, mais comme il avait appelé sa mixture « soupe », j'ai préféré jouer la sécurité. J'ai également hésité à ajouter « Ce serait de la gourmandise ». Mieux valait ne pas tenter le diable : s'il percevait dans ma voix le moindre soupçon d'ironie, malgré mon talent d'acteur hors du commun, tout pouvait arriver (on ne sait jamais comment ça peut réagir, ces bombes vivantes). Prudence, Halvard, c'est ta règle d'or.

PRUDENCE RIME AVEC ÇA-SERT-À-RIEN

Il est revenu quelques secondes plus tard avec un grand bol de sa répugnante bouillasse, la bouche nerveuse et l'œil brillant. (« Voilà le meilleur moment de la journée. »)

– C'est bête, il en reste.

Oui, il devait en rester à peu près cent trente litres dans la marmite, mais tant pis pour le gaspillage – de toute façon, je ne savais pas quoi en faire, de tous ces produits. Je l'ai de nouveau remercié pour le mal qu'il s'était donné et ensuite, erreur d'inattention de ma part, je me suis levé pour aller chercher un journal à glisser en vitesse sous le bol avant qu'il ne le pose sur la table (je ne suis vraiment pas chochotte avec mes meubles, mais le bol était rempli à ras bord et je pressentais que mon monstre à la face de braise était du genre à renverser deux ou trois gouttes en mangeant – le flair, c'est inné) : le temps que je me retourne, il prenait ma place sur le fauteuil, s'emparait de la télécommande pour remettre les clips et monter le son, et posait son bol sur la table. Je m'en fous, je l'ai eue aux puces pour trois balles, et les taches c'est pas ça qui me dérange, ça fait plus vivant, et puis je voulais la changer, cette table. Et la bécasse ça commençait à me pomper l'air et j'aime bien cette chanson car elle est super sympa et très bien. Cinq heures moins dix. Je t'en supplie, continue à être gentil avec moi, comme autrefois, ne deviens pas hystérique d'une seconde à l'autre, dis-moi encore merci et s'il te plaît comme tout à l'heure, au bon vieux temps. Il s'est passé la langue sur les lèvres, s'est frotté les mains (je n'existais plus), il a pris son bol, puis tout est allé très vite.

> *C'est bien beau la prudence,*
> *Mais ça sert à rien.*
>
> *Halvard Sanz.*

32

Il a trempé ses lèvres dans la mixture. C'était bouillant. Dans ce cas-là, la plupart des gens font une grimace tétanisée et reposent vite le bol sur la table. Lui non. Il a bien fait une grimace tétanisée, mais ensuite il a jeté le bol. Un geste violent, comme un réflexe nerveux, comme on chasse une guêpe qui vient de nous piquer la bouche, tchac, il a lancé le bol sur le côté. À la japonaise, un peu : un mouvement vif et précis, la parade parfaite. La douleur a sans doute réveillé en lui une sorte d'instinct primitif, les neurones qui transmettent la sensation au cerveau et l'ordre aux muscles ont court-circuité : il a senti que quelque chose lui attaquait la bouche, il n'a pensé qu'à s'en débarrasser au plus vite, en essayant de l'assommer par la même occasion. Et bien sûr, avec le bol, sur la moquette est parti le potage (il allait falloir que je vérifie si par hasard ces bols n'étaient pas maudits). Alors pourquoi ça tombe sur moi, pourquoi je rencontre la seule cinglée qui jette la soupe quand elle se brûle, ou qui considère qu'un demi-litre de soupe sur la moquette, ce n'est pas vraiment une tache (car après son geste de tordue, elle n'a pas poussé le moindre cri, pas la moindre lueur d'effroi ou de regret au fond de ses yeux, elle n'a même pas tourné la tête pour voir les dégâts, n'a rien dit d'autre que « Je me suis brûlée », ne s'est pas excusée comme autrefois, rien de plus que si elle venait d'ôter un cheveu de son épaule), pourquoi cette seule cinglée du quartier se déguise habilement pour pénétrer chez moi (car si, près du métro, je l'avais vue se caresser la joue avec un pigeon mort ou danser la polka chilienne sur un pied, je me serais enfui à toutes jambes), pourquoi cette fille a si radicalement changé à partir du moment où elle est entrée dans ma cuisine (je commençais à me demander si elle n'avait pas avalé des cachets en douce, ou quelque chose comme ça), pourquoi n'avais-je pas pris un taxi, dont le chauffeur aurait pu m'emmener dans un bar louche bourré de criminels névropathes et soûls si ça l'amusait ? Mieux valait ne pas se le demander. Les questions, c'est fini, maintenant.

Je suis allé chercher une serpillière dans la cuisine (lorsque j'ai déménagé, la tache était toujours là, un rond de cinquante centimètres de diamètre sur ma jolie moquette – le mélange de tout provoque probablement une réaction acide, un truc extrêmement corrosif en tout cas jusqu'à mon départ, malgré tous les produits de nettoyage inventés par l'homme, la pièce a été infectée par une odeur de crème fraîche rance, d'œuf pourri (ni vraiment l'un ni vraiment l'autre, plutôt une odeur de « tout » rance et pourri) qui faisait planer devant moi en permanence le fantôme ricanant du monstre hideux), et lorsque je suis revenu avec ma serpillière, il n'était plus dans la pièce. Disparu. Parti ?

– Y a plus de papier !

– Hein ?

– Y a pas de papier dans les chiottes !

Tue-le, Halvard, tue-le. Vas-y bonhomme, cours et tue-le à coups de poêle. Personne ne sait qu'il est entré ici, après tout.

– Si, regarde, sur l'étagère. Au-dessus de toi.

– Je suis trop petite, j'arriverai pas à l'attraper.

Qu'est-ce qu'il me veut ? Hein ? Qu'est-ce qu'il me veut ? Il croit que je vais tomber dans un piège aussi grossier ? Que je vais entrer dans les toilettes et me laisser détruire ? Trop petite... J'avais l'impression que ça faisait au moins deux mètres trente et cent quatre-vingts kilos, ce truc-là.

– Écoute, je ne vais tout de même pas entrer pour te le donner.

– Comment tu veux que je fasse ? Entre, je m'en fous. T'as déjà vu une femme toute nue, non ?

Femme ? TOUTE NUE ? Baba Komalamine, je t'aime et tu es mon maître, je prends encore contact avec toi sans RDV et je te paierai après résultats, mais rhabille cette démente en moins d'une seconde et désagrège-la dans le sanibroyeur, après je ne te demanderai plus rien.

– Tu es toute nue ?

– T'es con ou quoi ? Bon, sois gentil, je vais pas passer ma vie ici.

« Pour inonder ma cuisine, t'es très forte. Et tu vas me faire un drame pour trois gouttes de pipi dans ta culotte ? »

C'est exactement ce que j'aurais dû dire. Mais le cran n'est pas toujours au rendez-vous. Donc, je suis entré gentiment dans les toilettes pour lui donner le papier. Assis en face de moi, jupe remontée sur la taille et culotte baissée sur les chevilles, le monstre me dévisageait. À moins de deux mètres, impressionnant. Un regard déconnecté de la réalité, un regard de forcené impossible à éviter (il fallait que je ne baisse les yeux à aucun prix, je ne voulais pas même deviner l'embouchure du gouffre génital de la bête – et quant à regarder en l'air ou sur les côtés, dans ces toilettes minuscules, ce n'était même pas la peine d'y penser). Saleté de cauchemar, avancer dans les toilettes vers cet animal qui me fixe, attraper le papier au-dessus de sa tête en lui collant quasiment mon point faible sur le nez (mais comment ai-je pu en arriver là, bordel de misère, où ai-je fait une erreur ?), et lui tendre un rouleau en posant sur lui un dernier regard craintif.

– Tu veux me baiser, hein ? Vous êtes tous les mêmes, j'en étais sûre. C'est ça, non ? Tu m'as amenée chez toi pour me sauter. Salaud. Aie au moins le courage de le dire, putain !

Tout va trop vite, tout va trop vite.

– Non, je ne veux pas te baiser.

Bien envoyé. Avec ça, au moins, il n'y a plus d'ambiguïté entre nous, il ne risque plus de s'imaginer des choses. Et c'est suffisamment clair comme ça, je n'ai pas besoin d'ajouter que je préférerais besogner trois heures une chèvre malade plutôt que de lui faire une petite bise sur la joue, à ce monstre – il a très bien compris, ce serait perdre du temps et le blesser gratuitement. Je ne suis pas resté une seconde de plus dans ces chiottes sataniques.

Cinq heures moins cinq. Trente-cinq minutes, dans une vie, c'est encore moins que cinquante. Mais c'est plus que quinze, si on calcule bien, et ce sale quart d'heure m'avait apporté son lot de mauvaises surprises, nom d'une pipe.

Il n'est pas revenu dans la pièce à petits pas rapides (les pieds entravés par la culotte), en tenant sa jupe à deux mains et en grognant « Sors ton membre ! » comme je le craignais, mais très nerveusement tout de même. J'avais pris le fauteuil et m'étais assis sur la télécommande, il s'est assis sur le lit. Je ne sais pas s'il était fou de rage que j'aie voulu le baiser ou fou de rage que j'aie refusé de le baiser, mais je sentais que ça allait barder pour mon matricule – j'étais scandalisé par cette situation, mais de toute façon plus rien ne m'étonnait, plus rien ne m'étonnerait, nous étions dans le domaine de l'absurde (dont j'avais souvent entendu parler). (Maintenant, je dois l'avouer, je revenais sur mes concessions résignées de ces derniers temps : si ce monde à l'envers et terrifiant est le vrai monde, ce qui semble plus que probable, eh bien non, je regrette, je ne peux pas vivre là-dedans. Ce n'est même pas la peine que j'essaie, je sens d'avance que ça ne va pas me plaire. Ça marchera jamais. J'y arriverai pas, laissez-moi tranquille.)

– T'as pas autre chose que ces clips à la con ?

– C'est toi qui les as mis, je te signale. J'ai sommeil, là. Je crois que ça va être bon, pour ton métro.

– Arrête, il est à peine cinq heures. Tu m'as dit que je pouvais rester jusqu'à cinq heures et demie.

– Oui mais là, j'en ai un peu marre. Tu comprends ?

– Je comprends que tu t'es bien foutu de ma gueule, ouais. Tu m'amènes ici en jouant à l'abbé Pierre parce que ça te fait plaisir (elle avait de la jugeote, en tout cas), tu me promets ci et ça comme un bon Samaritain de merde, tu me fais croire que t'es pédé, mais quand tu vois que t'arriveras pas à me tringler, ou dès que je te gêne, tu me fous à la porte comme une vieille chaussette. Connard, va.

Contrairement à l'abbé Pierre, qui n'est jamais le dernier pour crier son indignation et engager le combat, j'ai préféré ne pas répondre aux attaques de cette personne et me suis remis à nettoyer la tache de soupe marron sur la moquette grise de mon domicile.

Elle est allée éteindre la télé, allumer la radio et monter le volume à fond – sans doute pour s'enfermer dans le monde musical des jeunes et oublier ma présence. J'ai baissé, elle a monté, j'ai baissé, elle a monté en mettant, de manière ferme, un terme à notre petite controverse :

– T' faire enculer. Fous-moi dehors, si t'es pas heureux. T'attends qu'un prétexte, de toute manière.

Ce n'était pas faux (même si cela semblait sous-entendre que jusqu'à maintenant sa conduite irréprochable m'interdisait d'agir). Mais quelque chose me retenait encore, sans doute le désir de ne pas entrer trop vite dans le clan des centaines de gens normaux et justes qui avaient dû jeter ce monstre hors de chez eux à coups de bâton ces derniers mois. Il sortait d'ici et me maudissait avec le reste de la planète, c'était trop facile. Non, je voulais qu'il sorte désemparé, qu'il ne puisse pas vraiment me haïr. Il fallait qu'il reste jusqu'à cinq heures et demie.

J'ai fait appel à tout mon bon sens pour réprimer ma folle envie de foncer sur lui à la buffle et j'ai éteint le tuner en composant mon regard noir, que mes pulsions meurtrières aidaient à rendre crédible – un regard dans lequel il pouvait lire : « Je viens d'atteindre ma limite, voilà, alors maintenant n'oublie pas que je suis plus fort que toi et qu'ici personne ne t'entendra crier. » Apparemment, ça a fonctionné, puisqu'il ne s'est pas levé pour rallumer, se contentant de m'adresser un regard à peu près similaire. Comme je savais qu'ici personne ne m'entendrait crier (Cissé Sikhouna moins qu'un autre), j'ai accepté cet armistice tacite et me suis rassis sur le fauteuil de l'empereur. Il ne restait plus qu'à attendre cinq heures et demie sans bouger, sans dire un mot, et la partie serait gagnée.

Soudain, l'incident bête. Caracas, qui s'était tenue à distance raisonnable depuis le début, rapport aux histoires de péril mortel, s'est soudain approchée du monstre. Je ne sais pas ce qui lui est passé par le crâne. Sentant que je reprenais le dessus, elle a peut-être décidé d'aller l'humilier pour montrer qu'elle était avec moi et qu'on allait voir qui étaient les chefs ici ; ou bien, surmontant ses dernières craintes, elle a voulu l'étudier d'un peu plus près, se faire une idée précise du phénomène, en chat scientifique. Elle a louvoyé vers le lit et posé ses pattes avant sur le genou du monstre pour tendre le cou et lui flairer le pif. Caracas, je t'aime et je t'admire, mais il te manque une case.

– Va te faire foutre, toi ! a beuglé le monstre.

Et là-dessus, il lui a envoyé un coup de poing dans la tête. Et là-dessus, moi, j'ai perdu les pédales et me suis jeté sur le monstre. Au diable mes plans de guerre froide, j'entre dans la famille des gens normaux et je le mets dehors comme une vieille chaussette. C'était plus fort que moi, de toute façon, je ne crois pas qu'une seule pensée m'ait traversé l'esprit pendant que je lui fonçais dessus (lorsque j'essaie de revivre la scène, je me vois effectuer un bond de plusieurs mètres en l'air, du fauteuil au lit, les bras écartés). Et tandis que Caracas filait se tapir, épouvantée, sous la table, j'ai empoigné le monstre à deux mains et tenté de le tirer vers la porte. Mais il ne s'est pas laissé faire, évidemment, et une âpre lutte s'est engagée. Abominable. Moi-même, j'avais du mal à le croire. (Mais plus rien ne comptait que la rage : en essayant de toutes mes forces de le traîner hors de la pièce, je me répétais sans cesse la même phrase superbe : « Ah tu as touché à mon chat ! Ah tu as touché à mon chat ! ») Au début, il ne faisait que se retenir à la couette, au lit, à la moquette, mais constatant que je parvenais malgré tout à le tirer vers la porte, il a changé de méthode : il est passé à son tour à l'attaque. Hurlant, braillant, vociférant, il s'est mis à me griffer, à me mordre les mains et les bras, à donner de furieux coups de pied et de poing dans tous les sens. Comme vieille chaussette, elle était encore vivace. Ils étaient plusieurs, il me fallait traîner hors de chez moi tout un groupe de déments. Abominable. Je ne peux repenser à ces instants irréels sans avoir envie de rire ou de vomir. Je progressais centimètre par centimètre sur la moquette – l'animal épileptique, à deux corps, qui rampe – en acceptant de prendre les coups comme ils venaient. Elle ne m'épargnait ni les insultes ni les critiques les plus vives, mais je ne comprenais pas la moitié de ce qu'elle criait. Abominable, on ne peut pas mieux dire.

Tout près du but, j'ai malheureusement dû relâcher mon effort pour ouvrir la porte d'une main, faiblesse qu'il a mise à profit pour revenir d'un mètre ou deux vers l'intérieur – certainement habitué à ce genre de situation, il connaissait toutes les ficelles. Mais la vue du palier a décuplé mes forces et, en une ultime et foudroyante explosion de fureur, je l'ai lancé dehors – j'ai même dû lui faire mal.

J'ai claqué la porte et m'y suis adossé (j'ai remarqué que je faisais comme dans les films, mais je ne me voyais pas repartir tout de suite d'un pas léger et me mettre à ranger la pièce en sifflotant). J'ai entendu un bruit sourd, comme s'il venait de se laisser tomber sur le paillasson, puis il a recommencé à hurler.

– Espèce d'enculé ! Ordure ! T'avais dit cinq heures et demie ! Il est pas cinq heures et demie, enculé !

Toujours sous la table, Caracas semblait atterrée par la violence et l'ingratitude du monde. J'ai regardé autour de moi, je laverais un autre jour, j'ai ramassé la couette qui traînait et me suis couché très fatigué. À quelques mètres, le monstre gueulait toujours. C'est le type qui tape sur ses femmes, ont dû penser les voisins en sueur sous leurs draps. Tant pis. Je n'avais pas trop envie d'ouvrir la porte pour lui demander de se taire, pas trop envie non plus d'appeler la police. Au pire, si cela durait, Cissé Sikhouna sortirait pour l'assommer. J'ai éteint la lumière et fermé les yeux. Quand je me suis endormi, le monstre gueulait toujours. Quand je me suis endormi, quand j'ai quitté le monde, je n'avais qu'une image en tête, une image de douceur et de clarté légère. Pollux Lesiak. Pollux.

33

Que faire ? Le lendemain matin, j'ai réfléchi. Sombrer dans l'alcool ? Aller me réfugier chez Catherine ? M'enfuir dans le vaste monde, vers les millions d'étrangers indifférents ?

Aller me réfugier chez Catherine semblait a priori la solution la moins risquée, mais Catherine venait de rencontrer un homme qui s'appelait Arnaud, dont elle me disait le plus grand bien mais que je ne connaissais pas encore, et qui habitait provisoirement chez elle : le désespéré trouillon qui vient se glisser tout tremblant dans le lit du couple, je préférais essayer d'éviter (mais si je ne réussissais pas à sombrer dans l'alcool, par exemple, je savais que Catherine et son fiancé m'accueilleraient avec plaisir et que je trouverais là-bas le réconfort nécessaire (en échange, je me ferais tout petit et je leur rendrais de menus services : vaisselle, promenades du chien Varta, café au lit le matin)). Il y avait bien une autre issue : retrouver Pollux Lesiak et vivre avec elle une passion hors du commun qui relègue tout le reste au second plan (car oui, je savais que si je parvenais à vivre une passion hors du commun avec Pollux Lesiak, des spécialistes pourraient passer leurs journées à asperger mon appartement de soupe corrosive, des déséquilibrés pourraient me gifler en pleine rue ou me dérober sans vergogne tout ce que je possède sur terre, je ne m'en apercevrais même pas), mais même en continuant à croire dur comme fer à ces âneries de seconde rencontre obligatoire (et en espérant dur comme fer que je ne l'avais pas loupée par étourderie), il fallait que je pense dur comme fer à autre chose pour ne pas me rendre compte que le grand mécanisme bordélique autour était parfaitement étudié pour que Pollux s'y fonde et s'y perde, et que je n'avais pas l'ombre d'une chance de la retrouver.

34

J'ai donc sombré dans l'alcool dès le lendemain du passage du monstre. Je suis descendu acheter une bouteille de Cutty Sark en fin d'après-midi et j'en ai sifflé les trois quarts sur mon fidèle fauteuil, à petites gorgées distraites, au goulot (à la manière du privé qui n'a pas reçu un coup de téléphone depuis deux mois mais n'en fait pas tout un drame, car il sait depuis longtemps que la vie est une foutue bon Dieu de saloperie et qu'il n'y a pas de quoi se torturer pour ça tant qu'on trouve du scotch à bon prix chez le vieux Sam et des filles pas compliquées chez Gloria – mais il ne sait pas, en revanche, que l'éblouissante Suzan Ellis (la femme de Thomas T. Ellis, l'avocat des stars) va sonner à sa porte dans quelques secondes et poser doucement un rouleau de dix mille dollars sur son bureau, à titre d'acompte). (Eh oui, qui me disait qu'elle n'allait pas sonner à ma porte dans quelques secondes et poser doucement ses lèvres sur les miennes, à titre d'acompte ? – pas Suzan Ellis, hein.)

(Non, même après un quart de la bouteille, foutue guigne et sale destin, je savais que je t'avais perdue à tout jamais, Polly.) Mais ça allait, je me sentais de mieux en mieux, je retrouvais mon assurance et mon amour de la vie, je souriais presque.

NE BUVEZ JAMAIS SEUL

Après avoir siroté la moitié de la bouteille en toute décontraction, j'ai commencé à m'apercevoir que la pièce se resserrait autour de moi (ou que j'enflais – le cyclone visqueux qui tourbillonnait dans mes entrailles et ma tête me dilatait sans doute –, mais en tout cas l'appartement devenait bien trop petit pour moi). Le bateau sur la bouteille de Cutty Sark ne me disait plus rien de bon. J'étais coincé dans un port en pleine tempête.

Pour éviter de céder à l'affolement et de fondre en larmes, et comme l'alcool a tout de même quelques vertus apaisantes, j'ai décidé que ce qui me mettait dans un état pareil n'était rien d'autre qu'une envie trop forte de profiter pleinement de la vie, enfin délivré de mes peurs et de mes blocages : il fallait sortir. J'ai mis un disque joyeux pour me changer en essayant de danser de bonheur, puis j'ai pris une ultime et longue gorgée de whisky et je suis parti à la rencontre de mes frères humains.

Dès que j'ai posé un pied sur le trottoir, j'ai senti que j'étais à ma place parmi les gars, dans le grand bain. Holà, j'étais en forme, alerte et rieur.

Je regardais les passants et les vitrines, j'avais le sentiment de fendre le monde comme un chef, je repensais à ma sortie de prison et à la sensation d'espace et d'indépendance que j'avais éprouvée alors. Je souriais à tout le monde, j'adressais de petits signes de la main ou de gentilles grimaces aux enfants, je lançais des œillades très décontractées aux jolies filles – et la plupart, devinant probablement que j'étais un agneau pacifique, y répondaient. Le confort, le succès. Les Parisiens semblaient m'avoir adopté, ils récompensaient ma désinvolture naturelle. Je n'étais trahi de temps à autre que par un léger écart d'équilibre, un hoquet ou un sourire que je laissais distraitement s'élargir jusqu'à ce qu'on appelle le « sourire crétin », fautes mineures que je corrigeais vite et balançais aux oubliettes en me disant que si deux ou trois personnes dans la foule innombrable remarquaient mon ivresse et comprenaient que j'étais en réalité un épouvanté maquillé, cela ne pouvait pas avoir la moindre influence sur la suite de mon glorieux parcours (ils n'allaient pas me poursuivre en faisant de grands gestes pour informer tous les autres de leur découverte) : je les croisais sans m'en faire et les laissais disparaître dans mon dos, loin derrière moi dans le flot bigadaud des barrés, bagarré des bidauds.

L'œil brillant, le cœur vaillant et la jugeote en bataille, je ne raisonnais plus aussi finement que d'habitude : lorsque les faux pas et les tics étranges se multipliaient, j'en déduisais qu'il était urgent de boire un verre pour remettre l'alcool à niveau. J'entrais donc dans le premier café venu pour engloutir en vitesse un double whisky sec et repartir de ce pas jovial et confiant que j'aimais tant – mais, comme les dérapages reprenaient de plus belle après les quelques minutes d'aisance que je gagnais sur ma lancée à la sortie de chaque bar, la distance entre deux arrêts se réduisait de plus en plus. Plus je buvais et plus il fallait que je boive. Et plus j'étais soûl, plus je m'apercevais qu'il était utile et agréable d'être soûl – donc, en toute logique, plus je serais soûl, mieux ce serait. C'était si simple, le bonheur.

J'ai continué ainsi un moment, jusqu'à ma chute. J'étais en train de sourire à une fille assise en terrasse (j'avais noté que le peuple répondait avec un peu moins de sympathie à mes signaux fraternels, pourtant de plus en plus enthousiastes – mais je ne m'en offusquais pas, j'éprouvais même un peu de compassion pour tous ces coincés (après tout, j'étais comme eux, autrefois, à l'époque où j'étais sobre)), je marchais en souriant de toutes mes dents de jeune homme tonique à une jolie fille assise dehors malgré le froid (elle aurait pu ressembler à Pollux Lesiak, tiens), j'ai tenté un clin d'œil charmeur et je suis tombé.

Je ne suis pas tombé comme un homme ivre mais plutôt comme un ivrogne, en croisant trop vite un homme (normal) qui m'a fait peur.

Je restais couché sur le trottoir, cherchant un moyen de redresser astucieusement la situation. J'ai repensé alors à une sorte d'étude que j'avais réalisée quelques mois plus tôt (pour mon compte) à propos de la chute – étude qui faisait partie de la même série que celle que j'avais effectuée à propos de la vie en ascenseur.

QUE FAIRE EN CAS DE CHUTE ?

Il nous arrive plus souvent qu'à notre tour de trébucher en pleine rue, devant tout le monde. Les plus malchanceux d'entre nous tombent, mais même si l'on parvient à se ressaisir à temps en battant des bras, il n'est jamais commode de repartir d'un pas tranquille et altier sous l'œil moqueur des spectateurs. Face à une telle mésaventure, nous réagissons de différentes manières selon notre caractère ou notre expérience de la vie :

Nous pouvons, par exemple, nous relever comme un diable en une fraction de seconde et tourner la tête de tous côtés pour savoir si quelqu'un nous a vu. C'est doublement stupide. D'abord parce que nous devrions nous douter que tout le monde ou presque nous a vu, ensuite parce que notre réaction de pauvre type qui n'assume pas sa chute fera rire les passants à gorge déployée, même ceux (sombres ou charitables) que l'incident en lui-même aurait laissés froids. Nous sommes stupide.

Autre réaction possible : si nous sommes franchement timide (ou franchement naïf), nous restons à terre. Sans relever la tête, nous regroupons nos affaires éparpillées autour de nous et, assis sur le trottoir ou sur une marche de l'escalier dans lequel nous sommes tombé, nous nous mettons à regarder nos ongles ou à nous recoiffer (ceux d'entre nous qui fument allument une cigarette), dans l'espoir de faire croire à l'assistance que nous ne sommes pas tombé par inadvertance : nous étions si fatigué que nous avons dû nous jeter au sol immédiatement, nous en avions ras le bol de marcher. Mais même les enfants les plus crédules ne se laissent pas berner par notre manœuvre. (Nous sommes très rares à utiliser cette méthode grossière.)

En revanche, nous sommes nombreux à employer la suivante, qui est de loin la plus répandue chez ceux qui tombent comme chez ceux qui simplement trébuchent sans choir : après nous être relevé le plus calmement possible pour montrer à tous que nous n'avons pas honte, nous nous retournons en fronçant les sourcils et cherchons du regard ce qui a bien pu nous faire perdre l'équilibre – nous voulons signifier par là que nous ne sommes pas le genre de gars qui tombe par hasard, sans raison, et qu'en général nous tenons parfaitement debout sur nos jambes. Par ce simple coup d'œil en arrière, nous crions au monde : « Je vous assure que j'ai un équilibre fantastique, d'habitude. » Comme nous ne trouvons que très rarement l'obstacle responsable de notre faux pas (grosse pierre ? bûche ? crevasse dans le trottoir ?), nous haussons les épaules et reprenons notre route en laissant les spectateurs bouche bée, pétrifiés, médusés par l'énigme de l'obstacle invisible. Mais cette technique est si employée de nos jours (il suffit de s'asseoir une heure ou deux en terrasse pour en observer les nombreux adeptes) qu'elle ne trompe plus personne : chacun sait qu'il aurait réagi exactement de la même manière, et chacun sait aussi que s'il trébuchait seul sur un chemin de montagne ou sur un trottoir désert, la nuit, il ne lui viendrait pas une seconde à l'esprit de se retourner en prenant un air étonné.

Est-ce à dire qu'une fois au sol nous sommes foutu ? Est-ce à dire qu'on ne se relève jamais avec les honneurs ? Non. Il existe un autre procédé de redressement, que nous n'osons pas encore trop utiliser tant il nous semble audacieux :

Il suffit de nous débrouiller pour faire croire au public que si nous sommes tombé, c'est simplement que nous songions. Nous étions perdu dans nos réflexions. Et la chute n'est due qu'à cela : nous attachons beaucoup plus d'importance à notre esprit qu'à nos pieds. Ce qui change une faiblesse (« Regarde-moi ce couillon qui tient pas debout ») en force (« Qu'est-ce qu'il pense ! »). Comment allons-nous nous y prendre ? C'est très simple : en nous relevant, nous allons secouer doucement la tête de droite et de gauche, en composant une petite moue ironique (les yeux levés au ciel) qui signifiera : « Mais où ai-je la tête ? Ah, je suis incorrigible… » Et aussitôt, dès le premier pas (car bien entendu, nous repartons droit devant, comme si nous étions seul sur un chemin de montagne ou sur un trottoir désert, la nuit), nous allons replonger dans nos pensées mystérieuses (enfantin : nous prendrons un air expressif et lointain, le visage fermé de celui dont personne ne peut pénétrer l'âme, nous sourirons peut-être dans le vide ou nous froncerons les sourcils, comme si une foule d'idées et d'images passionnantes défilaient derrière ce masque). Plus rien ne comptera pour nous, nous serons seul au monde. Et que pensera chacun des spectateurs présents ? Impressionné, admiratif, il pensera : « Avec une vie intérieure aussi intense, il est bien normal que ce gars-là tombe de temps en temps. »

Le nez sur le goudron, j'ai béni cette époque où j'essayais bravement de résoudre les problèmes quotidiens de l'humanité. Bien sûr, après le sourire et le clin d'œil à la fille, mes chances de réussir à lui faire croire que j'étais absorbé dans une quelconque méditation philosophique semblaient réduites. Mais vis-à-vis de tous les autres, je pouvais encore sauver la face et passer pour un penseur.

Après avoir ramassé mon sac matelot, j'ai fidèlement mis en pratique la méthode que j'avais inventée ; mais j'ai vite compris qu'elle s'avérait inefficace si l'on ajoutait l'alcool aux données de départ : car nous avons beau essayer de jouer la « sobriété », toutes nos attitudes sont outrées si nous sommes soûl (et nous sommes alors comme le mauvais acteur qui en fait des tonnes). Quand j'ai dodeliné de la tête en me relevant, avec une moue d'autodérision (changée malheureusement en horrible grimace de clown), j'ai senti que je ressemblais à une caricature du poivrot hideux et grotesque. Quand je suis reparti en essayant de prendre un air songeur (l'œil à demi clos du poivrot hideux et grotesque qui s'apprête à énoncer une vérité fondamentale), j'ai senti que chacun des spectateurs pensait : « Avec ce qu'il a picolé, celui-là, il est bien normal qu'il tombe de temps en temps. »

Très dépité, je suis allé m'asseoir sur un banc près de l'église de la Trinité, pour me ressourcer.

Tandis que j'essayais de me rappeler à quel moment j'avais dépassé les limites du raisonnable, un couple d'Allemands est venu me demander de les prendre en photo. Les couples d'amoureux me demandaient toujours de les prendre en photo. Les touristes et les autres : tous les amoureux qui se préparaient des moments de nostalgie me repéraient dans une foule. Je ne comprenais pas pourquoi ces gens semblaient tant tenir à souffrir plus tard (sans même parler d'éventuelle séparation (bien que des dizaines de couples que j'ai pris en photo doivent être aujourd'hui séparés, seuls éplorés ou radieux dans les bras d'un autre (qui sait si, dans ma vie, je n'ai pas photographié deux fois la même personne avec un amoureux différent ?)), car même ceux qui restent ensemble jusqu'à la mort souffriront forcément un peu, quinze ou trente ans après mon petit clic, en se voyant jeunes et beaux, heureux, en vacances, in Paris, in the springtime) ; je ne comprenais pas non plus pourquoi ils s'adressaient tous à moi (je ne pense pas avoir l'air particulièrement sympathique). Mais en fin de compte, j'étais plutôt flatté : je me sentais l'élu des amoureux, celui vers lequel on se dirige instinctivement lorsqu'on est heureux, l'ami de l'amour.

Mais ce jour-là, devant la Trinité, je ne voyais plus cette affaire du même œil. Quand ces deux ordures de Boches sont venus me demander de les prendre en photo, j'ai soudain compris que tous ceux qui les avaient précédés ne m'avaient pas confié l'élaboration de leurs souvenirs parce qu'ils me considéraient comme l'un des leurs, mais au contraire parce qu'ils avaient deviné que j'étais de l'autre côté de la barrière. Un peu comme l'eunuque auquel le sultan confie les femmes de son harem, ou le curé chez qui vont se confesser les débauchés. Quand ils m'ont tendu leur appareil, j'ai cru les entendre dire :

– Bonjour, monsieur. Nous sommes un couple d'amoureux germaniques, nous aimerions passer une longue et heureuse vie ensemble, et désirons donc la jalonner de petits cailloux romantiques. Si nous avons pensé à vous pour effectuer le travail, c'est que vous êtes seul et le resterez sans doute, puisque la femme de votre vie – Pollux Lesiak, n'est-ce pas ? – a disparu. Toute vie amoureuse vous est donc désormais interdite, nous le regrettons sincèrement, mais comme il nous paraît tout de même nécessaire que vous jouiez quelques notes dans le concert mondial de l'amour, nous nous sommes dit que vous pourriez peut-être tenir ce rôle, si modeste soit-il, de témoin privilégié de notre idylle. C'est mieux que rien, n'est-ce pas ? »

Raclures. Retournez en Bavière. Là-bas, disputez-vous pour une histoire d'argent ou de tromperie sans importance et séparez-vous dans la haine après trois mois de scènes sordides. Non, faites un enfant d'abord. Appelez-le Helmut. Toutes les femmes qu'il rencontrera dans sa vie le feront affreusement souffrir, il sera dépressif et insomniaque, sa fille (dont la mère sera partie avec un acteur italien en lui laissant ce bébé de trois semaines sur les bras) tombera amoureuse d'un tripier alcoolique qui lui tapera dessus chaque soir, et son petit-fils sera si laid qu'aucune femme n'acceptera jamais de l'embrasser sur la bouche, mais ça ne sera pas si grave parce qu'il mourra assez jeune en tombant dans une cuve de ciment à prise lente – mon Dieu de l'église, exaucez ma prière.

J'ai accepté de les prendre en photo, car je suis plus gentil que j'en ai l'air. (De toute manière, j'étais trop soûl pour me lancer dans une explication qui n'aurait ressemblé qu'à une longue tirade d'aigri (alors que ce n'était pas du tout cela, attention) – ça ne s'est jamais vu dans l'histoire du monde, un type à qui vous demandez de vous prendre en photo avec votre femme et qui répond : « Non, je ne veux pas. ») J'ai pris leur appareil en essayant de sourire pour leur faire plaisir, j'ai reculé de quelques pas (je tenais à peine debout) et j'ai immortalisé leur chance. Côte à côte, le bras du mari autour de la taille de la femme et le bras de la femme autour de la taille du mari, les têtes penchées l'une contre l'autre, ils rayonnaient. Un peu comme Pollux Lesiak et moi, si on se retrouvait. J'ai attendu un moment avant d'appuyer sur le bouton, pour les regarder encore. Plutôt moches si on les prenait séparément, mais touchants ensemble. Après tout, ils penseraient peut-être à moi en revoyant cette photo dans vingt ans. Il fallait que j'arrête de voir tout en noir. Allez, clic. J'ai tout de même pris soin de leur couper la tête, par principe.

Je leur ai rendu leur saleté d'appareil et suis resté seul face à l'église. Ça n'allait pas très fort : la déconfiture et son sinistre cortège.

J'ai monté les marches de l'église et jeté un coup d'œil à l'intérieur. Sur les bancs, quelques vieux priaient. Mains jointes et tête baissée, entièrement livrés au ciel, offerts et pleins d'espoir. (J'ai eu cette vision lugubre : l'amoureux timide devant l'appartement de sa belle, qui sonne (il sait qu'elle est toujours là à cette heure) et se décide enfin à lui faire à travers la porte la fervente déclaration qu'il rumine depuis des mois. Il se lance dans la plus belle déclaration d'amour qu'homme ait jamais faite à femme, les mots viennent tout seuls, or et sucre à chaque syllabe, la passion du poète, dix minutes d'inspiration géniale comme il n'en connaîtra plus jamais dans sa vie. Il conclut sur quelque cerise lyrique et tend l'oreille : elle n'ose pas répondre. Et lui n'ose pas insister, réclamer une décision immédiate, trop heureux d'avoir enfin soulagé son cœur. Il redescend l'escalier avec le sourire de celui qui vient enfin d'accepter son destin, tandis que sa promise tâte les camemberts à l'épicerie du coin.)

Ces braves vieux sur les bancs, avec leurs si belles prières à l'intérieur, me faisaient penser à cet amoureux derrière la porte de l'appartement vide. Entièrement offerts à rien.

J'avais absolument besoin d'un petit verre.

35

J'ai continué à boire de bar en bar, et j'ai retrouvé mon second souffle. En fait, l'ivresse, c'est comme tout : il faut franchir un cap difficile (dit « cap de la chute »), puis on est tellement soûl que ça roule tout seul : on est passé de l'autre côté, du côté où l'on n'a plus conscience de rien.

Je ne me souviens plus des rues que j'ai empruntées, ni des bars dans lesquels je me suis arrêté, mais je sais que j'ai fini par me retrouver près de l'église des Batignolles. Dire que j'étais en mauvais état, ce serait comme dire que le coureur de Marathon est arrivé en sueur à Athènes.

Un enterrement, bon. Décidément. Je m'apprêtais à fuir lorsque deux grands-mères qui sortaient de l'église sont passées près de moi, enveloppées de cette tristesse réelle mais domestiquée, bien rodée, qu'arborent en général les habitués de ce genre de cérémonie.

– Pauvre gamine. Même pas trente ans, vous vous rendez compte ? Pauvre gamine. Elle venait tous les après-midi chez moi, je lui faisais des gâteaux qu'elle grignotait devant la télé.

Le coup de grâce. Elle grignotait des gâteaux devant la télé, cette fille. J'ai détourné les yeux du cercueil pour ne pas penser à ce corps rigide qui grignotait des gâteaux la semaine dernière, je suis parti droit vers le square (celui dans lequel j'avais haï l'humanité quelques mois plus tôt) et me suis laissé tomber sur le premier banc (à cette époque de l'année, j'avais quasiment tout le parc pour moi). J'ai tenté de me concentrer sur mes impressions du printemps, de revoir les enfants rageurs et les vieilles dindes qui trottaient en sueur, mais l'alcool me butait sur une seule pensée : la jeune femme qui grignotait des gâteaux. Elle était restée trente ans sur terre sans que je la rencontre, je la croisais à la fin, morte dans une boîte en bois, et j'apprenais qu'elle avait grignoté des gâteaux devant la télé. Après un long parcours pénible et gai, trente ans de marche, elle arrivait dans cette boîte qui sortait de l'église et tout ce que je savais de cette existence, moi, c'étaient quelques minutes devant la télé, à grignoter des gâteaux.

Je me suis remis à penser à mes amis morts, malheureusement.

J'ai pensé à Véronique, que son fiancé jaloux avait étranglée avec le fil d'antenne de leur télé. Nous nous voyions souvent. Elle est passée chez moi un soir pour me dire qu'elle était inquiète, que sa jalousie le rendait violent. Je lui ai dit de ne pas s'en faire, de laisser passer l'orage.

– Ne t'inquiète pas, ça va s'arranger. Fais-moi confiance. Tout s'arrange toujours, la vie est bien faite.

Ce sont sans doute les derniers mots calmes qu'elle ait entendus, après trente-quatre ans de vie, après des millions de mots. Elle est morte trois heures plus tard. Sûrement dix ou quinze secondes d'agonie. Je ne sais pas à quoi elle pensait pendant que son fiancé lui serrait le cou avec le fil de l'antenne, sans doute pas à grand-chose, sans doute seulement à se débattre, à survivre. Mais tout à la fin, une fraction de seconde, elle a probablement pensé à moi, à ce que je lui avais dit. « Ça va s'arranger. » L'une de mes meilleures amies est morte en pensant

« Raté, Halvard… » En pensant qu'elle n'aurait pas l'occasion de me le dire.

L'image d'elle qui me restera toujours, ce sont quelques secondes d'une nuit d'été : nous sommes couchés sur son lit près de la fenêtre ouverte, sous l'étagère bourrée de livres de poche ; nous sommes nus, nous avons chaud, elle a mis un disque de Nino Rota, ses draps sont bleus ; je fais des cercles autour de son nombril avec mon doigt ; son ventre est blanc et plat.

Mon doigt sur ce ventre qui n'existe plus.

Je me suis allongé sur le banc, j'ai essayé de fermer les yeux, mais une lourde obscurité liquide, rouge, jaune, pourpre, une obscurité gluante et tournoyante m'a forcé à les rouvrir bien vite pour éviter de vomir. Il fallait que je me lève de ce banc, je coulais dans la peinture verte, je m'engluais dans le vernis. Il aurait mieux valu que je marche dans les allées du square. Mais je ne parvenais pas à me redresser, ni même à soulever la tête. Je m'engluais dans la mort. Avec Patricia, qui nous attendait dans la chambre du haut, l'un après l'autre, cinq. Elle avait le même âge que nous, notre première fille. Une petite rousse qui riait toujours. Chacun redescendait en s'épongeant le front et en écarquillant de grands yeux. « C'était génial. Quelle bombe. » Quand je suis entré dans la chambre, elle m'a dit qu'aucun des quatre précédents n'avait pu faire quoi que ce soit, et que ça l'arrangeait plutôt parce qu'elle n'avait pas envie. Elle était en culotte sur le lit. Je suis resté à discuter avec elle, pour faire mon temps, je ne sais plus de quoi nous avons parlé. Avant que je ne quitte la chambre, elle m'a donné un petit coup de poing dans le ventre. On l'a retrouvée morte sous un porche, une seringue à la main, à dix-huit ans. Il y a longtemps, maintenant. Et Nathalie, que je suis allé voir à l'hôpital le jour de sa mort. Elle devait peser trente kilos tout au plus, elle était couverte de pansements, de fils et de tuyaux, elle ne pouvait plus respirer : elle n'était plus que deux gros yeux. Dans l'après-midi, elle m'avait chuchoté :

– Je me sens toute petite, j'ai peur.

Quelques années plus tôt, nous sommes tout un groupe dans un jardin vers la fin du printemps, nous mangeons de l'omelette en buvant de la bière. Je revois Nathalie faire la folle sur les épaules de quelqu'un, je ne sais plus qui, assise sur ses épaules, elle lève les bras au ciel et elle crie. Elle était sans doute déjà contaminée, à cette époque, sans le savoir encore.

Pendant l'incinération, je ne pensais qu'à ça : elle qui crie sur les épaules de quelqu'un, une bouteille de bière à la main.

Cloué sur mon banc, les yeux fixes, je voyais Marie-Paule se jeter du onzième étage, enceinte de six mois. Et à l'instant où elle s'écrase sur le trottoir, ce souvenir : elle mangeait un chou de pièce montée au mariage d'une amie, de la crème plein les doigts, radieuse.

Je me suis efforcé d'arrêter là la liste, car je me sentais partir à la dérive. Comment tous ces gens qui n'existaient plus avaient-ils pu grimper sur les épaules de quelqu'un, se laisser caresser le nombril, grignoter des gâteaux secs devant la télé ? Patricia me donne un coup de poing dans le ventre. Mais elle n'existe pas. Je n'ai pas pu faire des cercles avec mon doigt autour du nombril de Véronique morte. Quelque chose m'échappait.

Je suis couché sur ce banc, je suis vivant. Et je serai mort ? Pourtant je ne serai pas le premier. Véronique, Patricia. Est-ce qu'elles ont pensé cela, un jour ? Est-ce que Véronique pensait cela pendant que je lui caressais le nombril ? Est-ce que je tracerai un jour des cercles du bout du doigt autour du nombril de Pollux Lesiak ? N'est-ce pas comme si elle était morte, maintenant, si loin, disparue ? Non, pas du tout. Rien à voir avec le néant. Et si c'était elle, dans le cercueil ? Et si c'était Pollux Lesiak, qui grignotait des gâteaux secs devant la télé ?

Lorsque le gardien du square m'a réveillé en me secouant par l'épaule, la nuit tombait.

36

Ah le triste spectacle, l'homme dégradé, la décadence, ah la scène navrante : dans l'obscurité précoce et dure de l'hiver, j'essaie de marcher devant le gardien, cahin-caha en zigzag jusqu'à la sortie du square. Je sens qu'il me suit à petits pas, à ma vitesse, les yeux sur ma nuque, peut-être même sans me maudire tant il a l'habitude de trouver des gars dans mon genre à la fermeture. Je fixe le sol devant moi – avec la certitude qu'il est en pente –, je fais plus ou moins l'équilibre avec mes bras, et chaque pas est une prouesse, une victoire historique sur la gravité (je ne marche pas réellement pour avancer, je marche pour ne pas tomber en avant : je sens mon corps pencher dangereusement vers le ciment de l'allée, je pose un pied devant moi pour me retenir, dès que le poids de mon corps est passé sur cette jambe je me sens de nouveau tomber donc je jette l'autre pied en opposition, et ainsi de suite). Le plus cruel, c'était la présence du gardien dans mon dos. Comme le gardien de ma vie, qui ne dit rien mais qui n'en pense pas moins.

Il a refermé la grille et m'a laissé seul sur le trottoir, sans un mot. Déchéance. Disgrâce. Oh, misère.

Je suis allé m'asseoir sur un autre banc, dehors, dont on ne pourrait pas me chasser. Dans un premier temps, je suis reparti vers la mort : ceux qui n'existent plus ont vécu de délicieux moments futiles. C'est ignoble. Mais aussitôt, j'ai trouvé la parade : ceux qui existent encore vivent de délicieux moments futiles, donc. Eh oui, bien sûr. Et j'existe, si je ne m'abuse. Je n'existerai plus, bon, mais plus tard. Pour l'instant, je peux vivre tous les délicieux moments futiles que je veux. L'avenir s'annonçait rose : rien n'est plus facile que de vivre un délicieux moment futile. J'allais en vivre des tas, et ma vie serait belle.

J'étais de bien meilleure humeur, et j'ai souri franchement sur mon banc d'ivrogne quand je me suis souvenu qu'il s'en était fallu de très peu pour que je ne vive aucun délicieux moment futile : car j'avais failli ne pas vivre tout court : ma mère, ma chère mère, s'était retrouvée enceinte trop jeune et trop pauvre. Après deux semaines de tristes et éprouvantes hésitations en tête à tête avec mon père, mon cher père, ils ont décidé qu'elle avorterait. (*Non, arrêtez, ne faites pas ça, inconscients, fous dangereux.*) (Alors on me dit : « Je croyais que tu étais plutôt pour l'avortement, toi, Halvard... » Évidemment, je suis pour l'avortement, patate. Mais ça ne veut pas dire que je suis pour que toutes les femmes avortent. Pas ma mère, en tout cas. Je suppose que toi qui es pour la peine de mort, tu... « Eh, je n'ai jamais dit ça. » Bon, c'était une hypothèse, mais disons : celui qui est pour la peine de mort, j'imagine qu'il ne veut quand même pas qu'on mette tout le monde à mort.) Après encore deux semaines de recherche, et grâce à une amie (*salope !*), ma mère a réussi à trouver l'adresse d'un vieux faiseur d'anges, à Strasbourg (*je veux pas encore être un ange !*). Un après-midi de printemps, ma mère s'y est rendue la mort dans l'âme (*mais encore la vie dans le ventre !*). (*Ne va pas chez ce type-là, rebrousse chemin, rentre chez toi, satanée tête de mule !*) Et ce vieux bonhomme, ce cher vieux bonhomme qui aurait très bien pu empocher les billets et m'estourbir (mon principe, du moins) sans un battement de cils, a eu l'ingénieuse idée de papoter un peu avec elle, pour s'assurer qu'elle ne venait pas sur un coup de tête ou un coup de cafard et que le désamorçage du processus de reproduction était réellement la seule issue. Elle est ressortie de chez ce demi-dieu quatre heures plus tard, optimiste et joyeuse, pleine de courage et d'entrain, pleine de vie, pleine de suite. (*Merci mon vieux.*)

Elle m'a avoué cela toute timide vingt ans plus tard, craignant que je ne le prenne mal. Au contraire, je l'ai attrapée dans mes bras et l'ai embrassée comme un bébé devrait embrasser sa mère en sortant de son ventre s'il était un peu plus dégourdi. (Tomber enceinte, c'est une excellente chose pour l'enfant, mais ce n'est pas bien compliqué ; écouter les conseils d'un vieil avorteur, réfléchir en se touchant le ventre, regarder le soleil en sortant de chez lui, les rues de printemps à Strasbourg, étudier deux ou trois passants, un couple d'amoureux, aller embrasser son mari et prendre la décision en se regardant dans les yeux comme au cinéma, c'est autre chose – depuis qu'elle m'a raconté cette histoire, chaque fois que je la vois, je ne peux m'empêcher de l'imaginer assise bien droite sur une vieille chaise de skaï noir en face du médecin, les mains sur les genoux, les yeux un peu rêveurs, fragile et pas encore mère, de l'imaginer toute seule dans ce bureau sinistre, elle l'écoute, elle réfléchit, peut-être que de temps en temps elle jette un coup d'œil vers la fenêtre, se pose des questions terribles en regardant vers la fenêtre, dehors, et toujours quand j'y pense, j'ai envie de la prendre dans mes bras.) Celui que j'aurais aussi aimé féliciter, c'est mon vieil avocat. Ma mère se souvient très bien de lui : il avait déjà dépassé la soixantaine à l'époque et n'était sans doute plus de ce monde quand j'ai appris son existence. J'aurais aimé frapper à la porte de son cabinet, m'asseoir sur la même chaise de skaï que ma mère trente ans plus tôt, et réciter un poème à sa gloire en jetant des brassées de fleurs fraîches sur son bureau (ensuite je me lève et je le serre contre mon cœur en tapotant son vieux crâne sec – je le relâche parce qu'il tousse, mais je prends ses mains dans les miennes et je murmure « Merci » d'une belle voix grave ; d'un doigt, je sèche les grosses larmes qui roulent sur ses joues de calcaire). Ma mère n'a jamais oublié son nom. Halvard Salord.

Ah, tous ces délicieux moments futiles que j'aurais pu ne pas vivre : j'avais décrit des cercles avec mon doigt autour d'un nombril de fille une nuit d'été, j'avais bu de la bière au printemps en jouant au portrait chinois dans une vieille maison à Lille, mangé du jambon de Bayonne en regardant les jeux Olympiques une nuit à la télévision, j'avais presque violé Lucie ravie contre un mur du

Père-Lachaise, lu mon premier Faulkner sur une plage surpeuplée de touristes gras et rouges, bu de grands vins sombres un soir au bord de la Seine avec l'argent gagné sous les sabots d'une mule à Longchamp, marché longtemps sous une pluie chaude un matin de septembre à travers plusieurs arrondissements du sud de Paris pour aller rejoindre une infirmière à qui je voulais déclarer ma flamme, fait de la balançoire avec elle trois jours plus tard sur une aire d'autoroute, j'avais chanté à tue-tête, seul dans un chalet perdu en pleine montagne, partagé un camembert avec Catherine dans un studio vide, devant une petite télé noir et blanc posée par terre – et j'en passe quelques-uns, des moments. Maudit, moi ? Malchanceux ? Inadapté ? Oh que non.

Fort et radieux, je me suis levé d'un bond, ça va barder, afin d'étudier les alentours et de voir un peu ce que j'avais à ma disposition pour profiter au plus vite et pleinement de ce monde prodigieux où tout est si simple. Où sont les filles, où sont les bouteilles, où sont les manèges ?

37

Là-bas. Dans ce petit bistrot bleu, là-bas. Sûr. Il y a de la lumière, de la musique, des cheveux brillants et souples, des boucles d'oreilles, des dents, des verres et des cigarettes, des mains claires et vives, des tissus légers, à cinquante mètres de moi, toute la vie condensée dans ce bistrot bleu, derrière les grandes baies vitrées. Je me trouvais sur une petite place sombre et déserte au bord du square, près de l'église d'où était sorti le cercueil de la pauvre fille qui grignotait des gâteaux. J'étais bien décidé à aller sur-le-champ en grignoter un peu, des gâteaux, moi aussi. Et contrairement à cette malheureuse, j'étais vivant, terriblement vivant ! J'avais au moins plus de chance que quelqu'un, c'était un bon début.

Je me suis dirigé vers le bistrot bleu en essayant de me tenir à peu près droit, de ne pas marcher en zigzag et de prendre un air lucide et frais – car d'après ce que j'en devinais, à travers le voile d'ivresse brouillonne qui déformait tout devant mes yeux, c'était un endroit vaguement chic.

J'avais peur mais j'y suis allé quand même. De toute façon, dès que je serai à l'intérieur, je n'aurai qu'à m'asseoir le plus vite possible et fixer mon verre avec un œil de poète mal dans sa peau, ça passera très bien.

J'ai traversé la rue d'un pas de légionnaire, la tête bien droite, les bras bien le long du corps, les yeux glacials bien fixés sur la cible, jusqu'à la porte de verre coulissante. Qui, à mon approche, n'a pas coulissé. Oh ce n'est rien, ça, je vais recommencer. Le principal est de rester naturel, de ne surtout pas passer pour un abruti devant lequel les portes ne coulissent pas. Je me suis frappé le front pour faire croire que j'avais oublié quelque chose chez moi, mon briquet fétiche par exemple – au cas où quelqu'un m'aurait vu me heurter au refus de la porte –, j'ai fait demi-tour, après deux pas j'ai ralenti, après trois je me suis arrêté en dodelinant de la tête pour indiquer que j'habitais tout de même à l'autre bout de Paris, au quatrième étage, que si ça se trouve ils auraient des allumettes, hein, là-dedans, puis j'ai pivoté de nouveau pour foncer droit sur la porte. À tout petits pas, pour avoir plus de chances de me faire repérer par la cellule photo-électrique qui en contrôlait probablement l'ouverture. Je me rendais bien compte que mon attitude n'avait plus rien à voir avec la décontraction, mais je ne m'imaginais pas repartir une seconde fois chercher je ne sais quoi chez moi et me raviser encore au dernier moment. Pour les gens heureux qui buvaient tranquillement à l'intérieur, ça pouvait avoir un certain intérêt chorégraphique, cha-cha-cha nonchalant derrière la vitre, mais je ne devais pas oublier le côté ridicule de la chose. Alors ouvre-toi, maintenant, s'il te plaît. J'ai fait tout ce qu'il fallait, cette fois j'en suis sûr – je veux bien consentir docilement à tous les efforts nécessaires pour m'adapter à la vie moderne parmi les miens, puisque, de toute évidence, ça ne m'est pas donné a priori, mais marcher droit vers une porte coulissante pour qu'elle s'ouvre, honnêtement, je ne peux pas faire plus. Alors coulisse ! Pour l'amour du ciel, par Moïse et par Ali Baba, ne me laisse pas là, debout seul face au refus du monde, ouvre-toi, coulisse dans la seconde qui vient – car porte coulissante, tu te dois de coulisser. Je jure sur la mémoire d'Halvard Salord et sur les ovaires magiques de ma mère de ne plus jamais me plaindre de rien si tu coulisses sans faire de difficultés. Car je sens confusément que tout le monde m'observe, là, dans le bar.

Eh bien non. J'ai avancé, avancé, à petits pas de plus en plus rapprochés, avancé jusqu'à me coller le nez contre cette porte, elle n'a pas plus coulissé qu'un mur de briques. Pourquoi ? Je n'en sais rien. Qui va encore venir me dire que je me fais des idées, que je ne suis pas plus mal à l'aise qu'un autre dans le monde, que le système collectif ne me bouscule, ne me coince et ne grince autour de moi que dans mon imagination paranoïaque ? Pourquoi faut-il que ce soit moi qui reste debout devant cette porte de verre quand tout le monde est déjà à l'intérieur, quand tout le monde l'a franchie sans problème, je suppose, quand tout le monde s'amuse au chaud, à la lumière ? Je courais sans crainte ni retenue vers le rire et l'insouciance – et je me suis heurté à un mur. Maintenant, la vie bouillonne et les manèges tourbillonnent, c'est l'effervescence lumineuse, le bonheur dans le cœur des filles, à deux mètres de moi, et je dois me chercher une contenance pour justifier ma présence balourde devant cette porte de glace. Encore une fois, derrière la paroi de verre, je me sens comme un spectre qui ne parvient pas à se mêler aux hommes, aux amis qu'il revient visiter. Laissez-moi entrer ! LAISSEZ-MOI ENTRER ! Qui a décidé de m'exclure ? Tout allait si bien, dans le temps. Maintenant, je suis persuadé que si je demande l'heure à quelqu'un, il se détourne d'un air méprisant ; si je m'adosse à un réverbère, il s'effondre ; si je fouille dans mes poches, j'ai effectivement oublié mon briquet fétiche.

J'allais donc retourner d'où je venais, c'est-à-dire dans l'ombre et le doute, quand soudain un ange s'est tourné vers moi. Un jeune homme dans le bistrot, au sourire miséricordieux, au regard plein de bonté. Il m'a fixé un moment puis a tendu un doigt vers moi en articulant quelque chose. Dans un premier temps, bien entendu, j'ai pensé qu'il me désignait à tous les autres en disant probablement : « Regardez-moi ce benêt qui reste derrière la porte. » Mais la lueur qui brillait dans ses yeux doux contredisait cette impression. Ses yeux me murmuraient : « N'aie pas peur, je suis là, je suis avec toi, je t'aime. » Oui, moi aussi, je t'aime bien, mais… Quoi ? C'est à ce moment que j'ai compris qu'il me montrait quelque chose.

J'ai baissé les yeux et j'ai vu un gros bouton noir à droite de la porte. Sans trop y croire, j'ai appuyé dessus – s'il suffisait d'appuyer sur un bouton pour que les obstacles se désintègrent, la vie serait trop facile. Pssshhh. La vie est facile.

Pssshhh. La porte s'est ouverte. La porte a coulissé devant moi comme par miracle et une vague de chaleur, de lumière, de musique, de whisky, de voix rieuses et de parfum de fille m'a submergé. À moi le paradis sur terre, à moi les choses normales ! Bon, certains blasés diront que ce n'est pas une véritable prouesse, de réussir à ouvrir la porte d'un bar. Mais pour moi, c'était un grand pas vers un avenir meilleur.

En passant, j'ai adressé un sourire plein d'amicale reconnaissance à mon ange sauveur – un sourire sincère et réussi, car j'en oubliais même que j'étais soûl – mais il ne faisait déjà plus attention à moi, il papotait avec une angelote aux nichons énormes.

Devinant du coin de l'œil qu'il n'y avait pas de place assise, et craignant de toute façon d'aller m'immiscer trop directement dans les affaires heureuses de tous ces jeunes très à l'aise, je me suis dirigé droit vers le comptoir, les yeux braqués sur la machine à café (pour me donner un genre) comme si je n'en avais jamais vu de si perfectionnée. J'ai commandé un whisky en prenant soin de ne regarder rien d'autre que le visage accueillant du serveur sympathique, puis je me suis mis à le boire à petites gorgées, en fixant intensément une soucoupe dans laquelle il restait deux olives vertes. Tout le monde avait l'air de bien s'entendre, la fille que je voyais dans le miroir en relevant furtivement les yeux de mes olives avait un air de Greta Garbo moderne, j'entendais sur ma gauche un couple parler d'une amie qui venait de se marier sur un coup de tête à Las Vegas avec un certain Carlos, tout me plaisait. D'ailleurs, comme j'avais envie de participer aux réjouissances, je me suis étendu dans tout le bistrot pour me mêler aux gens, m'insinuer dans leur esprit grâce à de longs fils fins et flexibles – un peu à la manière d'une pieuvre aux tentacules invisibles. Je me suis infiltré dans la Greta Garbo moderne dont je ne voyais que le buste dans le miroir – elle ne s'est rendu compte de rien – et j'ai pensé qu'elle était célibataire depuis trois semaines, car son fiancé Sébastien l'ennuyait à mourir, et que la veille elle avait mangé des nouilles au gruyère devant un film italien à la télé, avant de sortir boire un verre dans le Marais avec un couple d'amis dont elle s'était sentie un peu jalouse. J'ai laissé un tentacule planté dans son cœur et j'en ai glissé un autre dans la tête du serveur sympathique, qui à mon avis s'appelait Luc et allait se marier dans quelques mois avec une jolie blonde qu'il avait rencontrée deux ans plus tôt dans une boîte aux sports d'hiver. Mais ce matin-là au petit déjeuner, dans la cuisine aux placards blancs, l'ambiance n'était pas terrible. La jolie blonde (Stéphanie ?) avait avalé ses deux biscottes et son café au lait sans dire un mot. Luc portait un drôle de pyjama à rayures. C'est lui qui avait débarrassé la table de formica, en jetant de temps en temps de petits coups d'œil à Stéphanie muette. À présent, il était en train de servir un gin-tonic à un gros type en costume crème. Je l'ai laissé pour m'incorporer au couple qui discutait sur ma gauche. Le plus beau moment de leur vie restait ce week-end à Londres, au début de leur histoire : ils s'étaient beaucoup promenés seuls, main dans la main, dans le froid et le brouillard. En les entendant évoquer le souvenir de leur amie mariée à Las Vegas, qu'ils ne reverraient probablement plus de sitôt, il m'est venu une idée formidable : en passant par eux, je pouvais lancer un tentacule au-dessus de l'Atlantique, et atteindre cette femme lointaine. Miracle de la technique. Je me suis dit qu'elle s'appelait Anne, qu'elle vivait dans un petit appartement de la banlieue de Los Angeles avec son Carlos et qu'elle venait de s'inscrire dans une école d'arts graphiques. Carlos, lui, était d'origine vénézuélienne, et ses parents, repartis au pays, fulminaient qu'il se soit marié en un clin d'œil, sans même les prévenir. On ne plaisante pas avec la tradition, en Amérique du Sud. Ah, merveille, je pouvais m'unir au monde entier, me brancher sur tous les êtres humains pour partager leur joie d'avoir les pieds sur terre. On est bien, dans ce bar.

Comme pour m'en convaincre jusqu'en mes plus infimes molécules, je ne cessais de me répéter que j'étais en train de vivre un délicieux moment futile, quand soudain, insidieusement, une sale pensée néfaste et moche s'est glissée en moi. Une réflexion que tout à coup je me suis faite et qui risquait de tout foutre en l'air. J'ai décidé de la chasser provisoirement de mon esprit pour l'étudier plus au calme le lendemain – quand ce moment magique, passé, ne pourrait plus être gâché. Je n'ai d'ailleurs eu aucun mal à m'en débarrasser, comme la vache d'un coup de queue chasse la mouche qui l'agace, car j'étais fin soûl – et rien ne résiste à la puissance nonchalante de l'ivre, qui peut se permettre toutes les audaces, qui ne craint rien ni personne : il est le maître du monde et a fortiori de ses pensées. De toute manière, la main de Dieu descendait déjà vers moi (celle d'Oscar, en tout cas), un coup de théâtre se préparait, et j'allais très bientôt ne même plus me souvenir que cette sale pensée néfaste et moche m'avait chatouillé désagréablement l'esprit : en donnant mon dédaigneux coup de queue (qui s'est traduit par une sorte de tic nerveux secouant l'ensemble de la tête), mes yeux se sont posés, à l'autre bout du comptoir, près de la porte, sur elle. Assise sur un grand tabouret. Pollux Lesiak.

38

Pour être honnête, ce n'était pas tout à fait elle. Mais presque. J'y ai même cru pendant quelques secondes, car elle lui ressemblait étrangement, me semblait-il. Je ne me souvenais déjà plus très bien du visage de Pollux Lesiak, mais en revanche je gardais une image très précise de l'essence du visage de Pollux Lesiak. La notion de Pollux Lesiak, je savais parfaitement à quoi ça ressemblait.

C'est-à-dire à cette fille du bout du comptoir, vaguement. Elle avait de longs cheveux bruns, de grands yeux, la peau pâle, elle était habillée en bleu dans ce café bleu, une jupe bleue, un pull bleu clair, et même un petit sac à dos de toile bleue. Elle n'avait pas de tabouret à la main, peut-être, mais quand même un sous les fesses. Que je devinais rondes et souples, d'ailleurs.

Plein d'ivresse stupide, je me suis dit que je ne retrouverais jamais la mythique Pollux. Or la vie est courte, on ne peut pas la passer à courir après un fantôme rapide comme l'éclair dans un marécage semé d'embûches ; et puisqu'elle lui ressemblait un peu, ce n'était pas vraiment comme si je laissais tomber tous mes rêves et piétinais mes illusions d'une semelle aigrie, non. Rien à voir. Dans mon idée, je m'adaptais simplement à la dure réalité du monde, je faisais avec ce qu'on me donnait. « Plaisir d'offrir », d'accord, mais n'oublions pas « Joie de recevoir ».

Alors ce que j'allais faire, c'était très simple : j'allais séduire cette fille et oublier Pollux Lesiak – pas tout à fait quand même, mais un peu. J'allais me la ramener à la maison et l'honorer furieusement pendant deux heures, puis je poserais ma tête sur son ventre plat, les yeux vers ses pieds, et je penserais à Pollux Lesiak en souriant, sans rancune, on n'y peut rien, Pollux, c'est la vie qui l'a voulu, en lui caressant une cuisse. L'intérieur d'une cuisse. Je me dirais que je suis un drôle de veinard parce qu'à tous les coups elle aurait les cuisses tendres et lisses comme de la fleur d'oranger. Bon, ce n'était sans doute pas très réglo de ma part, de remplacer si vite ma fiancée de légende, mais après tout j'étais seul à savoir que j'avais juré fidélité à Pollux Lesiak, je pouvais briser mon serment sans qu'aucun doigt accusateur se pointe vers moi. Et de toute façon, je fais ce que je veux, moi, faut le savoir. Surtout avec les dames.

Pour l'instant, elle ne me regardait pas trop, voire pas du tout si l'on veut rester fidèle à la réalité perceptible – avec tout ce qu'elle peut avoir de trompeur, parfois, bien sûr. D'une certaine manière, ça m'arrangeait : je pouvais ainsi l'examiner à loisir, « à la dérobée », sans avoir à craindre de passer pour un gros lourdaud de comptoir, me baigner tranquillement les prunelles de la lumière et de la légèreté de son visage, de sa délicatesse laiteuse et, surtout, lui enfoncer un tentacule dans la gorge. Elle s'appelait Claire, pourquoi pas, elle habitait toute seule dans un arrondissement du sud de Paris, elle avait deux chats et lisait Barbey d'Aurevilly. Je ne voulais pas en savoir plus pour l'instant, je préférais la découvrir au fur et à mesure. Ce qui me dérangeait tout de même dans le fait qu'elle ne m'ait pas plus remarqué qu'une fourchette ne remarque un couteau avant le début du repas, c'est que ça risquait de stagner un petit moment en l'état. Car comme toutes les autres, elle ne savait pro-bablement pas que, si elle ne me repérait pas, si ensuite elle ne m'abordait pas elle-même dans les règles de l'art, nous n'irions jamais bien loin.

Elle fixait un grand type brun assis à une table avec un couple. Et le grand type brun, qui ne savait pas plus qu'elle, pour le moment, que ce n'était pas avec lui qu'elle rentrerait ce soir, lui rendait son regard avec insolence.

Ils ne se quittaient pas des yeux, et encore une fois, pour moi, ça clochait. Encore une fois, ça dérapait au dernier moment. Comment faire pour redresser la situation, pour attirer son attention ? Oscar et Prof. Baba Komalamine, soyez gentils de me donner un petit coup de pouce. Oscar, fais entrer la fiancée adipeuse de ce grand pignouf, s'il en a une – n'oublie pas de lui expliquer où se trouve le bouton de la porte coulissante, si elle n'est jamais venue, et demande-lui d'aller se jeter sur son jules et de lui enfourner passionnément sa grosse langue verdâtre dans la bouche, pour que Claire pense quelque chose comme : « Ah d'accord, je vois le genre de mec, les goûts du mec. Bon, voyons s'il n'y a rien d'autre à se mettre sous la dent, dans ce rade. » (Non, attends, ce serait aussi bien si elle ne pensait pas comme une poissonnière, Claire.) L'idéal, bien sûr, ce serait qu'elle prenne brusquement la fuite pour une raison inconnue et que je la poursuive avec son tabouret – je dois commencer à manier correctement cette méthode de séduction, mais je ne sais pas si ça me sera très utile dans l'existence : ici, par exemple, même en supposant qu'elle soit soudain contrainte de s'enfuir à toutes jambes pour aller se réfugier au sommet d'un immeuble, ce qui serait tout de même un sacré coup de bol, je me ferais sans doute arrêter par un serveur en essayant de quitter le bar avec un tabouret. Et même en supposant que je puise dans mes dernières forces pour esquiver le plaquage du serveur et lui assener un violent coup de tabouret sur l'occiput, je ne saurais vraiment pas quoi raconter à Claire en lui rapportant le tabouret de bar sur lequel elle était assise. Même ça, ma spécialité pourtant, ça ne marcherait pas. Alors comment faire ?

C'est là que tout a basculé. Oui, à ma grande stupéfaction, elle a fait ce que j'attendais sans trop y croire : le premier pas.

39

Elle a fait le premier pas. La garce.

Pas vers moi. Vers l'autre. Elle est tout bonnement descendue de son tabouret – pourtant l'emblème de notre amour, presque – et s'est dirigée vers la table de son coquin. Une créature aussi directe, aussi audacieuse, je n'ai jamais vu ça de ma vie. Elle s'est éloignée du comptoir, son petit sac bleu sur le dos, elle a dit quelque chose en arrivant près de lui, puis s'est assise à leur table (sans autre forme de procès, nom d'un chien) et s'est mise à discuter avec eux, l'autre couple et lui. Moins de trente secondes plus tard, comble de l'horreur, ils riaient.

J'avais la nausée. Il semblait très à l'aise, le pignouf, il parlait sans arrêt, il faisait des gestes comiques, il faisait rire tout le monde, y compris Pollux Lesiak. Elle était dans son élément, elle aussi : elle lui répondait du tac au tac, elle le regardait droit dans les yeux avec une sorte d'arrogance timide, sauvage, elle le défiait. Très vite, ils ont oublié l'autre couple, comme s'ils venaient de passer dans un univers parallèle où plus rien ne leur parvenait du nôtre, ni sons ni images. Leurs yeux brillaient. Surtout ceux de Pollux. Quand elle l'écoutait, elle inclinait légèrement la tête sur le côté, et quand elle riait, elle la rejetait tout aussi légèrement en arrière. « Tu peux entrer », voilà ce que ça voulait dire. « Je suis libre, j'ouvre mes portes, viens. »

Et pourtant, je parierais les derniers sous de ma mère que, quelques secondes plus tôt, ils ne se connaissaient pas. Quelques secondes plus tôt, ce clown était dans la même situation que moi, seul dans un bar – avec un couple, c'est encore pire –, à quelques mètres d'une jolie fille seule. Il se disait probablement : « Ah, si seulement elle pouvait faire le premier pas, venir s'asseoir à ma table. Non, ne rêve pas, c'est très rare, ce genre de chose. Oui mais alors, comment faire ? » Et puis elle était venue. Pourquoi lui ? C'est le hasard ? Je suis vraiment laid ? (Non, elle ne m'a même pas vu.)

Non seulement je restais seul, non seulement je prenais une nouvelle claque, mais pire encore : je venais d'avoir la preuve que pour d'autres, pour certains, ne serait-ce que pour un seul au monde, la vie n'est pas qu'une succession de torgnoles, qu'un champ de bataille boueux truffé de mines, de cratères et de barbelés. De temps en temps, ça marchait. Qui sait si mon tour ne viendrait pas un jour, après tout ? Qui sait si, un beau matin, la lumière ne s'allumerait pas quand j'appuierais sur l'interrupteur ?

J'ai demandé un autre whisky au serveur, Luc, puis un autre et un autre. Tout devenait confus autour de moi, je ne parvenais plus à lancer mes tentacules vers la foule rieuse, ils me retombaient sur les pieds en longs filaments mous et gluants. Tout le monde fondait dans le bar autour, comme des bougies qui dégoulinent, tous les clients fondus, confondus. Je n'entendais plus que des gloussements mouillés, des borborygmes, des gargouillis sirupeux. Je restais le seul être intact et solide au cœur de ce cataclysme en miel bleu. Mes souvenirs s'arrêtent là. Presque : j'ai senti Pollux Lesiak passer dans mon dos, accompagnée de mon moi veinard et de l'autre couple. Dans le brouillard, j'ai compris qu'ils partaient dîner tous les quatre dans une crêperie.

Je ne sais pas ce qu'ils sont devenus, tous les deux. Il ne s'est peut-être rien passé : ils se sont quittés en sortant de la crêperie, ils ont promis de se téléphoner mais n'en ont rien fait car chacun s'est aperçu pendant le repas que l'autre était vide comme un ballon de baudruche. Ils ont peut-être couché ensemble avant, tout de même, histoire de crever le ballon comme les enfants, juste par plaisir féroce. Ils ont peut-être vécu deux mois ensemble, deux mois compacts et mouvementés, avant de se quitter en se tapant dessus. Ils sont peut-être encore ensemble aujourd'hui. On ne peut pas savoir, c'est agaçant. Il faudrait pouvoir obtenir à tout moment des informations sur ceux qu'on a croisés un jour. Quand je pense que certains se plaignent que tel ou tel film se termine en queue de poisson…

Le brave Luc – que je ne distinguais plus que très confusément – m'a servi gentiment un autre whisky, puis j'ai remarqué une dernière fois que j'étais le seul personnage consistant dans cet océan de gélatine, et j'ai disparu.

40

Je ne sais pas si je suis rentré en taxi, à pied ou en rampant. J'étais en train de rire tout seul en sentant une goutte de whisky me dégouliner sur le menton, puis j'ai disparu, et quand je suis revenu, j'étais dans mon lit, le visage tourné vers le mur, le nez contre le plâtre.

Une lumière crue inondait ma grande pièce. Il faisait froid. Le rouge sang de ma couette m'abîmait les yeux. Je me suis appuyé sur un coude, ankylosé, tendineux, cartilagineux, l'esprit coagulé, les tempes épaisses, la bouche blanche, ébloui. Mon crâne débordait de plomb en fusion. J'avais moins envie de rire que la veille.

J'ai essayé de me lever.

Souffrant, honteux.

Je suis allé en titutrébuchant jusqu'à mon cher fauteuil, sur lequel je me suis effondré comme mort. Caracas me regardait comme m'aurait regardé Jésus-Christ s'il était revenu juste pour moi.

Il devait être quinze ou seize heures. Je suis resté assis là près d'une heure sans bouger, car le moindre geste résonnait douloureusement de mes orteils à mes oreilles en me vrillant les nerfs et les tendons de tout le corps. Je sentais que je ne pouvais pas me remuer plus qu'un verre d'eau rempli à ras bord. Un verre de whisky.

Mes chaussures étaient abandonnées juste après la porte d'entrée, mon manteau et mon pull un peu plus loin par terre, mon pantalon sur le lit. Seul mon sac matelot était à sa place, posé réglementairement près du fauteuil.

Je me suis souvenu que je n'avais déjà plus de liquide sur moi quand j'étais entré dans le bistrot bleu. J'ai jeté un coup d'œil à mon carnet de chèques, mais les chiffres que j'avais inscrits sur le talon étaient illisibles. Comment avais-je pu gribouiller un truc pareil sans me rendre compte que je serais incapable de le déchiffrer ? (Mais dans le monde ivre, l'œil ivre doit pouvoir lire l'écriture ivre, comme un Grec peut lire du grec.) Au fond de mon sac, j'ai également trouvé un ticket de distributeur automatique de billets (un ticket de « tirette », disait Catherine) : j'avais retiré cent francs à deux heures six du matin, sans doute pour prendre un taxi. Comment ai-je pu vivre plusieurs heures sans conscience ? Comment ai-je pu boire, rédiger un chèque, trouver une tirette, composer mon code, héler dignement un taxi et lui donner mon adresse alors que… je n'existais pas ? À deux heures six du matin, c'était pourtant une certitude, j'étais debout devant une agence de la Société Générale, suffisamment lucide sur le moment pour me servir d'une machine. Mais si je ne m'en souvenais plus, c'est que ça ne s'était pas passé.

J'avais perdu du temps. Ces heures inconscientes que je ne me rappelais plus avaient disparu pour toujours dans le grand espace noir de tout ce qui ne s'est pas produit – avec ma carrière de jazzman, mon record du monde du cent mètres, ma victoire dans le Prix de l'Arc de Triomphe, en selle sur Spring Thunder, et ma liaison orageuse avec Ava Gardner.

Lorsqu'on me parle de vies antérieures – et postérieures –, je rigole doucement. Je n'y crois pas, mais j'imagine que même si j'y croyais, ça ne me consolerait

166

pas d'avoir à mourir un jour. Car les défenseurs de cette « théorie » prétendent qu'on ne se souvient pas de ses précédentes existences – sauf par bribes, peut-être, dans des circonstances très particulières. Mais que m'importe d'avoir été l'amant d'Ava Gardner pendant l'été 1950 si je ne le sais pas ? J'étais sans doute absolument ravi à l'époque, quand elle me mordillait les lèvres en se frottant contre moi, mais aujourd'hui je m'en fous royalement, puisque je ne peux même pas me raccrocher à un souvenir, une émotion, une image, l'odeur de ses cheveux. Si surprenant que ça paraisse, avoir été l'amant d'Ava Gardner ne me fait ni chaud ni froid.

Le souvenir serait plus important que le moment présent ?

Je venais de me rappeler l'idée funeste qui m'était venue dans le bar, quelques secondes avant de découvrir la doublure de Pollux Lesiak.

Mes délicieux moments futiles qui rendent la vie exaltante, c'était du toc. Par définition, ce sont des moments sans importance : ils n'ont intrinsèquement aucun intérêt, on ne les remarque pas quand on les vit. Le seul moyen d'en savourer tout le suc magique, c'est, en les vivant, de se faire remarquer qu'on les vit (ce qui n'est jamais très bon pour le plaisir), mais surtout, de les projeter dans le futur pour se figurer le souvenir ému qu'on en gardera quand, pour une raison ou une autre, on n'aura plus la possibilité de les retrouver. Or, évidemment, si l'on se projette dans le futur, on n'est plus tout à fait dans le présent – et donc on ne vit plus ces moments. Dans cette découverte euphorisante de la veille, dans ce système d'extralucidité censé éclairer ma vie d'une lumière nouvelle, se cachait en réalité un paradoxe que l'alcool m'avait empêché de déceler et qui détruisait tout de l'intérieur. La seule particularité de ces moments, c'est l'insouciance. Or, pour en profiter, il faut nécessairement se dire qu'on les regrettera un jour, il faut en tout cas y injecter de la réflexion, et donc de la souciance. Ça se mordait la queue, ma trouvaille.

Mon idée pour vivre comme un roi, pour m'arracher à la boue lourde et m'élever vers les cieux purs de la frivolité, je pouvais m'asseoir dessus.

NE RÉFLÉCHISSEZ PAS TROP, C'EST DÉCEVANT

Pour définitivement m'en convaincre, j'ai pris un exemple que j'avais sous la main : Caracas. Je l'aimais tant, cette créature, que toujours je pensais à sa mort. Avec effroi. Donc je l'ai regardée, ce matin-là – elle était allongée sur la couette rouge sang et faisait la moue, sans doute à cause de ma tête de cadavre –, et je me suis imaginé vingt ans plus tard, avec un autre chat (que je me suis représenté mentalement, pour la commodité de l'expérience : un gros matou noir, c'était le plus simple). Je me vois avec ce chat dans un autre appartement, je suis allongé sur un tapis, je joue avec lui, et soudain, l'image de Caracas me revient en mémoire, Caracas vingt ans plus tôt. Je me souviens de ce temps lointain où je m'étais réveillé un matin avec une gueule de bois de tous les diables, elle était couchée sur le lit et me regardait avec les yeux de Jésus-Christ, je l'aimais tellement, ce chat, c'était une partie de moi, et aujourd'hui elle s'est noyée dans le passé, elle n'existe plus, elle est restée dans le temps et je l'ai remplacée par un gros matou noir que j'aime aussi. Je l'ai laissée derrière moi, elle n'est plus là pour partager mon existence, elle ne « sait » pas que le gosse vient d'avoir son bac et que Pollux est partie lui apprendre à conduire sur le parking du Carrefour de Saint-Ouen, elle ne sait pas que Gourmet vient de sortir une nouvelle terrine de zèbre. Ça lui aurait sans doute fait plaisir, pourtant, que j'aie retrouvé Pollux.

Je ressentais si bien ce que je ressentirais vingt ans plus tard que je me suis mis à pleurer. Je la regardais, elle était à deux mètres de moi, et je pleurais sa disparition. Toutes les conditions paraissaient réunies pour une bonne expérience : sa présence sur le lit n'avait rien de

particulièrement sensationnel, ni de beau ni d'émou-
vant, et pourtant je savais que je me broierais le cœur à
regretter ces instants. C'était une occasion inespérée : je
pouvais, pour ainsi dire, remonter dans le temps. Laisser
momentanément le gros matou noir et revenir auprès de
Caracas. Comme si j'appuyais maintenant sur un bouton et revenais auprès de mes amies mortes. Comme si
on me donnait la chance de retourner toucher le ventre
de Véronique ou de m'asseoir à la table de Marie-Paule
qui mange son chou à la crème.

Il fallait que je profite à fond les ballons du plaisir d'être
avec elle. Eh bien j'ai eu beau me le dire et me le répéter,
me concentrer de toutes mes forces pour me rendre
compte de ma chance, apprécier cet instant en profondeur : rien à faire. C'était une réflexion, aussi éloignée
d'un sentiment qu'une recette l'est d'un plat. Je restais en
surface, dans mon cerveau, incapable de descendre vers
le noyau de mes émotions pour diffuser de là le plaisir
dans tout mon corps. J'étais content d'avoir Caracas sous
les yeux, bien sûr, mais je ne *réalisais* pas, je ne m'impré-
gnais pas de sa présence. La seule émotion que je parvenais à ressentir réellement, c'était de la tristesse en
pensant au jour où je serais dans cet autre appartement,
sur le tapis avec le gros matou noir, ce jour où elle ne
serait plus là, elle.

NE RÉFLÉCHISSEZ PAS,
C'EST BÊTE

Je suis persuadé que si Merlin l'Enchanteur, un jour
de bienveillance, me renvoyait dans le lit de Véronique,
même en toute connaissance de cause, je ne serais pas
plus capable de profiter de ces minutes de bien-être. La
vie est belle, peut-être, pleine de moments magnifiques,
faciles à vivre, de plaisirs faciles à atteindre, mais je ne
me rends compte de rien. Je ne fais que penser, sur le
coup – il faut que j'attende et que je regarde en arrière,
pour ressentir, comprendre. Il faut que j'attende que les

photos soient développées, que je sois revenu dans la grisaille d'automne et que je sorte du labo de la FNAC avec un petit air à la fois mélancolique et heureux en retard. Il manque un truc, dans ma nature, une faculté qui me serait pourtant bien utile : l'instinct de Polaroid.

La vie est belle ? Pleine de moments magnifiques ?

Non, tout m'englue, tout me poisse.

Je suis un pauvre bougre.

Pollux ?

Il ne m'arrive que des malheurs.

En fin de compte, heureusement que je n'ai pas ça, l'instinct de Polaroid. Ma vie serait un cauchemar.

Je me suis préparé un grand bol de café, j'ai caressé Caracas une minute puis je suis allé prendre une douche, quand même, avant de sombrer de nouveau dans l'alcool.

41

Le soir, je suis allé dîner chez ma sœur Pascale, à Joinville-le-Pont. J'étais déjà bien jovial d'alcool quand je suis descendu dans le RER à Châtelet. Les premières gorgées de Cutty Sark m'avaient écœuré mais il faut parfois faire preuve de persévérance dans la vie, je crois, et je m'étais donc tétanisé les entrailles pour qu'elles ne bronchent pas avant que j'aie franchi le premier palier ; très vite, la potion magique m'était montée à la tête et mon corps tout entier s'était dilaté de reconnaissance.

À présent, dans le RER, je me sentais très à l'aise et en oubliais mes lugubres conclusions du matin. Tous mes compagnons de voyage me paraissaient abordables et drôles, comme la veille dans la rue (mais cette fois – je retenais les leçons comme le gars de Kung Fu, celui qui veut coûte que coûte partir tenter sa chance hors du monastère –, j'évitais de prendre le moindre risque, je

170

m'étais confortablement calé sur une banquette et ne cherchais pas à composer des mines d'aisance), chacun présentait une petite particularité amusante ou touchante, je me régalais.

J'ai jeté un coup d'œil autour de moi, pour voir si je ne trouvais pas Pollux Lesiak, par hasard – je commençais à douter de ce principe de la seconde chance (qui m'en avait parlé, au fait ?). Debout près de la porte, une fille lui ressemblait un peu. Quelque chose dans les yeux, une incertitude, le même corps un peu mou, les cheveux. Mais j'en voyais partout, des presque elle, ça pullulait autour de moi – il manquait toujours un rien, parfois juste un peu de lumière sur le visage, ou d'ombre dans le regard.

Je me sentais d'humeur vaguement sentimentale. À Gare-de-Lyon, une fille est venue s'asseoir en face de moi, avec sa poitrine énorme. Je devais me concentrer sur Pollux Lesiak, je n'allais pas me mettre à batifoler de tous les côtés quelques semaines à peine après le début de notre amour, mais avec toutes ces loupiotes dans le sapin, ce n'est pas non plus évident de rester braqué en permanence sur le petit Jésus dans sa paille. Il y avait de tout, dans ce wagon – comme ailleurs : des fesses, des sourires à vous liquéfier un cœur de pierre, des ventres élastiques, des teints frais, des regards humains, des poitrines généreuses, opulentes et tendres, émouvantes et lourdes, calme-toi. (Original comme je suis, j'aime bien les gros nichons : ça donne une sorte de faiblesse à la fille, je ne sais pas pourquoi, une envie d'amour. (J'avais remarqué une chose assez curieuse, les filles à gros nichons souvent descendent de familles pauvres et les filles plates souvent descendent d'aristocrates – pas toujours, bien sûr (je vois Catherine, tiens, par exemple, qui ne descend certainement pas d'une famille d'aristocrates, on ne peut pas dire que). Il est peut-être simpliste d'avancer que c'est en conséquence de famille nombreuse et pas les moyens de s'offrir les services d'une nourrice, alors avec le temps la nature s'adapte, comme les girafes, mais je ne voyais pas non plus trente-six autres explications. En tout cas, on peut aller passer un après-midi du côté de la rue de la Pompe, on ne trouvera pas beaucoup de gros bonnets – tandis que si on va musarder vers l'avenue de Clichy, c'est Noël à tous les balcons.) Et là, brusquement, en regardant la jeune femme qui s'était installée en face de moi à Gare-de-Lyon, j'ai noté une autre particularité des filles dont la poitrine opule : souvent, elles ont la mâchoire un peu carrée. Celle-ci m'a mis la puce à l'oreille car son os maxillaire était remarquablement développé, et tout s'est éclairé soudain : oui, la plupart des femmes à gros nichons que je connaissais avaient également de fortes mâchoires. J'étais déconcerté, sur le moment, car je ne voyais absolument pas le rapport entre poitrine et mâchoire. Encore, entre cuisse et mollet, par exemple, ou entre poitrine et hanches, bon, à la rigueur, mais entre poitrine et mâchoire, non. Nous étions arrêtés à Nation et je m'interloquais à tout rompre. (J'espère que la fille assise en face – une blonde en robe crème – ne prêtait pas trop attention à moi (je ne pense pas, non), car je devais avoir l'air particulièrement inquiétant, avec ma tête de type soûl qui s'interloque à tout rompre.) Et soudain, après toute une série d'hypothèses plus farfelues les unes que les autres, la vérité m'est apparue toute nue : est-ce qu'on se demande pourquoi, lorsqu'on a les doigts jaunes, on éprouve quelques difficultés à respirer au réveil ? Eh non. Pas du tout. On sait que le rapport entre les deux n'existe que dans la cause : la cigarette. Alors voyons, qu'est-ce que j'avais comme cause, moi, pour mes gros nichons ? L'ascendance modeste. Eh bien voilà, ça colle impec. Des générations et des générations de serfs et de prolétaires qui mastiquent du pain noir et de la viande séchée, ça vous forme les mandibules, à la longue. La blondasse en crème ne ressemblait en rien à une miséreuse, mais bien des familles ont remonté la pente, depuis le début du siècle.)

Je m'égarais. Chasse donc ces tentations, Halvard, bouc lubrique, éloigne-toi du monde mammaire, pense à ta femme et laisse courir ces filles, même cette jolie brune aux yeux perdus, là-bas, oui.

Nous étions toujours arrêtés à Nation. Après quelques minutes, une voix a grésillé dans les haut-parleurs de la rame, avec un fort accent africain.

– Mesdames et messieurs, c'est le conducteur qui vous parle, nous devons patienter quelques instants, il y a un petit problème sur la voie, mais deux individus sont allés voir ce qui se passe.

Ça m'a fait rire – j'imaginais deux types un peu louches qui s'ennuyaient sur le quai et remettaient provisoirement un pied sur le bon chemin (« On n'a rien d'autre à faire, allez ») pour donner un petit coup de main à la RATP. J'ai souri, car c'est toujours tentant d'essayer de partager quelque chose avec des inconnus, ça rassure, on se sent frères, les mêmes choses nous amusent, on n'est pas si différents que ça, hein, finalement, mais la blonde posait sur moi un regard de mule sourde. Les autres passagers ne se gondolaient pas vraiment non plus pour cette histoire d'individus. Mais la jolie brune aux yeux perdus souriait. C'est une grande joie, une petite revanche, de trouver une voisine dans une foule, quelqu'un qui réagit comme soi, ne serait-ce qu'en une seule circonstance. Nous avons échangé un bref regard, un mélange de sourires, et ça m'a comblé de bonheur – une réaction complètement démesurée, je me sentais hilare, ému au plus profond de moi-même d'avoir une amie inconnue.

42

Ma sœur avait invité quelques amis. Outre son futur époux Marc Parquet, j'ai retrouvé chez elle l'une de ses collègues, Iana, une jolie Tchèque un peu folle – gentille, marrante, bizarre –, Didier, un pilote moto qui deviendrait plus tard le parrain de leur fils, Béatrice, une de ses amies (mélancolique) qui deviendrait la marraine, et un ami de Marc Parquet, Luigi (surnommé « la Blatte », mais nous ne le découvririons que plus tard, et de belle manière : la veille du mariage de ma sœur Pascale et de son fiancé Parquet, nous sommes allés dîner avec quelques amis à eux, dont Luigi, dans un restaurant perdu au bord d'une crique, du côté de Marseille – où ? je n'en sais rien ; c'est la jungle, pour moi, cette région – et alors que nous étions tous autour d'une grande table en terrasse, nous avons entendu quelqu'un crier : « Ho, la Blatte ! » Dans un restaurant, c'est déstabilisant. Nous nous sommes donc tous retournés pour savoir qui avait trouvé la bête, et le type nous regardait. « Ho, salut la Blatte ! » Tiens. Soit l'un de nous avait un cafard énorme sur l'épaule, ce gars-là était l'ami des bêtes et saluait toutes celles qu'il voyait, soit c'était l'un de nous, « la Blatte », ce qui paraissait plus probable, à tout prendre. « Tain, la Blatte, t'es devenu sourd ou quoi ? » Comme d'habitude, je me sentais visé, je sentais que c'était moi, la blatte, et comme il fallait bien que quelqu'un se sacrifie, car le gars n'allait sans doute pas tarder à s'énerver, je m'apprêtais à dire « Ah, tiens, salut, tu vas bien ? » ou quelque chose dans ce goût-là, quand l'un de nous a remarqué que le seul à ne pas s'être retourné était Luigi. Il regardait fixement son assiette en essayant de garder un air naturel et détaché – ce qui ne passait pas vraiment, dans ces circonstances. Tout le restaurant avait levé la tête et notre Luigi découpait et redécoupait consciencieusement une malheureuse sardine, les mâchoires serrées. Il n'était pas très satisfait de la situation car il venait d'entamer une idylle avec Iana (la veille au soir, elle lui avait littéralement sauté dessus – depuis deux jours, elle répétait sans cesse « Il est sympa, ce Luigi ! » on sentait que la tension montait), et personne n'aime à s'entendre appeler la Blatte devant une récente conquête. C'est ainsi que nous avons appris que, dans le coin, tous ses amis le surnommaient la Blatte – pourquoi ? mystère –, à sa grande fureur). Ce soir-là chez ma sœur, il y avait également une fille que je ne connaissais pas.

Je me sentais bien avec ces gens. Dès que je suis arrivé, ma sœur Pascale m'a donné du whisky (les effets du Cutty Sark commençaient déjà à s'estomper, rien n'est pire). J'ai passé une bonne soirée, très soûle, à les observer, à les écouter. Ma sœur nous avait cuisiné des algues et des graines, c'était fameux. Tout le monde semblait bien dans sa peau, insouciant, très à l'aise dans le salon, je sentais d'ailleurs que ces gens-là étaient souvent très à l'aise, un peu partout – mais victime de l'ivresse, j'ai oublié de leur demander leur secret.

Béatrice semblait s'être dégagée provisoirement de ses brumes mélancoliques, Marc et Didier racontaient des histoires du pays, ma sœur Pascale voletait dans la pièce comme une abeille tibétaine, Luigi (que la blatte n'avait pas encore rattrapé) glissait des œillades timides et néanmoins expressives vers Iana – encore quelques mois de patience, la Blatte, elle te sautera littéralement dessus (si je te disais cela maintenant – « Cette fille que tu contemples comme une planète inaccessible, elle te dévorera tout cru, dans quelques mois, à huit cents kilomètres d'ici » – tu ne me croirais pas, hein ?). Tu trouves pas que la vie est curieuse, la Blatte ?

La fille que je ne connaissais pas ne disait pas un mot. Je n'arrivais pas à savoir avec qui elle était venue, ni ce qu'elle faisait dans la vie, ni si elle habitait Paris ou Singapour. Elle mangeait en silence, nous écoutait peut-être, tripotait un petit bracelet de perles qu'elle avait au poignet gauche. (Un peu plus d'un an plus tard, en rentrant chez moi un soir, je la trouverais étendue par terre sans connaissance, entre un couteau de boucher et des boîtes de somnifères vides, la fenêtre grande ouverte, et une corde fixée à l'anneau du lustre (avec au bout, un nœud coulant très approximatif qui descendait jusqu'à cinquante centimètres à peine du tabouret de cuisine) – comme pour me dire : « Tu vois que je ne lésine pas sur les moyens, hein, c'est pas de la blague. » Caracas serait assise sur mon fauteuil, l'air à la fois affligée et outrée, avec le bracelet de perles de la fille autour du cou. L'autre, allongée bras en croix au milieu de toutes ces méthodes pour tirer sa révérence au monde cruel, tiendrait à la main une grande feuille de papier sur laquelle elle aurait écrit en majuscules rouges : « J'AI PRIS DES CACHETS. APPELLE LES POMPIERS TOUT DE SUITE. C'EST LE 18. ») (Je ne me jetterais pas en pleurs sur son corps inerte, d'abord parce qu'à cette époque-là, buriné par les coups durs de l'existence (cette brute), je ne serais plus le cœur d'or et l'âme sensible que connaissaient mes amis encore un an plus tôt, loin s'en faudrait, mais aussi parce qu'elle n'aurait pas choisi l'arme la plus efficace : des somnifères pour chien (ceux que l'on donne pour les longs trajets en voiture, par exemple (si par malheur ça avait marché, c'était l'humiliation dans *Détective* : « La belle éconduite se suicide au Biocanina »)), qui ne sont sans doute pas très digestes, mais en tout cas moins nocifs qu'un couteau de boucher. Grâce au numéro de téléphone ultraconfidentiel qu'elle aurait pris soin de me communiquer avant de mourir, je préviendrais les gars de la sécurité corporelle, qui viendraient la sortir du coma des chiens – elle s'en tirerait avec un bon lavage d'estomac.)

(Il paraît que c'est ignoble, un lavage d'estomac, mais ça ne lui ôterait pourtant pas ses velléités tragiques : une semaine plus tard, en rentrant chez moi, je découvrirais – non pas avec stupeur ni effroi, car je serais véritablement devenu le Buriné, comme on dit le Balafré, mais avec un certain agacement – de longues traînées d'hémoglobine sur ma porte. En suivant la piste rouge, je la trouverais assise sur le palier du dessus, un cutter entre les pieds, une bouteille de mezcal à la main, le bracelet en sang, le poignet lacéré. Elle ricanerait comme une sorcière masochiste. Le Buriné lui-même en aurait ras la casquette.)

Tout cela serait pour plus tard. Ce soir-là, je me sentais relax en bonne compagnie. Je trouvais la fille que je ne connaissais pas plutôt intéressante, dans son mutisme sobre. (J'aurais mieux fait de moins m'intéresser à elle, d'écouter les blagues marseillaises, de ne pas me souvenir de ce visage innocent un an plus tard, de ne pas chercher à la retrouver, mais (comme tu dis, la Blatte) la vie est curieuse, on ne peut rien prévoir.) Elle m'intriguait mais ne m'attirait pas plus que ça : je la trouvais agréable à regarder, mais rien à voir avec Pollux Lesiak.

D'ailleurs, tout à mon aisance passagère, je me suis mis à leur parler d'elle. De Pollux. Je leur ai dit que j'étais tombé follement amoureux un mois plus tôt, et comme je savais qu'ils glousseraient si je leur racontais que je ne l'avais vue en tout et pour tout qu'un quart d'heure, qu'ils me feraient comprendre que non, ce n'est pas ça, l'amour, comme je savais que mon histoire ne ferait pas « authentique », j'ai dû broder un peu, par souci de réalisme. Je leur ai expliqué que suite au coup de foudre, nous ne nous étions pas quittés pendant deux semaines et que, miracle, nous filions le parfait amour et le bon coton (nous avions décidé de nous ranger un peu des voitures (depuis quelque temps, pour ne pas avouer aux amis de ma sœur que j'étais traducteur – car j'imaginais que les Marseillais traînaient tous plus ou moins dans des affaires louches, comme dans les films, et n'avaient aucune estime pour les caves –, je laissais sous-entendre que je m'étais écarté du droit chemin et me livrais à des activités mystérieuses (je ne voulais pas trop en dire, car je craignais qu'ils ne démasquent vite la supercherie – ou pire, s'ils tombaient dans le panneau, qu'ils ne veuillent « en être »), pas très catholiques mais fructueuses (et pour rendre le coup de foudre crédible, j'ai dû situer ma Pollux dans les mêmes sphères – elle faisait un peu de commerce en amateur (à cause de l'alcool, je m'entortillais dans les mailles de mon récit, il fallait que je me ressaisisse))) et nous comptions trouver un grand appartement pour nous deux – ou peut-être même nous trois bientôt, qui sait, ah ah –, car oui, voilà, justement, elle n'avait plus d'endroit où dormir, la poulaille commençait à tourner autour de son immeuble, elle était donc venue s'installer provisoirement chez moi et nous filions le parfait amour, donc). Si elle ne m'avait pas accompagné ce soir, c'est simplement qu'elle avait une affaire urgente à régler – et, non, malheureusement, elle ne pourrait pas non plus venir à l'anniversaire d'Iana, quelques jours plus tard, car l'affaire urgente, pour tout leur dire, c'était à Madrid qu'il fallait la régler. Mais dès que possible, bien sûr, je leur présenterais ma compagne. Elle était farouche, mais elle ne pouvait rien me refuser.

J'étais rond comme une queue de pelle.

J'ai senti qu'ils étaient sceptiques, mais tout de même contents pour moi : depuis le temps que j'enchaînais les aventures éphémères, un brin de stabilité sentimentale n'allait sans doute pas me faire de mal. Eh oui, pardi. J'étais assez content, moi aussi. Cette petite histoire inventée m'avait mis du baume au cœur.

43

J'ai le nez contre le mur, les yeux sur l'écran de plâtre blanc. Caracas me lèche l'oreille.

Il était quinze heures. Encore une fois, je ne me souvenais de rien. Je parlais de l'incroyable Pollux qui réglait des affaires urgentes sur toute la surface du globe et me retrouvais d'une seconde à l'autre dans mon lit en bataille, la tête dans le plâtre. Ce truc d'amnésie alcoolique risquait fort de mal tourner un jour ou l'autre – comme tout le reste. Je n'avais peut-être pas le profil requis pour sombrer dans l'alcool. (Je n'avais le profil requis pour rien, ça commençait à m'agacer.)

Encore une fois, je me suis rendu compte que mes vêtements étaient éparpillés dans l'appartement. De toute évidence, quand je rentrais raide mort, j'aimais jouer les strip-teaseuses et faire tournoyer mon pantalon au-dessus de ma tête avant de le lancer à l'autre bout de la pièce – je poussais peut-être même des cris sensuels. Hélicoptère ! Et justement, mon pantalon, je l'ai trouvé dans la cuisine, sur le réfrigérateur. Déchiré, lacéré.

Je m'étais sans doute fait sauvagement attaquer par la Bête du Gévaudan. Et alors ? On a vu pire, il y a des gars qui se font cribler de balles à la mitraillette, dans les pays en guerre. J'ai baissé les yeux sur mes cuisses pour voir si j'avais été gravement touché, mais non, rien, pas de plaies sanglantes, pas d'os à vif. Et j'allais me plaindre ? La Bête avait dû se rogner les griffes la veille. Je m'en tirais avec un pantalon à racheter. Bon, j'avais un héma-tome énorme sur le biceps droit, mais je n'allais pas me plaindre pour ça. La Bête m'avait sûrement donné un coup de poing, voilà tout. En jetant un œil dans mon sac matelot, je me suis aperçu que j'avais fait deux chèques de cinq cents francs sans noter le nom du ou des bénéfi-ciaires sur le talon. Tant pis, hein.

J'ai décidé de téléphoner à ma sœur, par curiosité.

« Bonjour, vous êtes bien chez Pascale et Marc, nous sommes allés passer les fêtes au Bangladesh, joyeux Noël et bonne année à tout le monde ! »

Oui. Ils avaient dit ça, la veille, qu'ils dormiraient dans l'avion. Tant pis, hein. Je reste dans le noir complet, c'est tout, on ne va pas en faire une maladie. Ce n'était pas d'avoir perdu mille francs et de m'être fait lacérer mon pantalon, qui m'ennuyait, c'était l'affreuse incertitude dévorante et très pénible. « Incertitude » car je ne pouvais pas affirmer formellement que la Bête du Gévaudan avait joué un rôle dans mon histoire (si c'était bien elle, je devais être sacrément ivre pour avoir espéré l'amadouer avec des chèques de cinq cents francs – j'imaginais la Bête : « Il faut essayer de m'apprivoiser, petit prince », et moi : « Attends, attends, je vais t'en faire un autre, tiens, attends, voilà, encore cinq cents. »).

(Bon, imaginons : je pars de chez ma sœur à pied, tout seul dans la nuit, et je croise un malfaiteur qui a réussi à dompter une sorte de bête griffue et hante les rues de Joinville-le-Pont à la recherche d'un pied-tendre à dépouiller. Alors mon gars me demande de l'argent, je refuse tout net, il m'envoie donc un puissant coup de poing dans l'épaule. Déjà, c'est tiré par les cheveux, les types dans son genre frappent à la mâchoire. Bon, je finis par lui faire un chèque, mais l'homme est gourmand, il en réclame un autre. Cette fois je ne me laisse pas impressionner, il n'a pas de parole, il avait dit juste cinquante sacs, mais après qu'il a lâché la bête sur mes jambes, je cède à nouveau. Au fait, ne tiens-je pas un indice, là ? Si l'animal s'est contenté de me griffer les jambes au lieu de me sauter à la gorge, ce n'est sans doute pas par bienveillance, mais bien plutôt parce que c'est un petit animal. Ah… Un ourson, peut-être ?)

En terminant mon café, je me rendais bien compte que cette histoire ne valait rien.

Je devais maintenant décider si je continuais à sombrer dans l'alcool. Cette technique ne m'apportait rien de très satisfaisant, jusqu'à présent. Il était peut-être nécessaire de laisser le système se mettre en place, mais pour le moment j'avais le sentiment de piétiner. En deux jours, j'avais perdu mes dernières illusions quant aux possibilités de s'octroyer quelques plaisirs fugaces au cours d'une vie d'homme, je m'étais enlisé pour plusieurs mois dans un mensonge indigne d'un véritable amoureux, j'avais perdu un pantalon et mille francs, et j'avais les organes en bouillie. Même en m'efforçant de ne pas me montrer trop injustement critique, ce n'était pas un bilan très enthousiasmant. De toute façon, la question n'allait pas se poser longtemps. D'une part, j'étais invité ce soir-là chez mes amis Zoptek, chez qui un verre jamais ne reste vide, il allait donc falloir que je prolonge mon apnée dans la gnôle ; d'autre part, ce que je ne savais pas, c'est que la question ne se poserait plus le lendemain matin, car ce qui ne m'avait pas traversé l'esprit, c'est que, où que l'on sombre, il y a toujours un fond. Et dans quelques heures, j'allais le toucher.

Mes amis Zoptek étaient trois, le père, la mère et la fille, et toujours je prenais grand plaisir à leur rendre visite car ils étaient incroyables et spectaculaires comme c'est pas possible et avec eux c'était à tous les coups la bonne soirée garantie. Action, suspense et violence, ainsi que le bon rire qui délasse, on trouvait de tout dans leur maison. Ils se tapaient dessus et s'embrassaient tout le temps – ils tapaient aussi sur leurs invités et les embrassaient –, ils parlaient de politique et d'intrigues amoureuses avec le même plaisir, de littérature et de bagatelle avec la même fougue, du temps qui passe et du cabri rôti, ils dansaient la rumba bolivienne dans le salon, incendiaient la terre entière en levant leurs verres, ils organisaient des concours de force musculaire ou de pugilat antique sur le tapis, s'endormaient sur le canapé, déclamaient du Pouchkine dans le texte, sortaient rarement de chez eux mais laissaient toujours leur porte ouverte. Il y avait du monde chaque soir.

Le père était un ogre bougon et drôle, une merveille d'être humain – à la fois profond, grave et frivole, tyran et petit garçon à consoler ; la mère, une femme fragile et solide, lucide et belle, qui encaissait tout, que l'on pouvait aisément prendre pour la principale victime des folies de la famille mais qui contrôlait tout l'air de rien ; la fille, une créature de lumière, presque impalpable, qui fondait en larmes ou dansait dans la cuisine – la plus jolie jeune fille du monde, après Pollux.

Ils avaient deux particularités communes : ils étaient faibles et forts en même temps. Très faibles, et très forts. Comme beaucoup de leurs amis, d'ailleurs – sensibles et résistants, la plupart souffraient et trébuchaient mais continuaient à avancer en écartant les branches qui leur barraient le passage. Ils iraient jusqu'au bout, coûte que coûte. Sensibles et indestructibles, je me les représentais toujours ainsi, comme des missionnaires dans une jungle infestée de sales bêtes et de plantes carnivores, la nuit, en plein tremblement de terre et sous une pluie battante, inquiets mais opiniâtres, très faibles et très forts. J'étais l'un de leurs amis, je crois, mais je ne me sentais pas tellement très fort.

Ils habitaient Paris mais j'étais allé les rencontrer en Bretagne, un jour de mauvais temps, une dizaine d'années plus tôt. Dans des circonstances extraordinaires. J'étais parti seul, au hasard, avec la voiture de ma mère, vers la Normandie d'abord, pour essayer de me remettre de ma rupture avec Catherine. Une amie m'avait raconté une belle histoire :

LA BELLE HISTOIRE D'ANNE-CLAUDE

« Je déprimais depuis trois mois, Nicolas m'avait quittée, je m'enfonçais dans un vrai cauchemar, je n'arrivais pas à me sortir ce salaud de la tête et plus les semaines passaient plus je tournais en rond, comme l'eau dans la baignoire, sauf que moi ça s'écoulait pas, c'était toujours la même eau, ça commençait à croupir. En plus, Paris m'écrabouillait, m'enfermait, je me sentais prisonnière et pleine d'eau sale que je pouvais pas évacuer. Bref, le truc classique. Il fallait vite que je fasse quelque chose, sinon c'était la catastrophe assurée. Quelque chose de marquant, qui me change vraiment les idées. J'étais comme maintenant, à l'époque, plutôt tranquille et casanière, prudente, pas trop foldingue. Tu vois, quoi. Mais alors là, tu peux me croire, j'ai ouvert les vannes. J'ai demandé à l'Éducation nationale de me trouver une remplaçante, s'ils n'étaient pas contents, tant pis pour eux, c'était vraiment le dernier de mes soucis. Ensuite je suis allée retirer à la Caisse d'épargne tout l'argent que j'avais bien sagement économisé depuis des années. Ils m'ont fait un cirque, tu peux pas imaginer. Ça faisait une grosse somme, d'accord, il devait y avoir un peu plus de quatre-vingt mille francs, bon. Ils ont cru que j'avais perdu la boule, ou que j'allais faire un truc pas très catholique avec, j'en sais rien. En fin de compte, j'ai quand même récupéré une mallette pleine de billets. Ça fait un drôle d'effet, je t'assure. Mais bon, je ne m'en rendais pas trop compte, j'avais sûrement perdu la boule, oui, j'étais dans un autre monde, comme dans un roman, plus rien n'avait la moindre importance. J'ai loué une Mercedes, c'est un peu ringard mais dans mon délire c'était la voiture qu'il me fallait, et je suis partie tout droit à Deauville. C'est encore plus ringard, bon, mais j'étais comme un automate. C'était déjà suffisamment le bazar dans ma tête, alors j'ai suivi les premiers rails que j'ai trouvés. À Deauville, j'ai pris une chambre dans le premier hôtel, j'ai mis ma mallette dans l'armoire, je n'ai même pas pensé à leur demander un coffre, j'ai pris une bonne partie de l'argent et je suis allée direct au casino. À peine un quart d'heure après avoir garé la voiture devant l'hôtel, j'étais à la roulette. Une vraie folle, comme si un mec m'avait hypnotisée à Paris et m'avait dit : " Je vais compter jusqu'à trois, tu vas te réveiller, tu ne te souviendras de rien et tu vas foncer tout droit au casino de Deauville. " Je te passe les détails, en trois jours j'avais claqué tout mon argent. J'arrivais à l'ouverture, je repartais à la fermeture. J'étais la vedette, là-bas. Je n'ai pas mangé pendant trois jours, je jouais, je montais dormir, je redescendais jouer. Tu imagines dans quel état j'étais. Quand j'y repense, j'ai l'impression que ça n'a duré que quelques heures. Le troisième soir, quand je suis rentrée dans ma chambre, j'étais à bout de forces et de nerfs. Toute la tension est retombée d'un coup, comme si on m'enlevait les piles. Il me restait à peine trois mille cinq cents francs pour payer l'hôtel. D'un côté je me sentais plutôt mal, tu t'en doutes, ce n'est pas tous les jours qu'on jette quatre-vingt mille balles, de l'autre, je ne sais pas, j'étais presque soulagée. Enfin bon, c'était pas l'allégresse non plus. J'étais crevée et un peu honteuse. Et tout à coup, un sursaut de démence, je me suis dit merde, au point où j'en suis, c'est ridicule de garder ces malheureux billets pour payer la chambre. En plus, je me suis rendu compte qu'il ne me resterait même pas assez d'argent pour mettre de l'essence dans la voiture et rentrer à Paris. J'ai eu cette drôle de sensation, tu sais, " Je suis foutue ", le moment où on abandonne et où on se dit que c'était complètement ridicule de continuer à résister. On se sent incroyablement léger, heureux, parce qu'on n'a plus rien à perdre. On se sent libre. Vraiment libre. Alors voilà, je suis retournée au casino avec mes derniers sous. Deux ou trois joueurs qui me connaissaient, si on peut dire, et qui ont compris ce qui se passait, ont essayé de m'empêcher de faire cette bêtise, mais je n'entendais plus rien, tant pis pour l'hôtel, je me sauverais en douce, tant pis pour l'essence, je partirais à pied, tant pis pour tout le reste, rien n'aurait pu m'arrêter. J'ai changé mon fric à la caisse et j'ai tout mis sur le rouge. Le croupier me faisait des signes avec ses yeux pour me dire " Ne faites pas ça, mademoiselle, croyez-moi j'en ai vu d'autres, c'est idiot, reprenez vos plaques ", mais bien sûr il ne pouvait pas parler ni faire de mimiques, ça n'aurait pas été bien vu par sa direction, alors c'était marrant, il me regardait en se concentrant de toutes ses forces, comme s'il essayait de faire de la télépathie. Bon, il a fini par lancer la boule, le rouge est sorti, j'ai tout laissé dessus, et le rouge est sorti encore. Après ça je me suis mise à jouer un peu partout sur la table, et bien sûr, comme par hasard, je n'arrêtais pas de gagner. Je me sentais comme dans un rêve, ça ne me faisait pas vraiment plaisir, ça me coupait le souffle, vraiment, j'avais du mal à respirer, mais le fait de gagner me semblait presque normal. Je ne pouvais plus m'arrêter. Ils ont commencé à m'apporter à boire, je me souviens que j'avais plus de cent mille francs, à un moment, je me sentais comme dans une bulle, tout le monde s'agglutinait autour de la table mais je ne voyais personne, je n'entendais rien d'autre que la voix du croupier, ils m'ont offert du champagne, et sur le coup j'ai cru qu'ils étaient contents que je gagne après avoir tout perdu pendant trois jours. En fait, bien sûr, non, c'était juste pour me soûler, pour que je reperde tout. Je buvais, je gagnais, j'avais l'impression de monter vers le ciel. Et comme j'avais le cœur qui battait à cinq cents à l'heure, que je n'avais rien avalé depuis trois jours et que j'avais bu beaucoup de champagne trop vite, j'ai eu un malaise, je suis tombée dans les pommes. Je me suis réveillée à l'hôpital. En fait, ce n'était rien du tout, mais ils avaient eu très peur, au casino, parce qu'ils n'avaient pas réussi à me réveiller. Rien à faire, j'étais K.-O. Ils ont appelé les pompiers, on m'a emmenée à l'hôpital, et là je me suis réveillée comme un bébé. Je n'étais pas très fraîche, mais ça allait. Le directeur du casino en personne est entré dans la chambre, avec un gros bouquet de fleurs, et m'a apporté ce que j'avais gagné. Deux cent dix mille francs et des poussières. Ouais. Trois secondes après ma syncope, la boule s'était arrêtée sur le 17, où j'avais mis trois mille balles, parce que c'était le chiffre préféré de mon père. C'était une chance incroyable, que je sois tombée dans les pommes. Comme j'étais partie, dans cet état de transe, j'aurais tout reperdu. Sûr. Mais là, miracle. Je suis sortie de l'hôpital quelques heures plus tard, j'ai payé la note d'hôtel, je suis montée dans la Mercedes et je n'ai même pas pensé une demi-seconde à rentrer à Paris avec l'argent. Depuis toute petite, je rêvais de passer quelques jours dans un palace au bord du lac Léman, je ne sais pas pourquoi, j'avais dû voir un film ou lire un livre, je suppose. Alors je n'ai pas réfléchi, je suis descendue jusque là-bas et j'ai passé quinze jours dans un hôtel de grand luxe. Ça coûtait une fortune, mais ma chambre donnait juste sur le lac, c'était exactement comme dans mes rêves. Pendant deux semaines, je payais le champagne tous les soirs aux gens qui me paraissaient sympas, je me suis acheté des robes, je vivais comme une vraie princesse, c'était de la folie. Je suis revenue à Paris sans un sou en poche. Mais j'étais guérie. Ça m'avait fait comme un électrochoc, si on veut, Nicolas me semblait très loin ailleurs, comme une petite crotte perdue dans Paris, je l'avais chassé de moi, il n'existait plus, je m'en foutais, je me sentais bien. À l'Éducation nationale, ils ont été très gentils, pour une fois. Ils ne m'ont pas virée.

Ensuite, j'ai repris ma petite vie bien raisonnable, comme tu me vois aujourd'hui, je me suis remise à faire des économies. Mais le premier jour, quand même, devant les élèves, ça m'a fait drôle. »

J'aimais bien cette histoire. Aussi, après Catherine, j'ai pensé me lancer dans la même aventure, pour assécher mon cœur et panser mes blessures (Ronsard). Je ne voulais surtout pas reléguer Catherine au rang de petite crotte perdue dans Lille, je pressentais qu'elle allait devenir l'une des personnes les plus importantes de ma vie, mais j'espérais tout de même lui donner un bon coup de massue sur le crâne, afin qu'elle ne se réveille que quelques mois plus tard, lorsque mes yeux seraient lavés de toute amourosité. Alors merci du tuyau, Anne-Claude. J'ai demandé au type pour lequel je vendais en porte-à-porte des œuvres-originales-de-jeunes-peintres-parisiens-encore-inconnus tirées à cent mille exemplaires dans une usine japonaise de me trouver un remplaçant, et s'il n'était pas content, tant pis pour lui, s'il me virait au retour je trouverais peut-être autre chose (pour se donner une contenance, il a dit : « Casse-toi, il suffit de secouer les réverbères et ça tombe en pluie, les mecs comme toi »), je suis allé retirer les mille cinq cents francs que j'avais en banque (ils n'ont pas fait la moindre difficulté, au contraire – ils sentaient probablement que j'étais déterminé comme un kamikaze), j'ai demandé à ma mère de me prêter sa voiture et j'ai foncé droit sur Caen – j'ai raté la sortie pour Deauville, je suis donc revenu en arrière le long de la côte mais je me suis arrêté à Cabourg, car la nuit tombait et je craignais de me perdre. Je suis entré au casino sans hésiter (je m'étais dit que je passerais la première nuit dans la voiture, si je ne gagnais pas deux cent dix mille francs, car je trouvais ridicule de dépenser cent cinquante francs dans une chambre d'hôtel alors qu'en les mettant sur le rouge, le rouge sort, et en les laissant encore sur le rouge et le rouge ressort, ça pouvait me faire six cents balles en trois minutes), j'ai changé quatre cents francs à la caisse (je ne pouvais pas me permettre de tout dépenser le premier soir, il fallait que ça dure au moins trois jours, comme elle, pour que ce soit bien efficace), et je me suis installé à la boule. J'ai mis cent francs sur le rouge, le noir est sorti, je ne savais plus quoi faire. Si je remettais cent francs sur le rouge, comme elle, et que c'était encore le noir qui sortait, je m'en serais voulu toute ma vie – c'était peut-être la série du noir, maintenant, comme pour elle ça avait été la série du rouge. Mais d'un autre côté, si je changeais, si je mettais cent francs sur le noir, comme un mouton stupide, au lieu de rester fidèle à mes principes, et que tout à coup le rouge sortait, je ne pourrais jamais me pardonner d'avoir été aussi bête. Je me sentais comme paralysé, enfermé dans une bulle. J'ai eu l'impression que le croupier voulait me dire quelque chose par télépathie, mais je n'ai rien compris. La boule tournait, tournait, tournait, et je n'arrivais toujours pas à me décider. Il a fini par répéter « Faites vos jeux ! » en me regardant droit dans les yeux, et j'ai compris que c'était ce qu'il essayait de me faire comprendre depuis le début. Je n'étais pas plus avancé. Soudain, ma main a pris deux plaquettes de cinquante et les a posées sur le rouge, c'était plus fort que moi, comme si mon bras avait été guidé par je ne sais quelle force mystérieuse, je me sentais comme un automate, c'était sidérant, presque effrayant même, et non c'est le noir qui est sorti. Je sentais que je perdais tous mes moyens, de grosses gouttes de sueur perlaient sur mon front et mes mains tremblaient. Heureusement que j'étais seul à la table, car je ne voulais pas que quiconque assiste à ce lamentable spectacle d'un homme qui fout sa vie en l'air. Dans un coup de folie, j'ai mis cent francs sur le 7. Tout semblait concorder : c'était le mois de naissance de ma mère (son jour, c'était le 30, et il n'y a que neuf chiffres à la boule), ça avait un petit air de ressemblance avec le 17 qui avait fait gagner cent mille francs à Anne-Claude en un coup, et en plus j'avais remarqué que c'était le chiffre porte-bonheur des trois quarts des gens, il devait bien y avoir une raison. Mais c'est le 5 qui est sorti, j'étais vraiment maudit. J'ai mis mon avant-dernière plaquette de cinquante francs sur le 2, car 7 – 5 = 2, et la boule s'est arrêtée sur le 3, comme par hasard. (7 + 5 = 12, et 1 + 2 = 3 ! C'était simple, pourtant. Je n'avais rien dans la cervelle ou quoi ?) Au bord de la syncope, j'ai posé ma dernière plaquette sur « pair », au point où j'en étais je pouvais bien faire n'importe quoi, et là, comme si Dieu m'avait accordé la grâce, dans un incroyable moment de silence, le temps s'est arrêté et le 4 est sorti. Mon cœur s'est mis à battre à cinq cents à l'heure, je n'en revenais pas, j'ai même eu peur que 4 ne soit un chiffre impair, je me suis répété deux fois mentalement 1, 3, 5, 7, 9, pour être certain que le 4 ne se trouvait pas sournoisement quelque part dans cette liste, et j'ai serré les poings de toutes mes forces. J'avais gagné deux fois ma mise ! Quand le croupier a poussé vers moi une autre plaquette de cinquante francs – avec, m'a-t-il semblé, une lueur d'admiration et de jalousie au fond des yeux – j'ai ressenti un véritable électrochoc. Le directeur n'est pas venu m'apporter une bouteille de champagne – je me suis dit que, même si, bon, je n'avais pas gagné une très grosse somme, ça n'avait définitivement rien à voir avec la classe de Deauville, ici –, mais je n'avais pas besoin de tomber dans les pommes (de toute façon, c'était impossible, j'avais mangé un sandwich sur l'autoroute) car, bien que jeune, j'étais malin, et j'ai quitté le casino en emportant leur argent, sous le regard consterné du croupier. Au total j'avais perdu, bien sûr, mais l'important était de rester sur une victoire, comme Anne-Claude. Je me sentais un autre homme, Catherine n'était plus qu'un petit point sur la carte (ça s'appelait Lille, le point, certains pisse-vinaigre diront que c'est déjà pas mal, mais si on jetait un rapide coup d'œil sur une carte Michelin, par exemple dans une pièce un peu sombre, on le remarquait à peine – il y avait tant d'autres choses à voir : Tours, Reims, Bordeaux, Limoges, etc.). Et comme il me restait environ mille francs, grâce à mon sens de la mesure, j'ai soudain compris que je pouvais réaliser mon rêve, comme elle : pousser jusqu'à Morlaix. L'un de mes amis d'enfance allait passer ses vacances par là-bas quand il était petit, chez sa mémé Jeannette, et m'en avait toujours parlé comme d'un vrai paradis, avec des routes super pour faire du vélo, et des animaux de la ferme. C'était surtout pour les enfants, ces loisirs, mais j'étais encore très jeune, et surtout il ne fallait pas que je pense une demi-seconde à rentrer tout de suite à Paris et je n'avais pas la moindre idée de l'endroit où je pourrais aller en attendant – à Cabourg, la vie était bien trop chère, un sandwich de rien du tout c'était tout de suite quinze francs. J'ai passé la nuit dans la voiture, mort de froid – le matin, j'ai été réveillé par des gouttes noires qui me tombaient sur la figure et j'ai mis un moment à comprendre que c'était à cause de toutes les cigarettes que j'avais grillées avant de m'endormir, tout excité par mon triomphe au casino : le plafond de la R5 s'était imprégné de fumée qui, avec la condensation, me retombait maintenant sur la tête en gouttelettes noirâtres immondes –, et le lendemain, après plusieurs heures de route, je suis arrivé à Morlaix. Il n'y avait rien de spécial, à Morlaix, donc je suis allé faire un tour dans les environs, mais il n'y avait rien de spécial non plus. Les routes étaient vraiment super pour faire du vélo, il ne m'avait pas menti, car il n'y avait pas une voiture. C'était le désert. Le vent soufflait fort, il faisait gris, le ciel grondait à vingt mètres au-dessus du toit de la R5 de ma mère. Quant aux animaux de la ferme, je n'en ai pas vu un. Je ne sais pas trop ce que j'aurais fait avec, de toute façon. On ne s'amuse pas beaucoup avec les cochons et les poules, j'imagine.

J'ai finalement décidé de m'arrêter pour voir la mer de près. Je suis sorti de la voiture, morose, mes pauvres billets en poche, Catherine en tête, les reins endoloris, et je me suis retrouvé face à un spectacle surprenant.

À une centaine de mètres du petit port, debout sur une embarcation primitive qui tanguait sous lui, un

homme à crinière grise agitait désespérément les bras.
Ils étaient deux, sur ce petit voilier, mais l'autre semblait
beaucoup plus calme – en fait, je me suis rendu compte
qu'il n'agitait pas les bras parce qu'il n'en avait pas. Je me
suis approché du bord, où attendaient une petite femme
et une petite fille. Quand j'ai demandé à la femme ce qui
se passait, elle m'a expliqué que son mari, amiral amateur, s'était proposé pour emmener le manchot faire un
tour en mer – c'était un ancien marin qu'ils connaissaient vaguement et qui, bien entendu, ne pouvait plus
naviguer seul. Le mari n'était pas un véritable crack du
gouvernail, mais pour quelques bords près de la côte, il
pensait pouvoir s'en tirer avec les conseils avisés du
manchot. Mais apparemment, les choses ne se passaient
pas au mieux, le mari coinçait. Et lorsqu'il nous a crié
« Au secours ! » avec la voix d'un homme qu'une créature froide et visqueuse tire par les pieds pour l'entraîner
au fond des océans, nous avons compris qu'il fallait
intervenir – je m'incrustais un peu, certes, mais je les
aimais déjà (à l'attitude décontractée de la femme, il
semblait clair que le mari n'en était pas à son coup
d'essai, qu'il avait subi bien d'autres naufrages et s'en
sortirait toujours). Sur un mot de sa mère, la petite fille a
trottiné jusqu'à une maison toute proche, d'où est sortie,
quelques instants plus tard, une vieille femme en fauteuil
roulant.

– Y a papa qui est bloqué sur la mer, madame Madec.
– Allons bon, a dit la vieille en jetant un coup d'œil
vers le bateau. J'peux rien faire pour eux, moi, ma fille.
Attends, j'va appeler l' Jean-Jean.

La fillette est revenue vers nous au galop, toute
contente d'être intervenue seule pour secourir son père,
et trois minutes plus tard, deux sauveteurs sont sortis de
la maison. Un unijambiste avec des béquilles à l'ancienne, calées sous les aisselles, et un pauvre vieux qui
tremblait des pieds à la tête comme un squelette posé
sur une machine à laver en essorage, suivis à quelques

mètres par la vieille en fauteuil qui grognait en poussant comme une damnée sur les roues.

Je me suis demandé si je n'étais pas tombé en plein tournage de film ou dans une sorte de Vallée des Peaux-Rouges version bretonne, Finisterland, où des acteurs jouaient la même scène toutes les deux heures pour distraire le touriste. L'unijambiste et le parkinsonien sont montés sans s'affoler dans une barque antédiluvienne, tandis que la vieille venait se garer à côté de nous en se raclant bruyamment la gorge – au son, je me suis dit qu'elle avait dû essayer d'avaler une méduse sans mâcher. L'unijambiste ramait vers le voilier avec la puissance d'un champion paraolympique. Pendant ce temps, le parkinsonien préparait la corde pour remorquer l'embarcation de l'amiral, le plus calmement du monde malgré une fébrilité apparente.

Entendant un bruit de grosse chenille derrière moi, je me suis retourné et me suis mordu les lèvres pour ne pas crier. Une femme de mille ans approchait vers nous. Elle avançait à tout petits pas, sans décoller les pieds du sol, mais vite. C'était probablement la mère de la vieille en fauteuil. J'ai cru qu'elle n'allait pas réussir à s'arrêter, et plonger la tête la première dans l'eau du port en continuant à agiter énergiquement les pieds, mais elle a stoppé net derrière le fauteuil de sa fifille – et heureusement, car si elles étaient tombées toutes les deux à la mer, non, ce n'était plus possible. Elle tenait dans une main une grande bouteille de rhum de cuisine, et dans l'autre un verre à moutarde Asterix. Sans doute pour réconforter l'amiral de Paris à son retour au port.

Finalement, nous nous sommes tous retrouvés autour d'une table – j'avais suivi le mouvement, très naturellement – à boire du Negrita dans des verres à moutarde. C'était très sympathique, original et chaleureux. J'avais Rantanplan chien stupide, moi, comme verre. Une heure plus tard, comme j'avais expliqué à toute la tablée que j'étais arrivé ici par hasard et n'avais rien de spécial à faire dans les minutes qui suivaient, les Zoptek m'ont invité à

191

dîner chez eux, à quelques kilomètres de là. Je pouvais même rester dormir, si je voulais. Pourquoi pas ?

J'ai passé trois jours épatants dans leur maison de campagne. Il y avait une fille qui exposait à ce moment-là dans une grande galerie parisienne, et sur laquelle j'avais lu un article dans *Libé* avant de partir, une autre qui venait de jouer le rôle principal dans un film dont parlaient avec enthousiasme tous mes copains jeunes-artistes-qui-vont-pas-tarder-à-éclater-au-grand-jour-avec-un-peu-de-chance, et dans une maison voisine, à cent mètres de chez eux, deux autres de leurs amis, un écrivain que j'avais vu dans plusieurs émissions littéraires à la télé et sa fiancée, une chanteuse célèbre. Pour moi qui avais toujours voulu devenir vedette du sport ou du music-hall, c'était presque le rêve devenu réalité.

Durant ces trois jours en Bretagne, ils m'ont appris ce qu'est le plaisir. Ce qu'est la douceur de vivre. Ils m'ont appris à m'asseoir dans un fauteuil avec un bon verre et une cigarette, à discuter de choses agréables, à me laisser envelopper, porter, à flotter sur le temps qui passe, à m'énerver ou à rigoler, à chanter et à danser devant tout le monde si j'en ai envie, à embrasser quelqu'un si j'en ai envie, à le gifler si j'en ai envie, à me laisser embrasser et gifler, à dire ce que je veux quand je veux. Les Fabuleux Zoptek, comme une troupe de cirque qui m'aurait ramassé sur le bord de la route et accepté dans la caravane, m'ont appris à jongler en équilibre sur un fil, à suivre tranquillement mes envies même si parfois je vacille. J'allais en profiter pendant environ dix ans, jusqu'à la baignoire.

44

Ce soir-là, ils avaient invité l'un de leurs amis écrivains, qui sortait tout ragaillardi d'une longue cure dans les Vosges, ainsi que sa fiancée, une jeune femme que je ne connaissais pas et que je ne reverrais plus, et l'actrice que j'avais rencontrée dix ans plus tôt en Bretagne, qui n'était plus actrice. Leur fille, la créature, est venue m'ouvrir avec un grand sourire, vêtue d'une longue robe noire, et a posé sa joue fraîche contre la mienne pour me dire bonjour. Ça faisait du bien, c'était vivifiant.

Quand je suis entré, son père et sa mère dansaient une sorte de tango souple au milieu du salon, l'écrivain tournait autour d'eux, une bouteille de whisky à la main, sa fiancée les regardait en buvant du jus d'orange, assise un peu voûtée sur le canapé, et l'actrice boudait dans un coin, les yeux rouges. J'aimais cette fille – je devrais dire « femme », elle avait dix ans de plus que moi, mais je la voyais comme une adolescente, une adolescente qui aurait vécu quarante ans et traversé des tornades, qui aurait perdu beaucoup d'illusions, toute sa niaiserie et sa gravité, mais serait restée imprévisible, incontrôlable, intègre, comme les adolescentes en général. Elle était gravement tordue, souvent pénible, marteau, elle disait nettement ce qu'elle pensait sans paraître se douter du mal qu'elle causait, mille personnes la considéraient comme une peste mais moi je l'aimais très entièrement, à bras ouverts et sans conteste.

Une quinzaine de jours plus tôt, elle m'avait appelé pour me raconter ses malheurs, comme elle le faisait souvent, pour m'expliquer qu'elle avait doublé ses doses d'anxiolytiques mais ne parvenait toujours pas à sortir de chez elle, qu'elle avait encore couché avec l'un de ses « figurants », comme elle disait, et qu'il était temps d'arrêter ces bêtises, que les types du CNC avaient encore refusé son scénario (« type », c'était l'injure suprême, dans sa bouche), que son ex-mari était devenu un vieux mou, que le père Zoptek l'avait insultée la veille, qu'elle venait de vomir et qu'elle n'avait plus de cigarettes. Tous ses appels, à n'importe quelle heure du jour et de la nuit, ressemblaient à peu près à celui-ci. Mais à ce moment-là, moi, je ne papillonnais pas vraiment dans les hautes sphères azurées de la bonne humeur, à cause de l'absence de Pollux Lesiak et du tour décourageant que prenait ma vie, et n'avais pas trop le cœur à faire la bassine. On est gentil quand on peut. Comme elle me faisait remarquer d'un ton légèrement agacé que je n'avais pas l'air en forme, et comme je ne voulais pas l'ennuyer avec mes tourments existentiels, je lui avais répondu au hasard que je ressentais une douleur aiguë dans les reins, que j'espérais qu'il ne s'agissait pas d'une colique néphrétique et que je, mais elle m'avait interrompu en m'expliquant qu'elle ne me téléphonait pas pour entendre mes jérémiades.

Cependant, quelques minutes plus tard, elle m'avait proposé mine de rien de venir prendre un verre chez elle, nous avions bu de la 1664 en écoutant Schubert jusqu'à deux heures du matin, nous n'avions ni l'un ni l'autre évoqué nos problèmes, et j'étais rentré chez moi presque fringant.

La fille Zoptek m'a demandé encore une fois de lui offrir mon sac matelot – j'ai refusé tout net, ça devenait de plus en plus difficile à trouver –, la femme Zoptek m'a servi du whisky dans un verre à vin (c'est meilleur), l'homme Zoptek m'a rapidement mis au courant des derniers potins mondains, l'écrivain m'a prévenu qu'il ne voulait pas entendre un mot sur son dernier livre pendant toute la soirée, sa fiancée m'a dit bonjour bien poliment, et l'actrice a grommelé quelque chose que je n'ai pas compris avant de sortir faire un tour dans le jardin.

Le gigot était excellent, le vin délicieux et les convives hilares – l'actrice elle-même semblait s'amuser comme aux plus beaux jours. La créature est partie juste après le dessert avec des amis, la fiancée de l'écrivain, les joues roses et les yeux pétillants, s'est mise à nous parler de ses projets d'avenir, nous avons organisé un tournoi de « cuisse de fer » que l'homme Zoptek, la soixantaine triomphante, a remporté comme à la parade, l'écrivain m'a envoyé un coup de poing (que j'ai esquivé de justesse) parce que je m'entêtais comme l'âne ivre à vouloir lui dire tout le bien que je pensais de son livre, l'actrice est partie en vélo peu après minuit, triste, et l'homme Zoptek est monté se coucher car il avait une pneumonie – toutes les semaines, les maladies les plus dangereuses mettaient en péril la vie de l'homme Zoptek, mais il terrassait miraculeusement microbes et douleurs en quelques heures.

Affalé dans un fauteuil rose, soûl comme tout le monde, je me suis remis à parler de Pollux Lesiak, en faisant cette fois plus attention que la veille : je l'avais revue plusieurs fois depuis notre rencontre dans la rue, bien sûr, mais je ne parvenais pas à me faire une idée précise de ses sentiments à mon égard. J'avais peine à croire qu'une fille si jolie puisse tomber aussi rapidement amoureuse de moi, comme elle le prétendait. Enfin, je ne pouvais que lui laisser le bénéfice du doute, pour l'instant. Elle travaillait dans une piscine du dix-septième arrondissement, à la caisse : cet emploi simple lui convenait parfaitement car elle n'avait aucune autre ambition dans la vie que de lire des romans policiers et de s'amuser le soir. Elle rejetait catégoriquement toute responsabilité, aussi minime soit-elle. C'est en partie pour cela qu'elle refusait de venir habiter avec moi et que nous ne nous voyions qu'une ou deux fois par semaine. Cette relative distance me convenait parfaitement, les Zoptek me savaient un peu sauvage, mais je comptais bien, peu à peu, l'attirer plus près de moi en lui démontrant que je n'attendais rien d'elle. (Il allait falloir que je note soigneusement tout cela, pour être sûr de m'y retrouver par la suite dans mes mensonges – qui n'en étaient pas tout à fait, d'ailleurs, puisque, abstraitement, je vivais avec Pollux – et de ne pas raconter aux Zoptek que cette fille qui détestait les responsabilités était partie régler une affaire urgente à Palerme avec de gros trafiquants de jeux vidéo, ni à ma sœur qu'elle ne pouvait pas m'accompagner à la soirée de Béatrice parce que la piscine faisait nocturne.)

L'homme Zoptek est redescendu vers deux heures du matin, sans avoir pu trouver le sommeil mais guéri de sa pneumonie, l'écrivain et sa fiancée sont partis se disputer chez eux car ils avaient déjà cassé une lampe – « Non, repose ce sabre » –, la créature est rentrée jolie et fatiguée, nous a embrassés avant d'aller se coucher, et je suis resté seul avec les deux Zoptek.

Ensuite mes souvenirs s'effacent. Je me rappelle simplement avoir pleuré à genoux sur le tapis.

Ils m'ont raconté le lendemain que j'avais voulu partir vers cinq heures, qu'ils m'avaient proposé de passer la nuit chez eux, étant donné mon état, puis, comme je m'obstinais à vouloir rentrer, de me ramener ou d'appeler un taxi, tu n'en trouveras pas tout seul à cette heure-là. Non, ne vous inquiétez pas, j'en dégoterai un sur l'avenue, j'ai toujours de la chance, et puis j'ai besoin de marcher pour reprendre mes esprits, ça me fera une petite aventure, j'ai toujours de la chance. Voilà ce que je leur avais dit. Et j'étais parti.

45

J'avais le nez contre le mur, les yeux sur l'écran de plâtre blanc. Caracas ne me léchait pas l'oreille – il devait être encore trop tôt – mais elle dormait sur le lit, je l'entendais respirer. Je portais encore mon tee-shirt, j'avais dû m'effondrer cette fois avant la fin de mon effeuillage hélicoptère. Je transpirais, j'avais soif, le nez bouché, les yeux mouillés et piquants, une crampe sur chaque muscle et toutes les articulations bloquées, je ne pouvais pas me retourner. Une douleur vive me brûlait l'organe génital. Allons bon. Qu'est-ce que j'avais fabriqué, encore ? Le gigot, le concours de cuisse de fer, Pollux Lesiak derrière son guichet de piscine, l'écrivain qui s'empare du vieux sabre fixé au mur pour embrocher sa fiancée, moi qui sanglote sur le tapis rouge et rien d'autre ensuite. Le mur blanc que j'ai contre le nez. Si : quelque part dans toute cette compote de temps oublié, je me revoyais sur le perron de la maison des Zoptek, une main en appui sur le mur pour ne pas tomber, je sentais le crépi contre ma paume, douloureux car je pesais plus d'une tonne, la lumière vive à l'intérieur et l'obscurité dehors, eux deux dans l'embrasure de la porte, j'articulais péniblement : « J'ai toujours de la chance. » Le reste, vide. J'ai grogné d'une voix de taupe enrouée :

– Caracas, qu'est-ce que j'ai fait cette nuit ?

En entendant son nom, elle s'est approchée pour se frotter contre mon menton. C'était doux, le confort rassurant du foyer. Une chose étrange et merveilleuse, c'est qu'elle se roulait sur ma tête mais continuait en même temps à respirer dans mon dos. Autre chose curieuse, mon cœur ne battait plus. Quelqu'un respirait derrière moi, dans le lit. Je n'osais plus bouger un cil. Une respiration lente et régulière : la personne dormait. Ne t'affole pas, Halvard, tu as la situation bien en main. Tu paniques peut-être parce que tu es physiquement affaibli, mais mets-toi bien dans le crâne que ce que tu vis là n'a rien d'épouvantable. Des gens qui dorment à deux dans le même lit, on en trouve partout dans le monde. Il suffit de savoir de qui il s'agit et l'affaire est réglée. Non, attends, ne va pas non plus te précipiter, tu te retourneras un peu plus tard, quand tu auras bien assimilé ce nouvel élément de ton décor.

J'ai d'abord essayé de reconnaître la personne à son souffle, mais c'était comme essayer de reconnaître une ville à la couleur de ses voitures. Une danseuse étoile et un routier roumain respirent de la même manière quand ils dorment. (Je suppose.) Pourvu que ce soit une danseuse étoile. J'allais être obligé de me retourner, je le sentais venir. Je pouvais avoir n'importe qui dans le dos. De toute manière, restons bien calme, c'était sans doute quelqu'un de très proche : Caracas se comportait exactement comme si nous étions seuls – or, quand une fille se glissait sous ma couette, elle la saignait à blanc. Moi, tout ce que je demande, c'est que ce ne soit pas un routier roumain.

Et si c'était Pollux Lesiak ? Mais si, pourquoi pas ? Les lois de la nature indiquent clairement que l'on recroise toujours une deuxième fois *par hasard* la femme de sa vie, et quel plus heureux hasard que de la recroiser dans son lit ? Pollux. Je vais pivoter sur moi-même comme au ralenti, et je vais me retrouver face à ton visage d'eau claire. J'avais un peu de mal à y croire moi-même, mais toutes ces choses nous dépassent. De toute façon, vérifier ne coûtait rien puisqu'il allait falloir, à un moment ou à un autre, que je me retourne – je pouvais bien essayer d'attendre face au mur en espérant que la personne s'en aille d'elle-même sans dire un mot, mais c'était trop aléatoire et je pouvais en avoir pour des heures. Donc je me suis mis sur le dos.

Le bruit de la respiration m'entrait plus directement dans l'oreille gauche. Courage, Sanz Halvard, laisse glisser ton œil sur le côté.

J'ai distingué quelque chose. Une forme sous la couette. Une masse blonde au niveau de l'oreiller. Ça ne semblait pas très agressif, je pouvais effectuer un autre quart de tour sans risque.

Une masse de cheveux blonds bouclés sur l'oreiller.

Pas de visage.

Les coiffeurs font des merveilles, une couleur et une permanente sont à la portée de la première venue, mais la probabilité de trouver Pollux Lesiak endormie nue près de moi devenait tout de même infime. Qui était cette personne à la chevelure blonde et bouclée ? En tout cas, pas un routier roumain, c'était déjà une grande victoire – ou alors un routier roumain hippie, et là vraiment j'avais le mauvais œil. Non, j'apercevais un bout d'épaule : une épaule de fille. Mais de quelle fille ? Florence Piombini avait de longs cheveux blond vénitien, mais aussi bouclés que la crinière d'un cheval, et c'était une amie, nous ne nous accouplions pas lorsque nous dormions ensemble – or cette sensation de brûlure n'était pas l'œuvre du Saint-Esprit (encore heureux). J'avais bien passé une nuit platonique avec une blonde bouclée (et vierge) – Laurence, je crois – lors d'un « stage de sport organisé par la ville », mais je devais avoir quinze ou seize ans, je ne l'avais plus jamais revue (le lendemain, dépitée par mon manque d'ardeur pornographique, elle était allée offrir la primeur de ses muqueuses au moniteur, un athlète sûr de lui) et je suis quasiment sûr qu'elle n'est blonde que dans mon souvenir.

Ne tournons pas autour du pot : je ne connais pas de blonde bouclée.

Bien décidé à faire la lumière sur cette mystérieuse affaire, j'ai tapoté l'épaule de la personne, encore un coup, tip tip, puis je l'ai secouée légèrement, cling cling, sans obtenir la moindre réaction. C'était un loir. J'aurais dû et pu attendre son réveil, galant homme, aller acheter du jus de pamplemousse et préparer du café, mais je préférais essayer d'obtenir d'abord quelques informations de base sur l'identité de ma maîtresse – voir sa tête, par exemple.

Je me suis mis en devoir de débroussailler lentement, d'écarter les mèches de cheveux une à une pour découvrir le visage. Je ne me pressais pas, non seulement parce que je craignais de la réveiller par un geste trop brusque, mais surtout parce que je me voyais dans un film, j'entendais presque un accompagnement musical angoissant, un crescendo de violons lourd de menaces, j'imaginais toute une salle de spectateurs bouche bée, un pop-corn sur la langue, n'osant pas croquer, j'écarte une mèche, toujours rien, bon sang, il y en a encore en dessous, une autre, ah, une jeune femme plante ses ongles dans l'avant-bras de son fiancé, plus qu'une mèche et le nez apparaîtra sans doute !

Après une bonne trentaine d'heures, j'ai fini par dégager le nez, la bouche, et une partie de la joue. Je me suis accordé une pause pour respirer et réfléchir. Un nez plutôt anodin, une bouche anodine, pas de rouge à lèvres, une joue anodine (comme bien des joues). Pour l'instant, il pouvait s'agir d'à peu près n'importe qui, sauf d'une de mes connaissances (c'est pas de pot, maugréai-je). Peut-être une amie de l'actrice, que j'avais croisée quelques mois plus tôt chez les Zoptek, en supposant qu'elle ait changé de coiffure. Mouais. Ou alors... Oh non. Seigneur, non. La bonne femme du premier. L'hystérique au Wizard !

Elle passait quasiment toutes ses journées sur son palier, armée de son Wizard Spécial Toilettes, à asperger la cage d'escalier pour anéantir « cette odeur de rat crevé qui nous empeste tout l'immeuble ». Et c'est vrai que ça ne sentait pas très bon, entre le rez-de-chaussée et le deuxième. Dès qu'elle me voyait monter, elle m'interceptait pour me demander si je ne trouvais pas que ça sentait drôle, si j'étais d'accord pour qu'on écrive une lettre au syndic tous les deux, si je voulais venir boire un petit Tropico chez elle – « J'ai du Tropico dans le frigo », j'ai dû entendre cette phrase cent fois. Manifestement, elle cherchait quelque chose, la vicieuse – mais non merci. Ça ne devait pas être tous les jours samedi soir, pour la femme au Wizard. Elle n'était pourtant pas moche, plutôt jeune, mais ses yeux exorbités et ses danses purificatrices sur le palier repoussaient sans doute les plus voraces. Et moi, pour une fois qu'une femme me courait après toute langue dehors, j'aurais préféré honorer toutes les concierges du quartier plutôt que céder aux avances de cette sirène au chant lavande. Un jour, cependant, elle avait réussi à m'entraîner chez elle par la force pour me révéler, à l'abri des oreilles indiscrètes, le secret de la puanteur. Devant un bon verre de Tropico, elle m'avait expliqué que c'était sûrement les bougnoules du rez-de-chaussée qui laissaient sécher des rats ou des pigeons chez eux avant de les bouffer (elle s'était approchée de moi en parlant à voix basse, car ces gens-là, s'ils apprennent que vous dites du mal d'eux, ils vous tranchent la gorge en moins de deux, attention, ils font comme dans leur pays, de toute manière c'est comme si c'était ici, leur pays, maintenant). Les bougnoules prenaient toutes les allocations des Français, mais comme ils envoyaient l'argent à tous leurs grands-pères et leurs grands-mères en Algérie (je n'ai pas cherché à lui rappeler que, dans le principe de la famille nombreuse, un grand-père et une grand-mère ont des tas de petits-enfants, et non l'inverse), ils étaient obligés de manger ce qui leur tombait sous la main, d'ailleurs elle avait surpris le père qui rentrait avec un sac plein de pigeons, un soir, si, si, c'était pas un sac transparent, bien sûr, tu penses, ils sont malins comme des singes, mais ça se voyait quand même que c'étaient des pigeons. Pendant qu'elle m'exposait sa théorie, je n'arrivais pas à détacher mes yeux d'un basset posé sur la table, qui nous empestait tout le salon. Il paraissait dur comme un morceau de bois, mais à moitié pourri, deux gros trous à la place des yeux, une grande plaie noirâtre sur le côté, le crâne fracassé, la gueule fermée par un élastique à cheveux. C'était Kevin. Il était mort huit mois plus tôt, emporté dans la fleur de l'âge par un cruel coup du sort (elle lui avait malencontreusement fait tomber une cocotte-minute bouillante sur la tête), mais elle n'avait pu se résoudre à l'enterrer ni à le faire incinérer. Il était empaillé de manière très, très artisanale. À mon avis, elle avait tenu à le faire elle-même, par amour. Ou bien elle était tombée sur un taxidermiste de la pire espèce, un escroc sans foi ni loi. J'avais vidé mon Tropico d'un trait et m'étais enfui en me jurant de ne plus jamais franchir la porte de cette folle, de ne plus jamais poser les yeux sur Kevin, le basset putride.

Elle dormait paisiblement près de moi ? La Charles Bronson du Wizard ? Ça ne pouvait être qu'elle. Elle m'avait sûrement pris en traître. J'étais rentré au petit matin, elle désodorisait déjà devant sa porte, elle m'avait cueilli comme un fruit mûr. (« Attends, je vais t'aider à monter chez toi, mon tout beau. Donne-moi tes clés. Où ? Dans ton petit sac ? Ah, je les ai. Tiens, appuie-toi sur moi. Comme ça, voilà. Allez, monte. Tu as du Tropico, chez toi ? ») Sous le foulard crasseux qu'elle portait

en permanence, j'avais aperçu quelques mèches blon-
dasses qui dépassaient, bouclées, oui, j'en suis sûr, je
m'en souviens comme si c'était hier, bouclées !

N'y tenant plus, j'ai dévoilé tout son visage d'un revers
de main rageur, prêt à bondir pour la chasser de chez
moi comme une Peau-d'Âne.

Allons bon.

Ce n'était pas elle. Absolument rien à voir avec le
Wizard et les bassets. C'était la première fois de ma vie
que je voyais ce visage : celui d'une femme d'une trentaine d'années, blonde et bouclée, donc, et ni jolie ni
laide. Un visage ordinaire. Une tête, quoi. Une nouvelle
tête. D'un côté, c'était rassurant, de l'autre : non. On ne
se réveille pas dans les bras d'une parfaite inconnue sans
un soupçon d'angoisse.

C'est en voyant le riz que j'ai compris. La moquette de
la pièce était jonchée de riz cuit. Du riz cuit partout,
comme des confettis sur le sol d'une salle de bal un
matin de 14-Juillet. En me redressant, je me suis aperçu
que j'avais une culotte enfilée sur le bras. D'accord, c'est
bien ce que je pensais. Je me réveille dans une pièce
pleine de riz, une culotte enfilée sur le bras, une blonde
aussi bouclée qu'inconnue à côté de moi, pas de problème. Je contrôle. J'ai compris. C'est un rêve. D'accord.
O.K. C'est noté. On doit pouvoir trouver là-dedans un
désir de mariage, j'imagine, ou quelque chose de ce
genre. Allez, je vais me rendormir, ça suffit comme ça.
Enfin, non, je ne suis pas réveillé, puisque je dors – ah
ah. Tiens, je vais jeter un petit coup d'œil sous la couette.
Après tout ce n'est pas faire preuve de goujaterie,
puisque je rêve. C'est moi qui l'ai créée, cette fille, je peux
bien aller voir si mon cerveau a fait du bon boulot. Eh
eh, belle poitrine. Mazette. Impeccable, hein. Ventre plat,
tout. Je peux toucher ou pas ? Allez, flûte, c'est juste pour
savoir si c'est bien fait. Je fais de mal à personne. Ah,
bien. Ferme et souple à la fois, élastique, c'est remarquable. Chaud, même. On dira ce qu'on voudra, c'est
magique, le cerveau.

Je me suis retourné vers le mur en dodelinant de la tête – incroyable, hein, le réalisme de ces trucs – et je me suis rendormi, soulagé.

J'ai rouvert les yeux sans doute une ou deux heures plus tard, face au mur blanc. J'ai touché mon bras pour me rassurer, ça allait, pas de culotte. Ouf. Ah si, une culotte. Oh non. Non.

Je me suis retourné comme un poisson dans le fond d'une barque, avec une vivacité insoupçonnable pour un homme qui se réveille après une cuite : la personne était toujours là. Elle dormait, son visage ordinaire toujours tourné vers moi. Comment était-ce possible ? Cette fois je l'ai secouée plus énergiquement, le temps de la douceur onirique était révolu, mais gentiment tout de même car j'étais mort de trouille. Elle avait le sommeil lourd. Je commençais par « Bonjour » ou quoi ? Je lui demandais tout de suite qui elle était et ce qu'elle fabriquait dans mon lit, avant qu'un malentendu ne s'installe ? Non, je risquais de la froisser, nous avions peut-être passé une nuit d'amour exaltante : si je la dévisageais maintenant avec des yeux ronds comme des billes, elle pouvait mal le prendre. Oui mais quoi ? L'embrasser sur le bout du museau, tu as bien dormi, ma pupuce ? Je suis un comédien hors pair, mais nous avons tous nos limites, dans la profession. J'étais en train de faire tournoyer à vive allure toutes ces réflexions sous mon crâne endolori lorsqu'elle a ouvert les yeux. Elle me regardait. Dites quelque chose, mademoiselle, parce que moi je suis bloqué, là. Je la fixais bêtement, je ne m'étais jamais senti aussi stupide. Parlez. C'est à vous, parlez. À vous, mademoiselle, rodjeure. Après quelques secondes, lorsque la pellicule vitreuse qui voilait son regard a fondu, elle a articulé d'une voix à peine audible deux syllabes qui m'ont crevé les tympans. Je m'attendais à peu près à tout – qu'elle parle polonais, qu'elle se lève sans un mot (ou juste : « Minable… ») ou bien même qu'elle m'embrasse le bout du museau en murmurant « Bien dormi, mon gros nounours ? » – mais pas à ça :

– T'es qui ?

Ah non, c'était le comble. Ma réplique ! Elle me regardait à présent avec des yeux ronds comme des billes. Je le prenais plutôt mal. Comment ? Nous venions de passer une nuit d'amour exaltante et elle me demandait qui j'étais ? Quel culot. T'es qui, t'es qui. Qu'est-ce que je peux répondre à ça moi ?

– Je m'appelle, euh, Halvard.

– Tiens, c'est joli. Moi c'est Nadège. Nadège Monin.

(Elle est décontractée, celle-là.)

– Ah, c'est joli aussi, oui.

– Qu'est-ce qu'on fait là ?

– Je… On est couchés, je sais pas. Enfin moi si, c'est mon lit.

– Merci…

– Non, non, c'est pas ce que je voulais dire. Excuse-moi. Euh… bienvenue. Tiens, au fait, ta culotte.

– On a baisé ?

– Hein ? C'est possible, oui. J'ai un peu mal à… C'est possible.

Là, elle a eu un geste charmant : elle a passé une main sous la couette et l'a glissée entre ses jambes. Puis elle a déclaré d'une voix d'experte :

– Oui, je te le confirme.

– Ah.

– Et sans capote.

– Ah.

J'avoue que j'étais décontenancé par son naturel. C'était probablement une beatnik.

– Et, attends… ouais. Par-derrière aussi.

Mince. Pardon, Pollux. J'étais soûl, je t'assure. Ne m'en veux pas, je t'en supplie. Sobre, je ne l'aurais jamais sodomisée. C'est toi que j'aime.

Cela dit, elle paraissait très gentille, Nadège Monin. Simple, douce, compréhensive. J'en connais qui se seraient contractées, en se réveillant dans le lit d'un inconnu. Elle, non. Au contraire, elle ne demandait qu'à faire connaissance. Nous nous sommes donc mis à dis-

204

cuter : et où est-ce que tu habites, et qu'est-ce que tu fais dans la vie, et comment tu as atterri ici ? Nous n'en avions pas la moindre idée, ni l'un ni l'autre. Elle dansait dans une soirée chez une amie, elle avait beaucoup bu (elle sentait fort l'alcool, oui), elle ne se souvenait pas d'en être partie, elle ne se souvenait de rien (serrons-nous la main), elle venait tout juste de reprendre conscience. Sa soirée se passait du côté de l'Opéra, les Zoptek habitaient dans le treizième. Où nous étions-nous croisés entre ces deux points ? Qui avait abordé l'autre ? Ces questions resteraient sans réponse jusqu'à la disparition de toute vie sur terre. À propos du riz, elle n'en savait pas plus que moi. Nous avions sûrement eu un petit creux, très mal calculé les proportions – c'est toujours délicat, avec le riz – et nous nous étions livrés à une sorte de joyeuse bataille avec les cinquante-cinq kilos restants. Au cours de la discussion, nous nous sommes rendu compte que nous avions plusieurs points communs. Elle n'était pas traductrice, mais presque (six mois plus tôt, elle travaillait encore comme interprète), elle avait également décidé de sombrer dans l'alcool (après la mort de son meilleur ami), ses cuites se terminaient toujours en plages amnésiques, elle n'avait pas que de la chance dans la vie, rien ne marchait comme elle voulait (mais elle semblait prendre les claques mieux que moi, peut-être avec plus d'indifférence – son côté beatnik, je suppose), nous avions le même âge – et soudain, découverte stupéfiante. Sagittaire aussi, tiens. Ah bon, tu es de quel mois ? Décembre, moi aussi. Non ? Quel jour ? Non ? Le 16 ? C'est pas vrai ? Moi aussi. Non ?

Je ne la croyais pas. Elle s'est levée pour aller chercher sa carte d'identité dans son sac (une sorte de matelot pour fille, en schématisant un peu pour la beauté de la rencontre inouïe), elle s'est levée toute nue, vraiment bien, de jolies fesses, je n'avais pas dû m'ennuyer. (Mais je me sentais terriblement gêné, timide et confus comme une débutante, je voyais les fesses d'une fille que je ne connaissais que depuis dix minutes, Nadège Monin.)

Elle m'a apporté sa carte d'identité avec un grand sourire, puis elle est partie vers la cuisine. C'était vrai. Nadège Monin, née le même jour et la même année que moi. À Ouistreham (si j'avais lu Morsang-sur-Orge, j'essayais de me rendormir). J'étais abasourdi. Bon, ça faisait une chance sur trois cent soixante-cinq, après tout ça n'a rien de réellement prodigieux (même s'il fallait tenir également compte de l'année – disons qu'en rencontrant une fille à peu près de mon âge, mettons une fourchette de trois ans, la probabilité était de l'ordre de un sur mille), mais je n'en revenais pas. Car n'oublions pas que nous avons grosso modo une chance sur cent de rencontrer une jeune femme seule dans la rue à Paris une nuit d'hiver quand nous sommes ivre mort. Et une chance sur cinq mille pour qu'elle accepte sans faire de manières de venir s'envoyer en l'air avec nous à la maison. Si mes souvenirs de maths sont bons, en quittant la maison des Zoptek, j'avais donc une chance sur cinq cents millions de me réveiller le lendemain avec une fille née le même jour que moi. « J'ai toujours de la chance », j'avais dit.

Elle est ressortie de la cuisine avec une boîte de bière à la main.

– T'en veux une ?

– Holà, non merci.

Elle est venue s'asseoir sur le bord du lit pour mettre sa culotte, et nous avons continué à papoter gentiment pour apprendre à nous mieux connaître. Elle s'habillait en parlant, très lentement, c'était assez émoustillant. Quelques minutes plus tard, je me suis levé à mon tour (en jouant habilement de la couette pour dissimuler mon jardin secret), j'ai enfilé mon peignoir miteux et me suis préparé du café pendant qu'elle avalait une deuxième bière. De toute évidence, question sombrage dans l'alcool, je n'étais pas à la hauteur. Et moi qui me prenais pour un grand héros romantique. Elle me mettait une véritable correction. Va te coucher, gamin.

– On descend s'en jeter un petit ?

– Merci, non. Je crois que je vais traînasser un peu, ce matin.

Une vraie spécialiste, super entraînée, solide comme un cric, un foie à toute épreuve, un moral d'acier et de l'expérience à revendre. Et moi je n'étais qu'un tocard, une midinette, un buveur de porto – je n'avais pas la pointure pour sombrer dans l'alcool, c'était clair.

Elle est venue m'embrasser très tendrement sur la bouche, comme si elle voulait me dire quelque chose, puis elle est sortie en me faisant un petit signe de la main et je n'ai plus jamais revu Nadège Monin.

46

Le passage éclair de Nadège Monin près de moi avait provoqué un déclic. En ramassant le riz, après son départ, j'éprouvais une drôle de sensation. Cette rencontre devait sûrement signifier quelque chose : je me réveille près d'une fille blonde que je n'ai jamais vue, qui est née le même jour que moi, qui boit deux bières et puis s'en va – c'est trop étrange.

Si j'avais cru en Dieu, Il m'aurait peut-être envoyé une espèce d'ange – dans quel but, Lui seul l'aurait su pour l'instant –, mais c'était ridicule. Je ne croyais pas en Dieu. Je ne croyais en rien de surnaturel. Je croyais en la terre, l'eau, le feu, le sang, le soleil, le haricot vert, la vache, la brique, Pollux Lesiak, la tristesse, la joie, le vent, point final. Le reste, de la poudre aux yeux pour les aveugles. Ceux qui ne savent pas profiter de ce qui se trouve autour d'eux. (Et moi, je sais ?) De l'espoir à volonté pour les désespérés. Je ne suis pas désespéré, moi. Hein ? Mais non. Enfin, maintenant que j'y pense. Pourvu que je ne sois pas désespéré. Je ne crois en rien de surnaturel, donc ça va. Bon, je crois bien en quelque chose qui s'appelle la chance ou la malchance selon les cas, et qu'on ne peut qualifier d'aussi concret que la vache ou le haricot vert. Je crois aussi que tout a une signification, parfois peu évidente à saisir – je crois que lorsqu'on tombe au fond d'une baignoire, c'est un signe. Et je crois également, envers et contre tout, qu'on recroise toujours une seconde fois les gens qui nous intéressent. Voilà, c'est tout, dans le domaine du surnaturel. Autant dire presque rien. Juste pour ne pas tout mettre dans le même sac. Et si je m'autorisais trois exceptions pour le principe, je pouvais bien pousser jusqu'à quatre, ça ne mangeait pas de pain. (Je croyais aussi au phénomène de la petite souris qui passe sous l'oreiller pour déposer sa pièce de cinq francs, tiens. Je pouvais bien pousser jusqu'à cinq, donc.) Qui verrait la différence ? Qui m'empêchait de croire que Nadège Monin était un ange chargé de me transmettre un message important ? Personne.

D'un point de vue pragmatique, elle m'a d'abord incité à arrêter de boire. Je ne trouvais Nadège Monin ni hideuse, ni agressive, ni pathétique, cette matinée avec elle n'avait nullement le goût amer et pâteux de la boue de fond de gouffre, mais son apparition inattendue sous ma couette m'a ouvert les yeux. Boire et boire et boire et baiser des inconnues sans même m'en souvenir, j'ai le pressentiment que ça ne mène pas à grand-chose, question solution.

Il faut que je change.

J'ai passé Noël avec mes parents (j'ai reçu de beaux cadeaux, je n'ai pas parlé de mes petits soucis) et le réveillon du jour de l'an seul chez moi avec de la moussaka surgelée. Lorsque ma sœur Pascale et Marc Parquet sont rentrés du Bangladesh, je les ai appelés pour savoir ce qui s'était passé chez eux le soir de la Bête. Ma sœur amusée m'a raconté que j'avais brusquement décidé de m'enfuir. J'étais sorti comme une furie hagarde, sans dire au revoir à personne. Quelques minutes plus tard, Marc et Didier, après avoir sillonné tout le quartier en moto, m'avaient retrouvé à quatre ou cinq cents mètres de chez ma sœur, galopant comme un pur-sang au beau milieu de la rue – un pur-sang qui souffrirait de légers troubles moteurs : ma course était heurtée, je secouais la tête en tous sens, je frappais violemment le bitume à chaque pas, j'ahanais et balançais frénétiquement les bras pour tenter d'augmenter ma vitesse. Lorsqu'ils étaient arrivés à ma hauteur, j'avais roulé de gros yeux affolés et grogné quelque chose d'incompréhensible, avant de plonger sur ma droite vers une voie privée dont j'avais essayé d'ouvrir le portail. J'avais dû me résoudre à l'escalader et m'étais empalé en haut sur les pointes de fer forgé. Marc et Didier avaient essayé de m'attraper par les pieds, et en me débattant je n'avais réussi qu'à m'empaler l'autre jambe. Je m'étais finalement laissé capturer comme un lapin pris au piège. Et en essayant de redescendre, je m'étais lourdement écrasé sur le trottoir.

Quant aux deux chèques de cinq cents francs, il s'agissait simplement de deux paris stupides perdus contre la Blatte, plus tôt dans la soirée – je pariais que j'allais trouver le dix de cœur du premier coup dans un jeu de cartes.

Pourquoi m'étais-je enfui sans raison ?

Perdu dans le brouillard, on tente de se raccrocher à tout ce qui peut avoir un sens quelconque. On cherche des indices, des lanternes, n'importe lesquelles, sinon c'est la déroute et la fin des haricots. Je me sentais devenir aveugle et désespéré, à ma grande fureur. Il était temps que je m'installe sur mon fauteuil confortable et que je réfléchisse.

Le pari perdu. La fuite.

Le pari perdu, puis la fuite.

La fuite. C'était la solution. L'alcool n'ayant rien donné, il devenait nécessaire de fuir. Tous les gens intelligents fuyaient – Biscadou, Pollux, Anne-Claude, Bobby Fisher, entre autres –, pourquoi n'avais-je pas pris cette décision plus tôt ? Je me plaignais de rester seul comme un ballot dans la tourmente et ne songeais même pas à

209

les imiter. Rien n'est plus simple, pourtant. Il suffit d'ouvrir la porte et de courir.

Qui m'avait mis sur la voie ? Oscar, mon ange gardien. Je l'avais oublié, celui-là, avec la vie qu'on mène. C'était lui, bien sûr.

(Ça y est, j'étais presque complètement désespéré.)

Fuir, fuir, Halvard Sanz devait fuir. Je n'avais plus qu'à choisir une direction. Fuir dans le vaste monde ? Certainement pas. Bien trop dangereux. Tout ce qui m'arrivait ici depuis deux mois prendrait soudain une ampleur internationale, ce serait l'épouvante. J'ai résolu le problème immédiatement : j'allais fuir sur place. Non pas m'enfermer chez moi – j'avais déjà essayé en novembre, cela s'était avéré triste, ennuyeux, déprimant, ils nous passent que des âneries à la télé – mais me fuir moi-même. CHANGER. Il était impératif de fuir au plus vite Halvard Sanz, car il avait la poisse. Ne restez pas près de ce type, courez, laissez-le tout seul ! J'allais laisser ce maudit dans un coin, c'était aussi simple que cela ; changer le plus de choses possible autour de moi, afin de ne plus me rendre compte que j'étais Halvard Sanz. Avec un peu de chance, les monstres de tout poil ne s'en rendraient pas compte non plus. J'allais les berner comme des bleus, j'allais changer d'appartement, de travail, de lectures, de garde-robe, de marque de café !

Malheureusement, il me faudrait sacrifier Pollux Lesiak, dans l'histoire. Cela semblait inévitable. Je devais me séparer d'elle. Je devais l'oublier, la laisser s'éteindre à petit feu dans la carcasse d'Halvard Sanz. Si je la gardais avec moi, je ne changerais pas vraiment. Si je la gardais avec moi, l'autre Halvard allait me suivre partout, attiré par l'odeur. De toute manière, l'heure était venue de se montrer lucide : je ne la retrouverais jamais. Je n'avais même pas une chance sur cinq cents millions, cette fois.

Si je la gardais avec moi, elle allait finir par pourrir comme un basset.

Un amour qui s'achève.

Ce n'est rien, je vais fuir, je vais changer, et tout ira mieux.

J'étais désespéré.

47

J'ai traversé l'année la plus morose de ma vie. Pourtant, en apparence, il ne m'est rien arrivé de particulièrement ennuyeux. J'ai déménagé, je me suis installé dans un quartier que je trouvais bien plus agréable que celui des Halles – dans le 17e arrondissement, près du métro Brochant et du square des Batignolles (un hasard, je n'avais pas cherché précisément par là-bas) –, dans un appartement plus grand, plus confortable et moins cher que le précédent, mais toujours au quatrième étage. J'ai changé de métier – j'ai décidé du jour au lendemain d'arrêter la traduction, ce qui, en balayant les histoires de travail et d'argent qui se glissaient inévitablement entre Marthe et moi, a renforcé notre amitié –, je suis devenu pronostiqueur hippique. J'aimais bien les chevaux. (De loin, toutefois. Je n'étais monté que trois fois sur le dos d'un cheval, dans ma tendre enfance, et ça ne s'était pas passé de manière encourageante : le mercredi de mon inscription, manque de chance, c'était « balade en forêt » ; agrippé à la crinière d'un certain Gino, paralysé de trouille et incapable de lui faire comprendre ce que j'attendais de lui, j'avais perdu de vue le reste du groupe après dix minutes sous les arbres, trop timide pour appeler au secours : on m'avait retrouvé deux heures plus tard, déjà passé à l'état sauvage, ou presque. Le deuxième mercredi, à mon grand soulagement, c'était « manège » ; on m'avait de nouveau refilé le redoutable Gino ; cette fois, probablement agacé par ma nervosité (je tirais de toutes mes forces sur les rênes pour lui montrer que l'être humain est supérieur), il s'était enfui du manège, avait traversé la grande cour des écuries au trot sans tenir compte des hurlements du moniteur, et m'avait emmené en ville. Il avait choisi de s'engager sur la plus grande avenue, au milieu des voitures. J'étais au bord de l'évanouissement. Il est des cas où la timidité n'a plus sa place ici-bas, je hurlais comme un supplicié (je ne m'en souviens plus très bien, mais probablement des sons indistincts, car je ne savais pas quoi hurler : cet animal était manifestement sourd, et quant aux passants, leur crier « Au secours, à l'aide, à moi, par pitié » ne servait à rien – un tiers des spectateurs était pétrifié de surprise, l'autre effaré par cette vision saisissante d'un gamin pâle comme la mort sur un cheval fou en pleine ville, et le troisième tordu de rire ; le beau gars mal rasé qui connaît parfaitement les bêtes, qui court derrière l'animal, le rattrape, grimpe en croupe d'un bond souple et freine le mustang en disant « Holà, ho… », c'est au cinéma). Je me sentais en grand danger et ridicule. Le moniteur avait réussi à me rattraper en mobylette, juste avant que mon coursier ne s'engage à tombeau ouvert sur la nationale. Le troisième mercredi (quand ma mère avait une idée en tête…), le moniteur ayant enfin compris que Gino et moi n'étions pas compatibles, il m'avait généreusement attribué la brave Piquerose. J'étais en selle depuis moins de vingt secondes quand elle m'avait jeté à terre. Je m'étais cassé le bras.) (En y repensant, je me dis que l'électrocution et la chute dans la baignoire ne constituaient peut-être pas le véritable commencement de ma déchéance. Concernant mes rapports avec la nature, en tout cas. Un autre souvenir me revient en mémoire, au sujet cette fois de mon intégration dans le monde de l'amour : la première fois que j'ai couché avec une fille, c'était lors d'une soirée chez un copain, dans une cité de banlieue. La fille s'appelait Catherine – une autre – et nous étions dans la chambre du copain en question. Des lits superposés. Dans celui de son petit frère, au-dessus de nous, un autre couple débutait dans le métier. Alors que je me creusais la cervelle pour essayer de m'adapter à l'anatomie de ma partenaire, quelqu'un avait trouvé hilarant de rentrer dans la chambre avec un bocal de fruits au sirop et de le verser sur nos pauvres corps nus et empotés (devenus collants et froids, du coup). Pour une première fois, ce n'est pas très encourageant. Apparemment, ça n'a pas de lien direct avec mes déboires hippiques ni avec mon électrocution dans la salle de bains, mais je me rends compte que, dès que j'ai voulu mettre le pied sur l'un des continents de la vie, elle a essayé de me faire comprendre que je n'étais pas le bienvenu. La chute dans la baignoire n'était en réalité qu'une étape supplémentaire, peut-être celle de mon entrée définitive dans le monde des adultes, dans l'époque moderne ou la société de consommation. La nature, l'amour, l'électroménager moderne, ça nous ferait un tout que ça ne m'étonnerait pas. Oui, en réalité, le Problème existait depuis bien longtemps, à mon insu. Ma mère m'a raconté qu'entre ma naissance et deux ans et demi j'ai attrapé quasiment toutes les maladies infantiles répertoriées par les savants. Le Problème est peut-être né en même temps que moi, qui sait ? Qui sait, même, s'il n'y a pas un certain air de ressemblance entre nous deux ?) Pourtant, j'aimais bien les chevaux, donc. Je jouais souvent, je perdais toujours, mais j'aimais bien les chevaux. Un mois après avoir quitté mon bon emploi stable et paisible de traducteur, alors que je commençais à me demander si je n'allais pas devoir me rabattre sur les nouilles premier prix, le père Zoptek, grand amateur de bourrins, m'a appris que l'un de ses amis, le célèbre Michel Motel, s'apprêtait à lancer un nouveau journal hippique dans lequel il avait accepté de mettre quelques billes – *L'Autre Tiercé* (le principe était simple : miser sur le mythe du tuyau, de la magouille, en jouant sur le mystère et l'anonymat : tous les journalistes et les pronostiqueurs seraient affublés de pseudonymes croustillants qui leur permettraient de ne pas se griller aux yeux de la profession (alors qu'en réalité la plupart d'entre eux seraient d'illustres inconnus, bien sûr)). Il pourrait m'y faire entrer sans problème. Pour moi, ça tombait pile (apparemment, le coup de la petite souris fonctionnait toujours – il ne fallait peut-être pas désespérer, pour Pollux Lesiak ; la chance revenait, depuis que j'avais neutralisé Halvard Sanz). Dès mon plus jeune âge, je rêvais de travailler à *Paris-Turf*, la bible du turfiste ; c'était un premier pas. Je n'étais peut-être pas très bon pronostiqueur, mais *L'Autre Tiercé* se souciait peu de donner de meilleurs pronostics que ses concurrents, tout était dans le concept, le rôle d'un pronostiqueur n'étant pas forcément de trouver les bons chevaux mais de pronostiquer avec conviction. Je me suis vite laissé tenter. Quelques jours plus tard, Zoptek me présentait Michel Motel, qui ne fit aucune difficulté pour m'engager – « Je te dois bien ça, Zoptek. » Je me suis trouvé un pseudonyme : la Cravache. (C'était pas mal, ça faisait le gars qui plaisante pas. Et grâce à quelques indices parcimonieusement glissés çà et là dans les colonnes du journal, les lecteurs les plus perspicaces pouvaient deviner que j'étais un jockey – et pas un apprenti qui ne monte que des tocards, non : selon toute vraisemblance, je faisais partie de l'élite. Les rumeurs allaient bon train. Qui pouvais-je bien être ?) Dans le premier numéro de *L'Autre Tiercé*, fin mai, j'ai donné le quarté dans le désordre en six chevaux. Je ne l'avais pas joué, personnellement, dommage. Mais tout de même, je n'étais pas peu fier. D'entrée, la Cravache frappait fort.

C'était un travail facile et reposant, correctement rémunéré, je n'avais pas à me plaindre. Et puis cette nouvelle identité, la Cravache, allait certainement m'aider à opérer la lente et délicate métamorphose qui me serait salutaire après les déconvenues de ma vie antérieure. Bien entendu, le contrat que j'avais signé avec Motel m'interdisait de révéler à la masse le visage de celui qui se cachait derrière ce pseudonyme. C'était bien regrettable.

– Bonjour, je m'appelle Sandrine Blanchet.
– La Cravache. Enchanté.

Mais en mon for intérieur, lorsque je pensais à moi
– c'est-à-dire la plupart du temps, car les soucis rendent
égocentrique et vaniteux –, je ne m'appelais plus Halvard
Sanz mais la Cravache, ce que je trouvais très pratique et
valorisant. Je me parlais tout seul : « Tiens, dis donc, la
Cravache, il ne serait pas temps de passer à Franprix,
avant que ça ferme ? » Ça me donnait un côté cinglant,
presque arrogant, le bonhomme qui sait ce qu'il veut, qui
n'y va pas par quatre chemins, qui ne se pose pas de
questions inutiles, qui veut bien être gentil mais y a des
limites, pas du tout la poire, pas du tout le genre de bonhomme chez qui on s'amuserait à renverser de la soupe.
La Cravache me donnait du tonus et du chien. La Cravache me donnait un peu d'ampleur, de densité. Et j'en
avais besoin. Depuis que j'essayais de fuir Halvard Sanz,
je me sentais tout vide.

La Cravache a modifié sa manière de s'habiller (un
peu de couleur !), n'a gardé de la panoplie d'Halvard
Sanz que son sac matelot, a changé de coiffure (un peu
plus court), s'est mis à fréquenter les bistrots du coin, le
Cello (près du bar bleu dans lequel la fausse Pollux
m'avait filé sous le nez, à côté du square des Batignolles),
où il s'est présenté sous le nom de Pedro et où Barbara,
Burhan et Maewenn, la jolie serveuse, l'accueillaient
bien gentiment, avec de la bonne musique et du bon vin
blanc, et le Saxo Bar, un peu plus près du square des Épi-
nettes que de celui des Batignolles, où le patron Nenad et
le barman Thierry l'accueillaient bien gentiment aussi,
avec une bonne ambiance chaleureuse et de la bonne
bière – Pedro s'est vite lié d'amitié avec le barman
Thierry : ils jouaient tous les jours aux courses ensemble
et Pedro mourait d'envie de lui révéler sa véritable identité (« Figure-toi que la Cravache, mon vieux, c'est
moi ») –, la Cravache a fait l'acquisition de nombreux
disques de jazz pour essayer de « s'y mettre », a arraché
d'un geste noble la moquette gris souris qui recouvrait le
magnifique parquet de son nouvel appartement magnifique, a décidé de moins fréquenter ses amis, qui ris-

quaient de le retenir en arrière, s'est mis à passer toutes ses journées sur les champs de courses, oasis hors du temps, et la Cravache a changé de banque.

J'ai ouvert un compte dans une banque un peu plus chic et sport (Halvard Sanz était autrefois à la BNP, la honte), et j'ai eu la chance – quel veinard, la Cravache – de tomber sur la directrice d'agence la plus incroyablement dingue de toute l'histoire contemporaine, aussi incongrue dans le monde redoutable de la finance qu'un bouquet de pâquerettes dans une caserne de paras. Clémentine Laborde, elle s'appelait. Dans les mois qui ont suivi l'ouverture de mon compte, de mars à juin, elle ne m'a pas fait une seule remarque, alors que j'étais quasiment en permanence à découvert. Et même par la suite, lorsque sont arrivés les premiers chèques de *L'Autre Tiercé* et que je me suis mis à tout dépenser sous les sabots de tocards irrécupérables, Clémentine a continué à se montrer compréhensive. Elle me témoignait d'ailleurs plus que de l'indulgence professionnelle : j'étais passé déposer un chèque, m'apercevant au guichet elle m'avait demandé de monter dans son bureau, pour discuter, avait sans doute remarqué, aidée en cela par son flair remarquable, que je n'étais pas au mieux (car malgré ma renaissance et l'insouciance de surface, j'allais plus mal qu'un cadavre), le soir j'avais reçu d'elle un coup de téléphone qui me disait simplement : « Regardez sur votre paillasson », et sur mon paillasson j'avais trouvé une bouteille de bon vin, un bloc de foie gras et trois tablettes de chocolat.

Oui, durant cette année de fuite immobile, malgré ma renaissance et l'insouciance de surface, je pataugeais dans le néant. J'avais le sentiment de ne plus être. Pourtant, tout allait bien, je vivais mieux qu'avant – mais vivre et être, ce n'est sans doute pas la même chose –, je passais tous mes après-midi sur les hippodromes, j'adorais ça, mes soirées au Saxo Bar avec les copains et les copines du quartier, sacré Pedro, mon compte en banque n'avait pas toujours fière allure mais Clémentine

Laborde continuait à faire preuve de mansuétude, je n'avais aucun souci, la Cravache ne se débrouillait pas mal. On avait même cité mon nom dans une publicité à la radio : « Cette semaine encore, les lecteurs de *L'Autre Tiercé* ont pu empocher plus de huit mille francs grâce aux pronostics de la Cravache, qui vous a donné le quinté de jeudi à Auteuil dans le désordre en sept chevaux ! *L'Autre Tiercé*, c'est six francs seulement, chez votre marchand de journaux. »

Et malgré tout, j'allais mal (faut-il que je sois difficile). Depuis que je n'étais plus Halvard Sanz, je n'étais plus vraiment moi-même. Je n'avais plus de problèmes avec le monde qui m'entourait, comme à la sale époque, mais je sentais bien qu'il me manquait quelque chose. Un noyau. Je me trouvais fade, pâle, creux. Sans âme. Les questions les plus pertinentes me hantaient l'esprit : Qui suis-je ? Qu'est-ce que je fous là ?

Mais comment redevenir moi-même ? Fuir Halvard Sanz n'avait pas été si difficile, quelques pirouettes techniques avaient facilité les choses, mais le retrouver semblait maintenant bien plus compliqué. Il ne suffisait pas de faire le chemin en sens inverse. Je n'allais tout de même pas retourner dans mon ancien appartement, redevenir traducteur, et inviter chez moi des gens susceptibles de démolir ma cuisine. Ça n'aurait rimé à rien. Mon âme errait ailleurs. Mais où ?

Je pensais toujours à Pollux Lesiak – l'un des rares liens qui me restaient avec l'hiver. Je n'avais pas réussi à la laisser périr à petit feu dans la dépouille d'Halvard Sanz, au fond du placard. Elle s'était échappée pour revenir se glisser dans le cœur pourtant blindé de la Cravache. Chaque soir, en me couchant, je me disais : « Elle est en train de s'endormir quelque part, peut-être dans les bras d'un magicien de la vie. » Elle m'avait dit qu'elle était du signe des Poissons, et chaque matin, en écoutant l'horoscope à la radio, je souffrais comme un adolescent. « Pour vous les Poissons, ce sera une journée radieuse. Chance, travail, amour, tout vous sourit en ce moment.

Vous rayonnez. » Comment était-ce possible ? Alors que j'allais si mal ? J'étais persuadé qu'elle ne se souvenait même plus de m'avoir rencontré. Mais je dois avouer que lorsque j'entendais : « Ce n'est pas la grande forme, amis Poissons. Que vous arrive-t-il ? Vous n'avez plus goût à rien, vous vous découragez pour un oui ou pour un non, vous tournez en rond. Il faut vous ressaisir ! » je me sentais presque soulagé. Et chaque matin, j'attendais l'horoscope avec impatience pour pouvoir imaginer sa journée et vivre un peu avec elle. Misère.

Les autres filles ne m'intéressaient plus. Comme j'avais arrêté de boire à haute dose, je ne me réveillais plus au côté d'une inconnue, et celles que je croisais dans les rues ou les cafés ne me faisaient de l'effet que le temps d'un éclair, par réflexe : une jambe, un sein ou un sourire attiraient mon regard, un frisson, mais l'envie de séduire la fille me passait vite. Avec un peu de chance, je parviendrais à la ramener chez moi, je la tripoterais un peu, et après ? Je repenserais à Pollux Lesiak. Les traits de son visage s'étaient presque complètement effacés de ma mémoire, mais je savais que si je la revoyais, je la reconnaîtrais sans la moindre hésitation. Et toutes les autres filles clochaient un peu, par rapport à elle : l'une avait des petits yeux rapprochés ou de trop grosses fesses, l'autre me paraissait trop bête ou trop sérieuse, et ainsi de suite. Je ne cessais de me répéter qu'il était parfaitement ridicule de chercher une fiancée en prenant Pollux pour modèle (et même parfaitement ridicule de « chercher » une fiancée), je savais que ce genre d'attitude m'amènerait plutôt à ne plus jamais tomber amoureux, qu'il fallait que je tourne la page, que je renvoie Pollux dans l'Halvard mort, dans l'hiver, mais je n'y arrivais pas. Comme un homme au régime qui voudrait oublier qu'il aime le chocolat. Elle était là, elle s'agrippait à l'intérieur, je n'y pouvais rien. Il m'avait été plus facile de me débarrasser d'Halvard Sanz que de Pollux Lesiak.

En mars, j'ai pris le câble. En mai, j'ai cassé deux assiettes le même jour. En juin, je me suis acheté une paire de jumelles et j'ai essayé d'arrêter de fumer – j'ai tenu trente et une heures. En juillet, Caracas m'a fait une sorte de crise de foie. Fin juillet, je suis allé trois soirs de suite au cinéma. En août, je suis parti passer deux semaines chez mes grands-parents à la montagne. Début septembre, je suis allé voir un match de foot au Parc des Princes. Fin septembre, je me suis fait dévitaliser deux molaires. En octobre, j'ai donné le quinté dans l'ordre. En novembre, j'étais comme mort.

J'avais rencontré Pollux Lesiak un an plus tôt, j'avais décidé de changer après l'avoir perdue, et en un an, je m'étais transformé en un lamentable automate. C'était réussi, ma fuite. Un triomphe. Splendide. Je ne m'intéresse plus à personne et je n'intéresse plus personne. Un bilan remarquable.

La Cravache faisait peine à voir.

Le soir de l'anniversaire de notre rencontre, je ressassais ces pensées sinistres, assis devant la télé avec une tablette de chocolat, lorsqu'une image hideuse m'est apparue. Je me voyais. Je m'élevais au-dessus de mon corps, comme tous ceux qui vont mourir, paraît-il, et je me voyais. Consternant. Je ressemblais à mon ancienne voisine, la folle du premier. Je vaporisais du Wizard Spécial Toilettes de tous les côtés, je changeais d'appartement, pschitt, je changeais de métier, pschitt, je me mettais à écouter du jazz et à me faire appeler Pedro, pschitt pschitt, alors que l'odeur de tristesse venait de l'intérieur. Le Charles Bronson de l'apparence et de l'accessoire, c'était moi. Et je chérissais Pollux Lesiak, posée comme un basset sur une petite table au fond de moi, le crâne fracassé, deux gros trous à la place des yeux.

48

Au début du mois de décembre, quelques jours avant mon anniversaire, Marthe m'a invité à une soirée qu'organisait la maison d'édition pour le lancement d'une nouvelle collection. Génie de la vie, elle avait deviné je ne sais comment, par télépathie ou au son de ma voix sur mon répondeur (« Vous êtes bien chez Halvard Sanz, mais pas moi »), que j'agonisais au fond du trou que j'avais creusé moi-même au fond du gouffre. Revoir d'anciens collègues, boire un peu de champagne et danser sur des rythmes endiablés, en secouant bien la tête et en lançant les bras de toutes parts, me changeraient les idées.

Je me suis habillé grand chic, car la Cravache, même incognito, se devait dorénavant de faire bonne figure – je portais un simple costume, mais c'est ce que je considère comme le grand chic (avec mon sac matelot en bandoulière, je faisais un peu couillon de la lune, mais il n'est jamais inutile de laisser l'entourage nous sous-estimer si ça l'amuse (à ma connaissance, je ne suis pas un couillon de la lune)) – et j'ai sauté dans un taxi. (En réalité, j'ai attendu un bon quart d'heure dans le froid au bord de l'avenue de Clichy, sous la pluie, mais dès qu'un Chinois charitable a accepté de me prendre et que je me suis retrouvé confortablement installé sur la banquette de skaï défoncée de son véhicule à moteur, j'ai préféré imaginer que j'avais posé un pied sur le trottoir, levé machinalement la main en disant hep, la berline de luxe s'arrête aussitôt dans un crissement de pneus, je m'éloigne à grands pas de la corniche qui me protégeait de la pluie, m'engouffre à l'intérieur de la voiture, cocon de cuir souple et chaud, suite de Bach et parfum de vanille, je referme la portière (claquement feutré) et me passe une main dans les cheveux avant d'annoncer ma direction au chauffeur d'une voix un peu lasse : il fallait que je me donne le moral, que je parte en conquérant décontracté, sinon j'allais passer la soirée sur une chaise à ruminer ma vacuité – ce qui ballonne.) Au son du rock chinois, sans doute très entraînant pour les Chinois, et portés par un entêtant parfum de beignet de crevettes, nous sommes arrivés tant bien que mal à Bastille, après trois erreurs de parcours et deux drames de la circulation évités de justesse. J'ai laissé un bon pourboire à mon sympathique pilote : je tenais à lui montrer que, même si j'étais plutôt coutumier des trajets en limousine, je n'avais aucun mépris pour les artisans étrangers qui commencent petit et qui, à force de travail, de courage et de persévérance, réussiront à se faire une place au soleil.

Maintenant, va dans le monde, la Cravache, et tiens-toi droit.

La soirée se déroulait dans une grande salle louée pour l'occasion, rue du Faubourg-Saint-Antoine. Lorsque je suis arrivé, la plupart des invités bourdonnaient déjà à l'intérieur. J'ai eu l'impression curieuse d'entrer dans un vaste laboratoire qui fabriquerait des attitudes et des paroles en grand nombre, dont les deux ou trois cents employés bien habillés produiraient en permanence de la voix calme et du petit mouvement destinés à l'exportation – ou simplement pour étude –, dans des conditions de travail très agréables. Tous ces gens plus ou moins semblables, debout dans une salle, qui parlaient par groupes de trois ou quatre, faisaient des gestes tranquilles avec leurs mains, de légères inclinaisons de la tête, de la gymnastique de bouche, des clins d'œil, de discrets changements de jambe pour ne pas s'ankyloser, allumaient une cigarette ou portaient un verre à leurs lèvres, tournaient les yeux à droite ou à gauche, échangeaient quelques mots avec un collègue d'un autre groupe de travail, serraient une main, touchaient une épaule, embrassaient une joue, souriaient, toussotaient, fronçaient les sourcils – tous ces gens enveloppés dans le brouhaha de la machine semblaient faire équipe, tous engagés dans la même entreprise, l'industrie humaine. Je peux me joindre à vous ?

J'ai mis longtemps à retrouver Marthe. Elle semblait très occupée, l'importance de son poste au sein de la maison l'obligeait à papillonner partout. Elle faisait de son mieux pour passer dans tous les groupes, consacrer quelques instants à chacun, féliciter Untel pour sa dernière traduction ou présenter Truc à Truque, dont elle lui avait souvent parlé. Elle m'a rapidement présenté Robert, Nono, Cédric et Laure, dont elle m'avait souvent parlé, puis je suis allé me servir un whisky au bar. Comme les rares personnes que je connaissais étaient toutes occupées dans des groupes, et que je n'avais pas le courage et la persévérance nécessaires pour me faire une place au soleil, j'ai repéré une chaise le long d'un mur et je m'y suis assis.

Bien sûr, cette position me singularisait de manière fâcheuse (je devais avoir l'air du fainéant, du rebelle, de celui qui joue au Game Boy dans son coin pendant que les autres travaillent – ou bien (qui sait ?) du pauvre type qui n'a pas d'amis), mais je pensais que rester debout au milieu, seul, sans parler, un verre à la main et l'autre bras le long du corps, serait encore plus préjudiciable à mon image.

J'étais le conquérant décontracté, inutile de revenir là-dessus, mais je me demandais comment j'allais m'y prendre pour conquérir tous ces gens qui discutaient entre eux sans prêter attention à moi. Je ne savais pas par quel côté les approcher. Car je me trouvais apparemment à l'écart, là. Eh oui. Personne ne me regardait. Nous étions pourtant un très grand nombre d'invités. Statistiquement, il n'était pas impossible que quelqu'un se tourne vers moi, engage peut-être la conversation et me pistonne ensuite pour entrer dans l'entreprise avec les autres. Eh non, pourtant. Sans doute était-ce la distance que j'avais involontairement mise entre eux et moi, qui les rebutait. Ce gars-là est un solitaire, un ermite comme on n'en voit plus beaucoup de nos jours, laissons-le à ses ruminations. Il nous en voudrait de le déranger. Si seulement ils avaient su que j'étais la Cravache ! J'aurais pu les conquérir sans mal. (Ils ne devaient pas être plus de deux ou trois à avoir déjà ouvert un journal de tiercé – certainement ceux qui avaient réussi à s'incruster discrètement ici pour boire un coup – mais j'essayais de ne pas y penser (je devais également éviter de me souvenir que les pronostiqueurs hippiques ne sont pas les véritables stars de notre société)). Ils ne savaient pas qui j'étais. D'ailleurs, ça ne présentait pas que des inconvénients. Ainsi, ils ne voyaient que ma surface, ils ne pouvaient pas deviner que j'étais désespéré. Même s'ils m'avaient regardé, ils ne se seraient pas aperçus que j'étais un moins que rien qui n'a plus d'âme. C'est l'avantage de l'anonymat.

Le directeur de la maison d'édition a prononcé un bref discours auquel je n'ai rien compris, je n'écoutais pas. Je suis allé plusieurs fois redemander du whisky, je revenais toujours sur ma chaise rassurante, j'observais la soirée comme on regarde une manifestation à la télé. Je ne savais même plus s'ils me laissaient de côté ou si je n'avais pas envie de me mêler à eux.

Et soudain, tout s'est arrêté. Toutes les voix se sont tues, les invités se sont pétrifiés. Disons que je visionnais une cassette, à la télé, et que je venais d'appuyer sur pause. J'ai repéré quelque chose dans l'image. Tout au fond, deux yeux immenses et sombres, braqués sur moi. Qu'est-ce que c'est ? Que se passe-t-il ? Je suis en plein délire, c'est le whisky. Deux gros yeux au fond de la salle. Tout le monde est immobile, plus personne ne parle, et ces deux gros yeux me dévisagent ? Non. À l'aide. Que m'arrive-t-il ? Ce sont les phares noirs d'une voiture ? Non. Une sorte d'extraterrestre ? Je deviens fou. C'est Pollux Lesiak.

J'ai cligné des paupières car ce n'est pas possible.

Elle était toujours là. Vraiment elle, cette fois. Pas une réplique. Pollux Lesiak l'authentique.

Ses yeux avaient à présent retrouvé une taille à peu près normale. Les invités recommençaient à chuchoter et à bouger au ralenti, et de l'autre côté de la salle, Pollux

Lesiak. Cela ne faisait aucun doute. J'avais croisé tellement de filles qui lui ressemblaient un peu, j'avais cru si souvent la reconnaître, de dos, que cette fois je ne pouvais pas me tromper. C'est elle. Aussi ahurissant que ça puisse paraître, celle qui flottait en moi depuis plus d'un an comme une petite vapeur insaisissable vient d'apparaître à quelques mètres en face. C'est elle. D'ailleurs, elle me sourit. ELLE ME SOURIT. Elle se souvient de moi ou quoi ? C'est elle, en tout cas. Elle porte un pull à grosses mailles, pourpre, et une jupe courte, noire. Les jambes nues. Il fait froid dehors, pourtant. Elle a toujours son petit sac de toile bleue.

La Cravache est mort foudroyé, pulvérisé en une fraction de seconde, et Halvard Sanz a surgi de l'ombre pour revenir en flèche sur terre, tout tremblant d'amour.

La salle semblait occupée par une masse sombre et basse, presque silencieuse, les invités, et là-bas, Pollux Lesiak dominait le monde, dix mètres de haut, un corps comme une tornade, des yeux comme la pleine lune en double, des cheveux comme l'océan Atlantique, un sourire comme le temps des cerises, qu'est-ce que je vais devenir ?

Elle s'est mise en marche. Elle est venue vers moi, à travers l'univers. Je ne pouvais plus bouger, je la laissais s'approcher, tétanisé d'émotion – de joie ou de peur. Elle avançait belle à fondre et ça ne pouvait pas durer. Elle allait peut-être exploser, disparaître dans un nuage de fumée avant de m'atteindre, ou bien se faire enlever au dernier moment par un forcené qui demanderait une rançon exorbitante ; ou alors moi, j'allais peut-être m'enfuir – je jure que j'y ai pensé, tant la pression m'écrasait, je jure que j'ai sérieusement songé à me lever d'un bond pour courir vers la sortie, laissant Pollux Lesiak interloquée, les mains sur les hanches (elle se demande si elle ne s'est pas trompée, si c'était bien moi, sans doute pas, elle hausse les épaules). Quelques années plus tôt, Catherine m'avait raconté une histoire de ce genre, ou presque. Elle avait rencontré un petit vieux dans un bistrot de Lille (André), il lui avait parlé de sa fiancée (Nicole).

« André m'explique qu'il est resté marié quarante-cinq ans avec une femme plutôt gentille mais un peu triste et ennuyeuse. Elle passait toutes ses journées et ses soirées chez eux devant la télé, elle lui interdisait de s'attarder au café avec ses copains, elle ne rigolait jamais, et tout ça. Bon, là-dessus, elle meurt de je ne sais plus quelle maladie. André est abattu, bien sûr, après tout ce temps ensemble, mais il n'est pas complètement effondré non plus, parce qu'il peut enfin aller picoler avec ses amis et tout ça. Et quelques mois plus tard, il rencontre Nicole dans un café, et c'est le coup de foudre. Elle n'est pas beaucoup plus jeune que lui, Nicole, mais alors c'est vraiment la bonne vivante, elle fait la fête tout le temps, elle a une descente de mineur de fond, elle adore la danse, et lui aussi. Bref, ils s'embrassent, ils couchent ensemble, c'est le bonheur, comme la première amourette, et André se rend compte qu'il a passé toute sa vie avec une femme qu'il n'aimait pas plus que ça, bon, tandis que là c'est l'amour fou et enfin la vraie vie. Ils sont comme deux gamins, ils vont danser, ils sortent tous les soirs, ils prennent de petites habitudes de couple – tu sais, comme les adolescents, pour tracer des croix autour d'eux qui rendent leur histoire unique. Par exemple, ils se pincent quand ils voient un chauve, et personne ne comprend ce qui leur prend, ça leur fait plaisir d'avoir un secret d'amoureux, ou alors ils mangent un caramel tous les soirs quand ils sont couchés. Bon, un jour, André apprend que Nicole n'a jamais mis un pied hors de Lille. Il est sidéré. Lui, il est allé plusieurs fois à Amiens pour son travail, dans le temps, il a passé des vacances à Saint-Valéry-en-Caux, il est même allé à Paris quand il était jeune. Nicole lui dit que Paris, c'est le rêve de sa vie. Alors André lui dit : " Je vais t'emmener à Paris, ma chérie. " Elle est folle de joie, elle n'y croit pas, mais si, André est prêt à tout pour la rendre heureuse, ils s'aiment, il faut profiter de la vie, à leur âge on ne doit plus se priver de rien. Ils font des économies pendant plusieurs mois, ils parlent tous les soirs de leur beau projet en mangeant leur caramel, et finalement, ils réunissent assez d'argent pour partir. Ils prennent le train, Nicole est aux anges, André ravi de lui faire plaisir, c'est le paradis de l'amour. Ils arrivent vers midi à la gare du Nord, ils trouvent un petit hôtel pas trop cher, juste en face, et dès qu'ils ont posé leurs valises, ils partent visiter la capitale de la France, la tour Eiffel, le Louvre, l'Arc de triomphe, les Champs-Élysées, ce qu'on visite quand on arrive à Paris. Nicole est ivre de bonheur, tout ce dont elle a rêvé depuis toute petite éclate devant ses yeux comme un feu d'artifice, comme si on pouvait entrer dans un film qu'on a vu vingt fois. Le soir, ils mangent au restaurant près de la gare, puis montent se coucher, fourbus mais radieux. Nicole ne lâche plus la main d'André, tellement elle est heureuse et reconnaissante. Une petite fille. Quand ils sont dans le lit, elle lui demande s'il veut un caramel, il sourit en hochant la tête. Elle se relève, va chercher la boîte sur la commode de la chambre, se retourne vers lui et tombe, morte. Il se précipite vers elle, mais rien à faire, elle est morte. Après quelques heures à Paris. Toute une vie à marcher pleine d'espoir vers ces quelques heures. Quand il m'a raconté ça, André, il pleurait. Mais en même temps, il y avait une petite lumière dans ses yeux, de la joie triste, la satisfaction malgré tout d'avoir pu offrir le Louvre et les Champs-Élysées à sa fiancée, le cadeau qu'elle a attendu toute sa vie. »

Non, je ne m'enfuirais pas, je ne mourrais pas maintenant. Mon Louvre, mes Champs-Élysées – ma capitale de la France continuait à marcher vers moi. Comme si toutes les presque-Pollux que j'avais rencontrées pendant cette longue année venaient brusquement de se regrouper en une seule personne, par amalgame prodigieux. Et maintenant, si elle ne se volatilisait pas, si personne ne venait la kidnapper en trombe, si je ne me sauvais pas, une quatrième possibilité se présentait, merveilleuse : elle allait arriver jusqu'à moi.

Elle s'approchait. C'était la deuxième rencontre, voilà, celle que prévoient les lois de la nature. J'avais douté. Honte à moi. Elle s'approchait. Et j'avais douté. J'aurais tout aussi bien pu remettre en question la théorie de l'évolution, tiens, tant que j'y étais. Je n'avais pas vu plus loin que le bout de mon nez. Un an, qu'est-ce que c'est, pour la nature ?

CROYEZ DUR COMME FER
EN UNE SECONDE CHANCE

Pollux Lesiak vient vers moi en souriant, un verre à la main, et tout le reste du monde vivant disparaît autour d'elle, les invités sont des figurines de pâte à modeler, des automates dans une vitrine de Noël, la soirée organisée par la maison d'édition n'est plus qu'une toile de fond grossièrement dessinée, comme les panneaux peints dans les foires, avec un trou pour passer la tête sur un corps d'haltérophile ou de danseuse – la tête de Pollux Lesiak. Sur un corps de danseuse, plutôt.

Elle ne va pas pouvoir s'approcher plus, je pense. Encore un pas et elle me percute. Elle est devant moi, à trente centimètres. Elle est là. Et si je disais quelque chose ?

– Tu te souviens de moi ? dit-elle.

Toujours le mot pour rire, ma fiancée, elle est comme ça. Alors je sais, j'aurais dû répondre d'une voix embarrassée : « Euh… Hein ? Oui, bien sûr, oui… » pour prendre l'avantage dès le départ. Au lieu de ça, j'ai répondu que je ne risquais pas de l'avoir oubliée car, depuis notre première rencontre, pas un jour ne s'était écoulé sans que je pense à elle. Je me servais tout rôti sur un plateau (j'oubliais complètement qu'il faut lui résister un peu, à la femme, pour qu'elle cède ensuite). Mais dans la grande cité de l'amour que j'avais bâtie de mes propres mains intérieures pendant plus d'un an, je ne me souvenais plus que les choses n'étaient pas encore tout à fait officielles

227

entre nous, au moment de notre séparation prématurée. Je ne me souvenais plus que nous n'avions marché que quelques instants ensemble, descendu puis monté quelques volées de marches, rien de plus. Pas même une petite bise. Et soudain, j'avouais tout. Je venais de déclarer ma flamme à une inconnue, le plus naturellement du monde. Sans tambour ni trompette, allez, ce sera fait. Mon aisance a dû l'impressionner, j'imagine.

Quoi qu'il en soit, apparemment touchée par ma réponse, elle est partie chercher une chaise et une bouteille de whisky. J'en ai profité pour jeter un coup d'œil vers les deux cents malheureux qui nous entouraient. Ils avaient repris leurs activités de soirée, parlaient, buvaient, riaient, peut-être sans soupçonner l'effroyable tristesse de leur existence. (Que de douleur et d'aigreur, sans doute, derrière ces masques hilares, que d'envie secrètement braquée vers nous. Mais qu'y pouvions-nous, Pollux et moi ?) J'ai aperçu Marthe, qui discutait avec Nono et Cédric, plus loin un autre traducteur que je connaissais, ainsi que Laure, la fille dont Marthe m'avait souvent parlé, nos regards se sont croisés brièvement, et beaucoup d'inconnus vraisemblablement accablés qui déployaient des trésors d'imagination pour ne pas se tourner vers moi, vers nous. Pollux était revenue.

Elle a rempli nos verres et le grand tourbillon de la conversation amoureuse nous a emportés comme des fétus de paille. Mais avant de m'y plonger, de m'abandonner à l'ivresse du tête-à-tête où tout paraît si simple qu'on en oublie de remercier son équipe, je dois rendre hommage à Oscar. L'apparition de Pollux pouvait être considérée comme miraculeuse – à partir d'un certain niveau d'improbabilité, le hasard s'appelle miracle. Mais, pas si fou, je ne croyais toujours pas en Dieu. Et la nature, grande maquerelle de cette seconde rencontre, est un peu trop vaste et diffuse pour que je puisse la remercier concrètement. J'avais besoin d'exprimer ma reconnaissance émue, de serrer quelqu'un dans mes bras. Oscar, donc. Voici – rapidement – comment je l'ai rencontré. C'était à l'époque où je vendais des tableaux en porte-à-porte, une dizaine d'années plus tôt.

MA RENCONTRE AVEC OSCAR

Je sonne, au dernier étage d'un immeuble de Colombes. Un type vêtu d'une espèce de longue tunique verte m'ouvre la porte, et je suis immédiatement pris à la gorge par une forte odeur d'encens.

– Viens, entre, je t'attendais.

En général, je reçois des accueils plus contrastés (« Fous le camp, j'ai déjà donné ! »). Celui-ci a l'air bien aimable. « Je t'attendais », ça doit être une formule de politesse, dans son pays. Quel pays ? je n'en sais rien. Chili, peut-être. Ou Tibet. Italie ?

– Tu viens me vendre des tableaux ?

J'étais encore plus timide, à cette époque, ça m'arrangeait bien qu'il fasse tout le travail. Comment savait-il que je venais lui vendre des tableaux ? Mon carton à dessin, sans doute. Malin, le gars. Un drôle d'air, quand même, mais aimable et malin.

– Tu peux me les montrer si tu veux, mais je te préviens, je n'en achèterai pas. Je n'ai pas d'argent et je n'aime pas la peinture.

Dans ce cas, oui, ce serait bête d'en acheter quatre ou cinq. Je ne vais peut-être pas les lui montrer, moi, je n'ai pas que ça à faire. Je n'en ai pas encore vendu un de la journée, il serait temps que je me secoue un peu.

– Non, non, entre, je t'en prie. Je vais t'offrir du thé, et on va parler de ta sœur.

Ah, c'est pratique, dans son pays : on détermine un sujet de discussion à l'avance, pour être sûr de ne pas se laisser prendre au dépourvu. J'aurais préféré qu'on parle de l'été qui approchait ou des manifestations d'agents de police, c'est moins intime, mais enfin on ne choisit pas. J'entre. C'est étrange, chez lui : tout baigne dans une sorte de fumée verdâtre, il a accroché des tentures olive partout, même sur les fenêtres, quelques animaux morts aux murs (chouettes, rats, et un genre de petit iguane), des chandeliers, tout un attirail de sorcier. Ce décor de pacotille est assez risible, mais je me sens crispé. Il me sert du thé dans une tasse qui semble dater de l'Antiquité romaine et qui n'a probablement pas été lavée depuis.

– Je m'appelle Julien.

Tiens, j'aurais plutôt misé sur Osgur ou Zaltec, moi. Je lui ai dit que mon prénom à moi c'était Halvard : il aimait bien.

– Ta sœur est malade, hein ?

Il est malin, ce Julien, c'est dingue. Il fallait le deviner, quand même, ce n'est pas si simple. Ça se voit sur mon visage ou quoi ? Depuis deux ou trois ans, ma petite sœur Pascale patauge effectivement dans les marais de la spasmophilie, une crise par jour, n'importe quand, en mobylette ou en classe, elle s'effondre en suffoquant et se recroqueville sur elle-même, on ne peut plus la toucher – ses forces sont décuplées : un jour, au lycée, elle a envoyé valdinguer trois pompiers. Son existence est un enfer. Mais d'où sort-il ça, ce monstre ? Bon. Il me parle d'elle pendant un moment, puis il me donne une petite breloque et un machin à faire brûler, et m'écrit une phrase en je ne sais quelle langue sur un morceau de papier – elle devra se balader dans sa chambre en faisant brûler son machin et en récitant le truc à voix haute, tous les jours pendant une heure. Ça va, c'est un fou. Mais je me rends compte soudain qu'il est en train de me donner une consultation pour Pascale, et l'angoisse me saisit les tripes à l'idée qu'il puisse me réclamer de l'argent – je suis pauvre comme un paillasson.

– Non, ne t'inquiète pas, je ne vais pas te faire payer. Si tu es obligé de grimper des centaines de marches par jour pour vendre ces toiles, c'est que tu n'as pas plus d'argent que moi.

Il m'enlève une drôle d'épine du pied. Mais est-ce que ce sagouin ne serait pas en train de lire dans mes pensées, par hasard ? Car je n'ai rien dit, là. Non, je perds la tête, moi aussi. Quand quelque chose me saisit les tripes, ça doit se voir sur mon visage, comme si j'étais malade. C'est tout. Après avoir réglé le problème de ma sœur, il me parle de moi. Entre autres, il me dit que je suis né en banlieue sud, que j'étais nul en français, à l'école, mais bon en maths, que je me suis cassé le poignet gauche quand j'étais petit, que mon futur métier aurait un rapport avec la langue anglaise, que ma vie va changer à partir de trente ans (heulà, j'ai l'temps), et qu'à cinquante j'aurais un gros ventre. J'ai la bouche sèche. S'il pensait à me servir une autre tasse de thé, ça tomberait à pic.

– Oui, je t'en prie, vas-y. Sers-toi.

C'est gentil comme tout, je ne peux pas dire le contraire, mais ÇA SUFFIT, MAINTENANT. Car là non plus, je n'ai pas ouvert la bouche. Et cette fois, je ne peux plus croire qu'il ait deviné mon envie de boire du thé à l'expression de mon visage – les yeux qui lancent des éclairs vers la théière, la bouche déformée par un rictus hideux, la face congestionnée par la soif. Il fait la conversation tout seul, c'est pratique, je ne peux pas dire le contraire, mais les hiboux et les rats morts commencent à me fixer d'un drôle d'air, me semble-t-il. N'aurait-il pas versé une puissante drogue dans mon thé ? Discrètement ? Non ? En tout cas, la plaisanterie a assez duré, on a bien rigolé, c'était sympa, mais je ne vais pas tarder à lui demander son truc. Car y a un truc, forcément. Mais à peine ai-je prononcé la première syllabe de ma question (le « C'est » de « C'est quoi votre truc ? ») qu'il me répond déjà :

– Je sais ce que tu vas me dire. (Tiens, comme c'est bizarre.) Tu te demandes comment je fais, hein ? (Grosso modo, oui.) C'est mon ange, qui me dit tout.

Ah, d'accord. O.K. J'avais pas compris. Et moi qui m'inquiétais… Sur ce, il se met à discuter avec son ange, qui semble être placé au-dessus de sa tête, sur sa gauche, légèrement en retrait par rapport à lui (il le regarde en lui parlant). Évidemment, je n'entends pas les réponses de l'ange, mais ils ont l'air de bien s'entendre, ces deux-là.

– Oui, comme tu dis, oui.

– …

– Non, je ne pense pas.

– …

– Ah ah ! J'ai bien le droit de m'amuser un peu, non ?

– …

– Mais oui, ne t'en fais pas, je vais lui dire.

– …

– Ah oui ? Quel genre ?

– …

– Oh, très bien. Tu es sûr ?

– …

– Bon, parfait.

Et voilà mon malade mental qui m'explique que tout le monde a un ange, bien entendu, comment on ferait sinon, mais que la plupart des gens ne le savent pas, ne l'ont pas identifié, et quel dommage pour eux. J'en ai un, donc, moi. Et son ange à lui (Atol, paraît-il) voit parfaitement mon ange à moi. Si, si, là, juste au-dessus de ma tête. Je me ratatine. Instinctivement, je regarde vers le plafond, comme si je craignais de voir un petit bonhomme dodu avec des ailes. Je ne me sens pas bien du tout. La sensation de l'épée de Damoclès. Son ange l'avertit que je ne prends pas très bien cette nouvelle, et Julien m'explique qu'il ne faut pas avoir peur ; bien au contraire, si tu savais, notre ange n'est là que pour nous aider, c'est notre meilleur ami, on peut tout lui demander, des choses très banales, comme de retrouver son chemin par hasard quand on est perdu dans une ville, ou bien plus importantes si on veut. Si on sait s'y prendre, si on a bâti une relation solide avec son ange, sur la base de la confiance mutuelle et de l'amitié sincère, il peut absolument tout faire pour nous. Au bout d'un moment, nous nous connaissons si bien qu'il devient même inutile de demander, il devine. Mais avant toute chose, il faut l'identifier. Son ange ne peut pas le renseigner sur le mien, car curieusement, un ange ne sait pas lire dans l'esprit de ses collègues. C'est donc à moi de trouver le nom de mon nouveau compagnon.

– Ce n'est pas compliqué : tu fais le vide dans ton esprit, tu ne penses à rien et un nom va s'imposer à toi. Tu auras l'impression que c'est un nom au hasard, n'importe lequel, mais ne t'y trompe pas : c'est ton ange qui se présente.

Comme je veux m'éloigner au plus vite de ce dangereux schizophrène, je prononce le premier nom qui me passe par la tête, Oscar – une heure plus tôt, j'ai entendu une mère appeler son petit garçon de sa fenêtre (« Oscar ! »), je me suis retourné, je trouvais amusant qu'un enfant de six ou sept ans s'appelle Oscar.

– Oscar.

Julien m'adresse un petit sourire entendu, en hochant la tête, comme pour dire « C'est bien, gamin, c'est bien », et trois minutes plus tard je suis sur le palier. Quand il a refermé la porte, je l'imagine lever la tête et faire un clin d'œil à son ange en murmurant :

« Je crois qu'on a fait du bon boulot, Atol. »

Je suis ravi de sortir indemne de son antre. Je change d'immeuble, et avant d'entrer dans le suivant, à tout hasard, je jette un coup d'œil par-dessus mon épaule gauche, à environ deux mètres cinquante du sol, comme je l'avais vu faire, et je dis à voix haute :

– Bon, Oscar, enchanté. Si je peux me permettre de te demander déjà quelque chose, je voudrais bien vendre un tableau à la prochaine personne chez qui je frappe.

On va bien rigoler, tiens. (Vendre un tableau, ce n'était pas du gâteau : ils coûtaient quatre cent cinquante francs, ce qui, à l'époque, représentait tout de même une somme pour les nécessiteux dont nous faisions notre cible principale – quand on en vendait deux, la journée devait être considérée comme fructueuse.) Contrairement à mon habitude, je commence par le rez-de-chaussée (j'allais toujours frapper au dernier étage d'abord, car chaque échec pèse lourdement sur les épaules du démarcheur harassé : après, il vaut mieux descendre). Le premier appartement du rez-de-chaussée est occupé par une vieille femme qui m'ouvre en peignoir. Elle m'offre des petits-beurre, un verre d'orangeade, me raconte que son fils vient de divorcer parce que l'autre traînée le trompait depuis deux ans avec son frère (c'est-à-dire son autre fils, qui n'y est pour rien, le malheureux, car cette garce sait rendre les hommes fous), elle me demande si la vie d'artiste peintre n'est pas trop ingrate quand on débute, je lui explique que si, terrible, il ne faut pas écouter ce que raconte Charles Aznavour, la bohème et tout ça, elle est bien d'accord avec moi car c'est pas demain la veille qu'elle fera confiance à un Arménien, et m'achète deux toiles.

Oscar avait mis les bouchées doubles, sans doute pour que notre relation commence sur la base de la confiance et de l'amitié sincère. Depuis, entre nous deux, c'est l'accord parfait. Bob et Bobette. Je ne lui demande presque plus rien car, comme l'a dit Julien, il sait ce qu'il a à faire.

Pour Pollux, en tout cas, il a mis un certain temps à se réveiller, mais le résultat est spectaculaire.

Je parlais avec elle, elle parlait avec moi. Nous parlions ensemble, nous vivions ensemble, exactement au milieu de tout le reste. Je n'éprouvais pas cette fameuse impression populaire que nous étions seuls au monde, mais plutôt, au contraire, que le monde entier s'harmonisait autour de nous – comme deux atomes qui tournent très vite l'un autour de l'autre, et par rapport auxquels s'organise le système planétaire. J'avais la sensation d'un échange d'énergie, une interaction nucléaire qui diffusait des ondes vers tout ce qui nous entourait. En tournant la tête pour prendre la bouteille de whisky, j'ai aperçu un couple qui s'embrassait, trois femmes qui éclataient de rire, Laure qui avalait un petit-four, les yeux pétillants de plaisir, Marthe qui touchait l'avant-bras d'un beau jeune homme, quelques personnes qui commençaient à danser – et j'avais le sentiment que nous étions à l'origine de tout cela, sans qu'ils le sachent. J'étais déjà un peu soûl. Mais même sans tenir compte de l'alcool, j'étais certain d'une chose, en profondeur : j'étais bien. Avec Pollux Lesiak, j'étais bien, j'étais normal. Je me sentais comme une lumière. Comme si elle m'avait transmis sa lumière. J'étais simple, clair, entier, avec elle.

J'envisageais notre « couple » comme si elle partageait mes sentiments, alors qu'elle discutait peut-être avec moi simplement par politesse, ou bien parce qu'elle s'ennuyait toute seule. Mais étrangement, ça n'avait pas d'importance. Ou plutôt, la question ne se posait pas. Ce n'est sans doute que bien plus tard qu'on se demande si l'amour est réciproque. Dans ces premiers instants, c'est une évidence, une intuition infaillible, la conviction d'une évidence.

Elle m'a dit qu'elle avait un peu pensé à moi, elle aussi, qu'elle était venue ici avec un ami (mon Dieu, le grand sinistre – non, un ami, qui faisait partie de la maison d'édition, il est reparti très vite car sa femme avait la grippe), elle n'a revu le grand sinistre, après notre rencontre, que deux ou trois fois, pour reprendre ses affaires, bon débarras, elle habite désormais dans le sixième, elle a quitté son poste à Beaubourg et ne travaille ni dans une piscine ni dans l'import-export crapuleux, mais en free-lance pour différentes revues, elle écrit des papiers sur les musées, les expositions, les galeries, les peintres, elle a eu quelques aventures amoureuses depuis un an, rien de passionnant, elle vient d'acheter une voiture de troisième main, une Alfa Romeo orange avec un problème de « coussinets », elle s'ennuyait un peu dans cette soirée, c'est une bonne chose que je sois là. Le reste, je ne m'en souviens plus vraiment.

Elle était rigolote. Elle était belle et bizarre. Pas belle comme dans les magazines. Plutôt particulière, déstabilisante. (En l'observant, j'ai repensé à une phrase de Baudelaire, lue curieusement quelques jours plus tôt :

« L'étrangeté est l'indispensable condiment de toute beauté. ») On se marrait bien. On parlait comme deux pipelettes, on parlait comme si on était dans les bras l'un de l'autre, on buvait beaucoup, on se touchait les mains ou les genoux de temps en temps, on riait beaucoup – les coussinets de l'Alfa Romeo orange revenaient sans arrêt dans la discussion. J'étais ivre. Quand elle riait, elle étincelait, elle rayonnait. Sans rien faire, elle devenait infinie, allait au-delà de tout. Quand elle ne riait pas, je me retenais de toutes mes forces pour ne pas me pencher vers elle et l'embrasser, car il faut tenir compte des règles de l'art. Marthe est venue se présenter à Pollux, Laure est venue nous demander une cigarette, un gros bonhomme est venu nous demander timidement un peu de whisky. On était heureux de les voir.

J'entrevoyais parfois comme des brumes de mélancolie dans son regard, très loin au fond de ses yeux sombres, les mêmes qu'un an plus tôt – mais je me trompais peut-être. Non, pourtant. Je distinguais bien des traces, les marques d'une vieille blessure, peut-être, ou de son âme noire, plus visibles à certains moments, furtives, derrière ses yeux.

Plus je me sentais bien, plus je buvais. Notre bouteille se vidait. Je me souviens de lui avoir demandé si elle voulait venir danser – tout le monde dansait. Elle préférait rester là, elle n'avait pas dormi la nuit précédente, elle se sentait fatiguée, elle aimait bien parler avec moi. Je suis allé chercher une autre bouteille, j'aurais pu boire des tonneaux de whisky. Pollux Lesiak est là. Halvard Sanz est revenu parmi nous. À la nôtre ! Je lui ai demandé une nouvelle fois si elle avait envie de danser ; je ne sais plus ce qu'elle m'a répondu. Mon dernier souvenir de cette soirée : elle approche sa chaise de la mienne, elle m'embrasse sur la bouche.

C'est elle qui m'a embrassé, je n'aurais jamais osé, même soûl. Elle a approché sa chaise, elle m'a touché le dos de la main du bout des doigts, elle m'a regardé dans les yeux, fixement, je ne peux pas oublier ces yeux immenses, sombres et denses, tout près de moi, elle m'a embrassé sur la bouche et je me suis réveillé le nez contre le plâtre.

49

Je suis un âne. Je me suis retourné comme un diable engourdi vers l'autre moitié du lit, vide. Bien sûr. Quand on ne veut pas, oui, quand on veut, non. Après avoir constaté que j'étais seul, j'ai vécu trente secondes très pénibles. Je ne savais plus ce qui s'était passé. Somnolent je revoyais Pollux Lesiak près de moi, je me sentais encore entre l'illusion et la réalité, je n'arrivais pas à me stabiliser – une sensation écœurante. Finalement, le brouillard liquide s'est dissipé et j'ai souri tout seul : oui, j'avais bien retrouvé Pollux Lesiak. Je devais avoir l'air bête et ravi, dans mon lit. Mais avant d'avoir eu deux secondes pour m'en réjouir, une nouvelle angoisse m'est tombée dessus comme la misère sur le bas clergé (c'était une expression de mon père, que je n'avais jamais vraiment comprise – mais ce matin-là, même si je ne voyais toujours pas pourquoi la misère lui tombait dessus, je me sentais très proche du bas clergé) : que s'était-il passé ?

J'avais revu Pollux, c'était une certitude, nous avions discuté comme deux amoureux sans souci, elle m'avait embrassé sur la bouche, et ensuite ? Je me souvenais confusément d'avoir dansé. Et puis ? Pourvu que je n'aie pas fait de bêtise. Pourvu, par exemple, que je ne me sois pas mis à la tripoter comme une pieuvre lubrique. Que je ne me sois pas enfui à toutes jambes, comme lors de la soirée chez ma sœur. Pourvu que j'aie dit au revoir bien poliment, avec tendresse mais retenue, en pensant à ajouter quelque chose comme « À bientôt ? » ou « On s'appelle ? » (même « Au revoir, Pollux », ça m'irait – tout plutôt que « Je me tire, j'ai envie de vomir » ou « Viens chez moi, j'ai du Mozart »).

Je suis un âne. Je fixais le plafond d'un œil globuleux et déconfit, quand soudain, mes sens gourds ont repris connaissance et le printemps a explosé dans ma chambre. Les oiseaux, les bourgeons, le soleil, j'entendais un bruit dans la salle de bains. Un bruit d'eau. De douche. Ô douce musique de jardin d'Éden, quelqu'un prenait une douche. Pollux Lesiak prenait une douche. Halvard, tu n'es pas un âne, tu es un tigre du Bengale. Un virtuose ! Même sans tous mes esprits, en ne fonctionnant que sur mon élan, pour ainsi dire, j'avais réussi à la convaincre de venir partager mon enthousiasme, j'avais réussi à organiser notre nuit de noces. Ou plutôt, Oscar avait dû se charger de la suite des opérations. Mes respects, maître. Et tant pis si Mozart avait quoi que ce soit à voir là-dedans, seul le résultat compte. Et le résultat, c'est que la femme que j'aimerai jusqu'à la fin de tout est en train d'onduler des fesses sous l'eau chaude dans ma baignoire.

Est-ce qu'on a… ? Hein ? Je n'ai mal nulle part, cette fois, mais je sais bien que Pollux ne me ferait pas mal – car tout est calculé, sur terre, c'est connu, et la cavité vaginale de la femme de notre vie ne peut être que parfaitement adaptée à notre membre viril. C'est comme le soulier de Cendrillon, il n'y a pas de mystère. L'harmonie intime, ça s'appelle. Alors peut-être avons-nous…, oui, si ça se trouve, ce serait chic de notre part. Mais si nous n'avons pas, qu'importe ! Seuls les sentiments comptent, et fi du rapport ! J'ai dormi dans les bras délicats de mon épouse, le reste n'a aucune importance.

En me levant, je me suis aperçu qu'il y avait du sang sur les draps. Pas mal de sang. Bon, une autre, ça m'aurait peut-être un peu refroidi au réveil, on ne peut pas se montrer toujours très gentleman, il faut avouer que ça remue, parfois, ça dépend des filles et des moments – mais Pollux, loin de là. Son sang, c'était ce qui la faisait vivre. Je l'aurais remercié de vive voix, ce sang sur les draps, s'il avait eu des oreilles.

J'ai titubé jusqu'à la porte de la salle de bains. À l'intérieur, elle chantonnait sous la douche. Normal. Elle venait de passer une nuit dans les bras puissants de son époux. Peut-être même avait-elle subi ses fougueux assauts. Il y a de quoi chantonner. Comblé d'aise (et sans doute avec la tête qui correspond), j'ai frappé.

– Oui, entre !

La voix du bonheur. Le chant cristallin de l'accord d'amour.

Je suis entré, et je suis ressorti à toute allure. C'est du moins ce que j'aurais aimé faire. En réalité, je suis entré et je n'ai pu m'empêcher de reculer d'un pas et de pousser un petit cri d'horreur, avant de me ressaisir et d'essayer de faire comme si de rien n'était – mais bien sûr, trop tard, j'avais déjà poussé mon cri d'horreur (je m'en veux terriblement, d'ailleurs, mais on ne peut pas tout contrôler instantanément (j'avais réussi à ne pas détaler en agitant les mains vers le ciel, ce n'était déjà pas si mal)).

Si la personne nue qui se tenait debout face à moi dans ma baignoire était Pollux Lesiak, moi j'étais Ray Charles. J'ai mis un certain moment à réaliser qu'il s'agissait de Laure, la fille dont Marthe m'avait souvent parlé. (Entre une personne que l'on voit dans une soirée, en robe longue, lorsqu'on n'a pas l'esprit très clair, et une personne que l'on voit nue et mouillée dans la lumière blanche et crue d'une salle de bains, le rapprochement n'est pas toujours évident à faire.) Elle n'était pas plus belle qu'une autre, voilà ce que je peux dire pour rester sport. Terrassé par la déception très cruelle, j'étais quasiment sur le point de vomir (non pas à cause de son apparence, je ne suis pas goujat à ce point, mais sous l'effet du choc). Fi du rapport ? Non point. Une main sur la poignée de la porte pour me tenir, je devais la dévisager en écarquillant les yeux, la bouche ouverte. Elle ne l'a pas très bien pris, elle est partie fâchée, et je ne peux pas lui en vouloir.

Après Nadège Monin, c'était la deuxième fois que je me réveillais en espérant découvrir Pollux Lesiak nue chez moi – et que je me trompais. Cette fois-ci, pourtant, les probabilités semblaient plutôt de mon côté. Pas de chance, hein.

Je viens de retrouver Pollux après plus d'un an de désespoir et d'errance, elle pose ses lèvres chaudes et molles et sucrées sur ma bouche, ses lèvres au whisky, et je me débrouille pour en ramener une autre chez moi. *In vino veritas* ? Quel est l'abruti de soi-disant philosophe qui a pondu une ineptie pareille ? Si mon vrai moi préfère réellement coucher avec des inconnues sans grâce dont je me soucie comme de l'an trente-neuf plutôt qu'avec ma fiancée mythique, je n'ai plus qu'à le jeter sous un train. *Errare humanum est*, bon, peut-être, mais il me semble que *perseverare diabolicum* – je n'en étais pas à ma première bourde (et cette fois, non seulement elle me faisait indéniablement un certain tort, mais en plus il fallait tenir compte de la peine de Laure (ce qui n'a rien à voir avec la laine de porc, puisque ça n'existe pas, sauf peut-être sur certaines espèces polaires), qui devait être en train de me maudire, en se dirigeant vers le métro, dans le froid, et de s'en vouloir à mort d'avoir accepté la proposition bestiale d'une telle ordure).

Qui a dit qu'il y avait un bon Dieu pour les ivrognes ?

Je me suis empressé de fourrer les draps ensanglantés dans la machine. S'il avait eu des yeux, ce sang, je n'aurais pas pu affronter son regard.

Ce n'est qu'en appuyant sur le bouton « Marche » que j'ai compris que je venais de perdre Pollux Lesiak à tout jamais.

50

Je n'ai jamais revu Laure, je n'ai donc pas pu savoir ce qui s'était exactement passé ce soir-là. Quant à Marthe, que j'ai appelée aussitôt, elle était presque aussi soûle que moi et ne se souvenait même pas de m'avoir vu partir. Comment avais-je pu commettre un acte aussi stupide ? Halvard Sanz est bel et bien revenu parmi nous. Les questions se pressaient dans ma tête et couraient en tous sens comme des cafards dans une cuisine sale. Comment en étais-je arrivé là ? Je m'étais levé et lui avais dit « Tu m'excuses, je m'ennuie, je préfère aller m'envoyer l'autre, là-bas » ? J'étais parti danser, puisqu'elle n'avait pas envie et que c'était apparemment une obsession pour moi, et je n'étais jamais revenu m'asseoir près d'elle ? Elle était partie avant ? Après m'avoir embrassé, elle avait décidé que ça ne valait pas tellement le coup, elle m'avait salué froidement et, effondré, je m'étais rabattu sur le premier morceau de chair venu ? Sur la fille la plus sympathique et la plus accessible ? (En effet, je me souvenais mainte-nant que Laure regardait souvent dans ma direction, pendant la soirée.) J'avais été encore plus odieux que je ne pensais, me vautrant sous ses yeux entre les seins volumineux de Laure, en misérable guignol baveux, gorgé d'alcool et de vice ? Mais une question dominait toutes les autres, comme le roi des cafards, perfide et dodu, qui piétine ceux qui grouillent au fond de l'évier : « Pourquoi ? »

J'étais taré, pas d'autre explication. J'avais un défaut dans la tête. Ou bien je cherchais inconsciemment à me détruire. Mais quelle que soit la cause de cette situation absurde et douloureuse, voilà : j'avais laissé repartir Pol-lux, j'avais raté la seconde chance qui m'était offerte.

NE CROYEZ PAS DUR COMME FER
EN UNE TROISIÈME CHANCE

J'aurais volontiers demandé à la nature de modifier un peu ses lois, à titre exceptionnel, mais je crois savoir qu'elle est impitoyable.

Je suis allé fouiller dans ma veste et dans mon sac, comme après chaque nuit amnésique, pour y chercher des traces de mon délire, peut-être un numéro de télé-phone griffonné sur un morceau de papier, rien n'est impossible. Mais tout ce que j'ai trouvé, au fond de mon sac, c'est un ticket de distributeur automatique. J'avais retiré deux cents francs à la BNP de Bastille, à 3 h 46.

D'après mes souvenirs, quand je discutais avec Pollux ma femme, il était onze heures ou minuit. Ensuite, plus de trois heures d'errance blanche. L'horreur intégrale, comme disent nos jeunes.

J'étais un homme fini.

Ce n'est qu'en fin d'après-midi, alors que je m'étais installé au fond du Saxo Bar pour écrire à Catherine et lui raconter mon drame, que j'ai trouvé les mots suivants inscrits de ma main de poivrot dans mon bloc-notes :

Pollux Lesiak

27, rue Vavin

Suivait un numéro de téléphone que les dix meilleurs graphologues du monde, réunis en équipe de crise, n'auraient pas réussi à déchiffrer.

Il y a un bon Dieu pour les ivrognes, d'accord. Que son nom soit sanctifié.

Aussitôt, sans réfléchir, j'ai commencé à lui écrire.

Pollux,

Ma main tremblait – à cause de la gueule de bois, sans doute, mais aussi de l'émotion et de la peur. Qu'est-ce que j'allais bien pouvoir écrire ? « Excuse-moi si je me suis trompé de fille, hier soir, en partant » ? « J'espère que tu comprends bien que cette fille ne compte pas pour moi, c'était purement physique » ? « Salut chérie, t'es libre ce soir ? J'ai une petite qui s'est décommandée, là » ? Et si elle était partie avant le drame ? Si nous nous étions quittés dans les meilleurs termes possible, après un baiser atomique de vingt minutes, et que je n'aie commencé mes idioties qu'après son départ ? J'aurais l'air fin, en lui demandant de ne pas m'en vouloir de l'avoir trompée avec la première venue. Non, tant pis, nous étions à l'orée d'une histoire qui allait durer trente ans au bas mot, une histoire simple et belle – pas de toc

242

entre nous. Je devais assumer et prendre un risque : être sincère.

Fébrile, les mains moites et l'estomac retourné, je me suis donc lancé dans la rédaction d'une lettre confuse et maladroite, dans laquelle je lui expliquais que je ne me souvenais de rien, que j'avais trouvé avec stupeur une autre fille qu'elle dans ma baignoire, que j'étais atterré, que je ne parvenais pas à relire son numéro de téléphone et que je m'en voudrais jusqu'à la fin des temps, sauf si elle me pardonnait. De temps en temps, j'essayais d'être drôle, pour ne pas paraître trop minable à ses yeux, le chien idiot qui vient lécher les bottes de sa maîtresse, mais mes pauvres blagues tombaient à plat. J'ai réécrit quatre ou cinq fois cette lettre. Thierry, le barman le plus attentif d'Europe, qui s'était aperçu que je n'étais pas dans mon état normal, m'offrait régulièrement des bières qui me retapaient et me donnaient du courage. J'ai fini par me décider à arrêter, je voulais que la lettre parte avant la levée de 15 h 30 (c'était un samedi), je suis allé la poster en promettant à Oscar de lui dresser un petit autel dans ma chambre s'il se débrouillait pour qu'elle soit bien accueillie, et quand elle est tombée dans la grosse boîte jaune, j'ai compris que je ne pouvais plus revenir en arrière, que la suite de ma vie terrestre – sentimentale en tout cas, mais bien des choses tournent autour – allait en partie dépendre de l'enveloppe qui se trouvait maintenant prise au piège dans cette boîte jaune.

Je n'ai cessé d'y penser une demi-seconde pendant cinq jours. Finalement, ce n'était pas une si mauvaise idée, d'avoir joué la franchise, qui s'avère parfois plus habile et sournoise que le mensonge. Les aveux de ma lettre étaient à double tranchant : d'un côté, je lui montrais l'air de rien qu'il ne fallait surtout pas qu'elle croie que tout était gagné d'avance, qu'elle ne me fascinait pas au point de me faire oublier les autres filles et les plaisirs intenses qu'elles apportent à l'amateur ; de l'autre, je lui avouais très directement mon amour et ma vive envie de le vivre de manière un peu plus prosaïque, en lui faisant part du profond désarroi qui m'avait saisi lorsque je m'étais aperçu de ma méprise. Ça pouvait marcher, ou s'avérer désastreux, je n'en avais aucune idée. La gloire ou le caniveau.

Je commençais à trouver le temps long. Je lui avais donné mon adresse et mon numéro de téléphone dans la lettre, et cinq jours s'étaient déjà écoulés. Elle aurait pu appeler, tout de même. Juste pour dire « Fous-moi la paix », tant pis. Mais imaginons qu'elle fasse partie de ces personnes qui n'aiment pas laisser de messages sur les répondeurs – ah c'est possible, je regrette –, qu'elle ait appelé sept ou huit fois déjà et que, frappé par cette malchance gluante qui me poursuit, j'aie choisi ces moments-là pour descendre acheter des cigarettes ou boire un café. Eh oui. Rien n'est à écarter. Même si… Nous sommes jeudi soir, bon. Elle a dû recevoir la lettre lundi, imaginons qu'elle ait laissé passer la nuit pour digérer, c'est normal, elle poste sa réponse mardi… Eh non, j'aurais dû l'avoir mercredi. Aujourd'hui, au pire, si elle a raté la dernière levée de mardi. Et pourtant : rien. Si, une facture de téléphone, hier. C'est mieux que rien. Oui mais imaginons deux secondes que j'aie raté la levée de samedi, moi. Et qu'elle ait raté celle de mercredi, elle. Ça finit par faire beaucoup de ratages, mais qui s'en étonnerait ? J'aurai peut-être une réponse demain.

Et le lendemain, j'ai trouvé une enveloppe dans ma boîte aux lettres. Je ne connaissais pas l'écriture. Féminine. La lettre avait été postée dans le sixième arrondissement. Je suis allé m'asseoir au Saxo Bar pour l'ouvrir. Thierry m'a demandé ce que je voulais boire, en me regardant d'un drôle d'air – je devais être pâle comme un linge. Un whisky. Il n'était pas encore midi, mais ça va pour tout, le whisky : ça peut accentuer la joie ou atténuer la tristesse, au choix. J'ai tâté l'enveloppe. Manifestement, ce n'était pas une lettre. Ni même une carte. C'était quelque chose de carré, plat, léger. Je regardais mes mains. Ouvrez. Ne prenez pas cet air de gourdes. Ça ne va pas vous manger. Regardez-moi ça, vous êtes toutes frémissantes, on dirait des jeunes filles avant leur premier bal.

Elles se sont jetées à l'eau, bravement. À l'intérieur, il y avait un Polaroid : Pollux Lesiak qui faisait une petite grimace. À mourir. La matérialisation du charme insaisissable qui renverse, la preuve par l'image, évidente et claire : ce visage à la fois candide et lucide, cette grimace provocante, voilà pourquoi tous les hommes courent après toutes les femmes depuis des millions d'années sans jamais réussir à les toucher. Parce qu'elles sont plus avisées qu'eux, parce qu'elles sont plus courageuses, plus clairvoyantes, plus sages, plus folles, parce que, lorsqu'elles regardent devant elles, toutes les femmes ont de la lassitude dans les yeux et de l'envie par-dessus, la résignation et le défi en même temps – elles sourient, et le pauvre bonhomme ne comprend rien. Lui, soit il sait qu'il ne faut rien attendre de l'existence, reste assis et devient cynique ; soit il croit bêtement que l'on peut arriver à quelque chose, se lance à l'assaut en brandissant son glaive et tombe dans le vide – et personne ne l'entend crier dans sa chute. Elle, les deux en même temps : elle sait qu'il ne faut rien attendre de l'existence, mais se lance à l'assaut malgré tout, juste pour vivre, sans peur puisqu'elle ne risque pas de tomber. J'allais essayer de faire pareil. Et d'abord, je devais arrêter de raisonner, et agir. Oui, j'allais courir après Pollux et essayer de la toucher. En dessous de la photo, sur la partie blanche, elle avait écrit son numéro de téléphone au feutre noir.

Je l'ai appelée le lendemain – de la mesure, bonhomme, on a le temps, on a le temps. Je suis resté vingt minutes à fixer mon téléphone comme s'il était possédé, j'ai décroché dix fois le combiné, composé six ou sept fois son numéro jusqu'à l'avant-dernier chiffre, je respirais à toute vitesse – avec la sensation d'avoir des poumons de la taille de ceux d'un rat –, j'avais des palpitations de claustrophobe, tout le sang du corps dans les oreilles, mais je ne pouvais plus reculer. Je me sentais affreusement faible, l'homme le plus vulnérable et le plus stupide de ma génération.

Qu'est-ce que j'allais lui dire ? « Allô, Pollux ? » Pas mal, ça. Simple, efficace, savant mélange de flegme et d'assurance. Et ensuite ? « Ça va ? » Tiens, pourquoi pas ? « Ça va ? » Oui, ça sonne bien. On sent le type décontract. En travaillant bien l'intonation, on peut même y glisser une note un peu espiègle, je ne sais pas, quelque chose qui dénote une certaine complicité, avec un sous-entendu mystérieux en filigrane, n'importe lequel. « Ça va ? » O.K., on laisse comme ça. Voilà déjà une chose de réglée. Maintenant, le gros morceau : il faut que je me présente. Allons, ça ne doit pas être la mer à boire. Qu'est-ce que tu dirais de « C'est moi », par exemple ? Non. Prétentieux. Le type qui se croit seul dans sa catégorie, ou qui suppose qu'elle est tellement moche qu'elle ne doit pas en rencontrer souvent, le type qui se sait attendu : très mauvais. « C'est moi », on raye. Ça déblaie déjà bien le terrain, on y voit plus clair. Qu'est-ce qui nous reste ? « C'est Halvard Sanz » ? Ouais, bof, moyen. C'est froid, c'est officiel. On dirait que je téléphone à mon dentiste – ou que je dis « C'est Clint Eastwood ». On oublie. Pourquoi pas « C'est monsieur Sanz », tant qu'on y est ? On oublie, on oublie. Bien. Bon. Voilà. Très bien. Oui oui oui. Voilà. On commence à voir le bout du tunnel. Il ne nous reste plus grand-chose, la décision va se faire toute seule. « C'est Halvard », qu'est-ce que tu en penses ? C'est direct, c'est amical, c'est sympa. Attends, je te le refais en entier. « Allô, Pollux ? Ça va ? C'est Halvard. » Sympa, non ? Modeste, mais fort, en même temps. Ça a la pêche, comme ça, je trouve. Hein ? À moins de mettre « C'est Halvard » avant « Ça va ? » Ça peut être sympa, aussi. « Allô, Pollux ? C'est Halvard. Ça va ? » Ça rapproche un peu nos deux prénoms. On entend « Pollux… Halvard… ». Inconsciemment, dans son esprit, ça peut jouer. Et puis ce qui est très pratique, c'est que des Halvard, elle ne doit pas en connaître une ribambelle. « C'est Halvard », zoum, elle me remet. Enfin, j'espère. Parce que si je dis « Allô, Pollux ? Oui, bonjour, c'est le grand nigaud à l'air un peu perdu, à l'appareil. Tu sais bien, celui qui te percute en pleine rue et qui te poursuit avec un tabouret, celui dont l'appartement est envahi par une horde d'abrutis. Mais si, voyons, celui qui va se jeter dans les bras d'une autre quand tu l'embrasses sur la bouche ! » ça risque de me rabaisser un peu. Bon, de toute manière, il faut que je sois spontané. En amour, on ne calcule rien, je pense.

J'ai fait un petit essai de voix, quand même, pour être sûr. Ça n'a pas marché du tout. « Allô, Pollux ? C'est Halvard. » Une catastrophe. On aurait dit un rossignol qu'on étrangle. J'ai recommencé : encore raté. Un taureau enroué. Ni trop aigu ni trop grave, essayons de trouver un juste milieu – en règle générale, je n'étais pas très doué, dans l'exercice du juste milieu. J'ai tout de même réussi à poser ma voix à mi-hauteur mais, bien que ce ne soit pas une réplique d'une très grande complexité technique dans le domaine de l'art dramatique, je parlais faux. Jean Richard dans ses plus grandes interprétations de Maigret. Elle allait se rouler par terre en m'entendant, c'était couru.

Alors j'ai décidé de me jeter dans le vide sans filet. Il est des moments dans la vie où il faut savoir prendre des risques inconsidérés, si l'on veut réussir quelque chose de grand. Je me suis fixé Le Vaillant Petit Tailleur comme point de mire et j'ai composé le numéro de Pollux en entier. Je ne suis pas un calculateur, je ne suis pas un épicier, je fonce. Ça sonnait. J'étais suspendu au-dessus du vide. Ça sonnait. Je ne respirais plus. Caracas me regardait d'un œil inquiet. Ça sonnait. Plus aucune de mes fonctions vitales ne répondait. Tout au fond de mon cerveau, un vaillant petit neurone a tout de même réussi à prendre une décision : je me baserais sur le principe du jeu radiophonique. S'ils raccrochaient au bout de la quatrième sonnerie, à la radio, ce n'était pas pour rien. Ils avaient dû faire des études spéciales sur les habitudes décrochatoires des Français. À quatre, ça signifie clairement qu'il est inutile d'insister. Pourvu qu'elle ne réponde pas. Pitié, pitié. Je rappellerai une autre fois, à tête reposée. Normalement je suis bien dans ma peau, mais là, je ne sais pas ce qui se passe, je me sens chose, ce serait bête de gâcher notre premier rendez-vous téléphonique à cause d'une indisposition passagère. Plus qu'une sonnerie. Je pourrais même raccrocher maintenant, elle n'habite sûrement pas dans un château. Non, elle n'est pas là. Et puis à la radio, ils disent quatre pour être bien sûrs, mais…

– Allô ?

Qu'est-ce que c'est que ce bruit ? Qui a parlé ?

Elle sortait de sa douche.

Je l'imaginais ruisselante, comme le jour de notre première rencontre. Et peut-être nue. Près du téléphone. J'étais très ému.

Nous n'avons pas discuté longtemps, car elle avait froid (nue, j'en mettrais ma tête à couper). Elle semblait aussi intimidée que moi (peut-être parce qu'elle était toute nue, c'est gênant), ce qui m'a fortement déconcerté (heureusement que je n'avais rien prévu de spécial à dire, sinon j'aurais perdu tous mes moyens). Comment pouvais-je impressionner cette fille, moi ? Ou alors c'était le froid qui lui faisait trembler la voix… (Souvenons-nous qu'elle était probablement NUE.) Je lui ai demandé timidement si on pouvait se voir un de ces jours et elle m'a répondu timidement que oui d'accord. J'ai proposé dimanche soir (le jour de mon anniversaire), elle ne pouvait pas, lundi soir, lundi c'était très bien, mais si ça ne m'ennuyait pas elle préférait le matin. Pardon ? Oui, elle trouvait que ce serait amusant, le matin, on prendrait le petit déjeuner ensemble, ce serait autre chose. (Ah oui, ce serait autre chose, oui. Je n'étais déjà pas très à l'aise quand je dînais avec une fille, il fallait que je me concentre pendant tout l'après-midi et que je boive trois ou quatre verres pendant le repas pour me sentir au meilleur de ma puissance séductrice, alors là, n'y pensons même pas fugitivement – si j'apportais une bouteille de vin rouge au petit déjeuner pour me décoincer, ce ne serait pas naturel.) Elle m'a dit que ce serait mieux, d'autre part, car elle pressentait toujours que j'avais une idée derrière la tête (oh ! elle se souvient de nos premiers mots !) : il était sans doute plus sage de ne pas tenter le diable en nous côtoyant trop près de la nuit (oh ! cette phrase, la manière dont elle la prononce, c'est exactement comme si elle me murmurait à l'oreille : « Fais-moi tout ce que tu voudras » !). (Je me liquéfiais littéralement sur mon fauteuil.) Et puis comme ça, on pourrait passer toute une journée ensemble (oh ! comme elle a raison, quelle perspective délicieuse !). Même si je paniquais d'avance à l'idée de ce rendez-vous matinal, j'ai dû me contenir pour ne pas hurler « Oui, avec plaisir ! » (dit en hurlant, ça ne doit pas bien rendre, d'ailleurs – je me suis tellement contenu qu'elle a sans doute eu l'impression que j'acceptais du bout des lèvres, en pensant à autre chose, pour éviter les complications d'un refus). Comment une créature pareille pouvait-elle me proposer de passer une journée entière avec elle ? Comment pouvait-elle nourrir ne serait-ce qu'un soupçon d'intérêt pour moi ? Mystérieuse nature.

Après avoir raccroché, je suis resté immobile près du téléphone pendant une minute. Je pensais à elle. Elle venait de raccrocher son téléphone, elle aussi. Elle le fixait pendant quelques secondes, peut-être. Toute nue, encore mouillée, elle allait chercher une cigarette sur la table du salon. Elle l'allumait distraitement, en regardant le toit des immeubles par la fenêtre. Elle pensait à moi.

51

Je n'avais pas dormi de la nuit. La veille au soir, j'avais
fêté mon anniversaire chez mes parents, sobrement, partagé entre angoisse folle et bonheur dingue (j'ai plusieurs
fois pensé à Nadège Monin, qui devait aussi fêter le sien
quelque part. Où ? Que faisait-elle ? Ne s'était-elle pas
volatilisée, désintégrée en sortant de chez moi ?) Maintenant, mon radioréveil marquait 6 : 51. Depuis 1 heure du
matin, je m'étais déjà tourné trente fois vers ces saletés
de chiffres verts qui me ricanaient au visage, trente fois
vers le mur, j'avais essayé trente fois de m'endormir sur
le ventre, et dix seulement sur le dos car je sais bien que
ça ne marche jamais. Nous avions rendez-vous à 9 h 30
dans un bar de Montparnasse. Je prendrais le métro,
pour voir une dernière fois mes contemporains avant de
passer dans l'autre monde, hors du temps. Il fallait que je
parte de chez moi vers 8 h 45, pour y aller tranquille, les
mains dans les poches, pouvoir flâner un peu sur les
quais du métro, boire un Perrier à la machine, me
détendre. Il fallait donc que je me lève à 7 h 30, pour
prendre une bonne douche, boire un bon café, écouter
un bon disque, bien me détendre, surtout, et bien me
réveiller. Question réveil, pour l'instant, ça allait. Je ne
devais surtout pas m'affoler : il me restait trente-cinq
bonnes minutes de sommeil devant moi. Largement de
quoi me refaire une santé. Depuis minuit, j'avais tout
essayé. J'avais imaginé que j'étais champion du monde
de boxe, star du basket, jockey en Angleterre, magicien
de foire au Moyen Âge et bâtisseur de temple en Égypte,
j'avais compté les moutons jusqu'à cinq cents, puis les
éléphants jusqu'à douze, c'est vraiment le moyen le plus
sûr de ne pas s'endormir (chacun a sa petite particularité, ça tient l'attention en éveil), j'avais tenté de faire le
vide dans mon esprit mais c'est aussi difficile que de vouloir chasser dix mouches d'une pièce, il y avait toujours
une pensée qui entrait par une fenêtre pendant que j'en

rabattais une vers la porte, deux qui se mettaient à tournoyer autour de la lampe, dans mon dos, pendant que j'en écrasais une avec un journal, j'avais essayé de penser à n'importe quoi sauf à la journée que j'allais passer avec Pollux, en vain (« Une journée entière avec elle », il y avait dans ces mots, peut-être phonétiquement, une sensation de soleil qui m'empêchait de glisser vers l'ombre).

0 : 58 – 1 : 41 – 2 : 17 – 3 : 10 – 3 : 33 – 4 : 07 – 5 : 06 – 5 : 58 – 6 : 51

J'avais envie de le massacrer, ce réveil. Chaque fois que je jetais un coup d'œil vers le cadran, priant pour que l'heure n'ait pas trop avancé, je me disais : « Bon, allez, maintenant on ne rigole plus, il est grand temps de dormir. Je ne regarde plus ce réveil jusqu'à ce qu'il sonne. » À 4 h 07, l'idée m'était venue d'aller chercher les somnifères dans la salle de bains, il n'y avait plus d'autre solution. Mais trop tard. Si je prenais un cachet maintenant, il ferait effet au moins jusqu'à midi. Je ne voulais pas que Pollux prenne son petit déjeuner avec un paquet de coton pour vis-à-vis.

À 7 h 15, j'ai décidé de me lever – je risquais de m'endormir à la dernière minute et de ne pas entendre la sonnerie du réveil. Mes yeux me brûlaient, la peau de mon visage était irritée, j'avais des courbatures dans les jambes, les reins et les épaules, et une énorme bulle de vide dans le corps – comme si je n'avais fait que fumer depuis trois jours, sans manger (je n'aurais pourtant pas pu avaler une demi-noisette, j'avais la nausée).

Parfait, j'étais dans les meilleures dispositions possible pour aller séduire une fille – je me sentais sous terre, aussi pimpant et attrayant qu'un ver grisâtre.

Les raclements de vieille gorge de la cafetière entartrée me donnaient des envies de meurtre. À la télé, le présentateur de l'émission matinale paraissait encore complètement bourré de la nuit. J'ai donné une tranche de jambon à Caracas, qu'elle a vomie presque immédiatement après l'avoir avalée, sur le téléphone – les morceaux roses à peine mâchés baignant dans une sorte d'albumine diluée. Je n'ai pu boire qu'une gorgée de café, au risque de l'imiter. Le rasoir électrique m'éraflait les joues. La brosse à dents trop dure me meurtrissait les gencives. Le radiateur de la salle de bains était de nouveau détraqué, et, juste au moment où la chance revenait, où je n'étais plus qu'à quelques mètres de Pollux Lesiak, je n'aurais essayé de le réparer pour rien au monde. J'avais froid. Le jet de la douche était trop fort, le calcaire de l'eau me lapidait. Je repensais à Laure, dans cette baignoire quelques jours plus tôt. L'heure tournait. La serviette-éponge était encore humide de la veille, froide.

Arrête de geindre. Tu as rendez-vous avec ta belle.

Oui, mais qu'est-ce que je vais lui dire ? C'est terriblement long, une journée entière.

De quoi vais-je parler ? C'est facile, comme ça, de loin. Mais quand on est sur le terrain, c'est une autre paire de manches. Il faut trouver des choses à dire du tac au tac, parce que si on réfléchit pendant dix minutes en regardant par la vitre du café et en tapotant nerveusement la table du bout des doigts, ça casse notre image. Et puis pas le droit à l'erreur, attention. Si je lance un sujet – les élections, par exemple – et qu'elle ne me répond pas, qu'elle fait juste « Mm mm », je me retrouve dans une drôle de panade. Soit je continue tout seul et je la soûle avec un monologue d'une demi-heure sur les chances du parti socialiste dans la région Centre (pendant tout ce temps, une seule phrase résonne dans sa tête : « Il faut à tout prix que je me sorte de ce guêpier »), soit je ne continue pas et c'est à peu près comme si j'avouais : « J'ai lancé ce thème au hasard parce que je cédais à la panique, mais je comprends bien que ça n'intéresse personne, c'est d'une lourdeur hors du commun et mieux vaut passer le plus vite possible à autre chose, si tu as une idée. J'ai bien le mutisme désolant des intellectuels dans la société d'aujourd'hui, mais je ne sais pas si ça ne va pas nous plonger dans une profonde torpeur » (et pendant ce temps, une seule phrase résonne dans sa tête : « Et si je simulais une violente rage de dents pour pouvoir filer ? »). En cas de blocage total, de néant sonore absolument insurmontable, il y a toujours la ficelle classique : « Ce que j'aime, avec toi, c'est qu'on n'a pas besoin de parler sans arrêt. La plupart des gens bavardent, bavardent, comme s'ils avaient peur de passer pour des imbéciles en ne disant rien. Avec toi, je ne me sens pas en représentation permanente. Ça fait du bien, je t'assure. » Mais c'est une astuce assez connue, qui ne fait que rarement illusion (souvent, une seule phrase résonne dans la tête de l'autre : « En effet, on ne peut pas vraiment dire qu'on parle sans arrêt... »). De quoi vais-je parler ?

Elle aura peut-être deux ou trois choses à dire, elle aussi, non ?

Mais si je passe toute la journée à l'écouter, je vais avoir l'air de quoi ? Non, il faut que je trouve des sujets. Le mieux, ce serait que je prépare un genre de petite liste – mentale, hein, je ne suis quand même pas si cloche (et puis ce serait trop risqué) – et que je lance les différents sujets à l'occasion, comme si des idées me tombaient sans arrêt du ciel. Que je fasse un peu le type brillant, quoi. Bon, mais qu'est-ce que je mets, dans ma liste ? Ni les élections, ni le silence des intellos. Je ne vais quand même pas lui parler de mon métier ? Si je commence à lui expliquer l'importance des numéros à la corde dans les boîtes de départ sur les 1 400 mètres de la nouvelle piste de Longchamp, avec arrivée au deuxième poteau, elle s'endort sous mes yeux et je ne sais plus comment réagir. (Tiens, à propos, j'avais un pronostic à rendre pour aujourd'hui, moi. Je vais laisser un message sur le répondeur du journal. 4, 12, 17, 3, 2, 14, 9, 1, ça ira très bien.) Une chose qui n'est plus à prouver, c'est qu'il ne faut pas que je parle de mes fiancées précédentes. C'est archiconnu, ça. Ne jamais se laisser aller à ça avec une fille, ça l'assomme ou ça la met dans une rage noire. Tout le monde le dit. D'autant que, dans ce cas précis, Pollux m'a vu deux fois dans sa vie : la première, Cécile me bavait dans le cou ; la seconde, je bavais dans le cou de Laure. Je dois également éviter tous les thèmes comme la mort, la maladie, le suicide, l'avortement, le viol, car – hormis le fait que ça n'injecte pas franchement de la gaieté dans la conversation – on ne sait pas trop à qui l'on parle, ça peut très, très mal tomber. Je suis bloqué aussi au niveau de mes goûts musicaux, car j'aime principalement la variété française ringarde (le jazz, ça n'a pas bien pris), et à moins d'un coup de chance extraordinaire, je risque de passer pour une andouille. Il neige ce matin, mais il est HORS DE QUESTION de prononcer un seul mot sur le temps qu'il fait. Bon, alors quoi ? Je suis fichu, c'est ça ? Je n'ai rien à dire.

J'improviserai.

J'espère que je sais improviser.

52

Comme j'étais en avance, je suis descendu à Saint-François-Xavier pour respirer l'air frais et marcher dans la neige. Marcher dans la boue, pour être exact (mais « Je suis descendu à Saint-François-Xavier pour marcher dans la boue », c'est une vision moins encourageante, ça ne m'allait pas). Le manque de sommeil et le trac me coupaient les jambes et me retournaient l'estomac. En passant devant une boulangerie « de tradition », j'ai pensé que grignoter quelque chose ne pouvait pas me faire de mal, après tout : il fallait que je retrouve du tonus avant d'arriver à Montparnasse. J'ai acheté une part de flan nature, je l'ai avalée en continuant à marcher, et en un clin d'œil, avant que j'aie pu comprendre ce qui m'arrivait, j'ai vomi dans la boue, devant tout le monde. Si j'avais été une femme, j'aurais pu regarder mon ventre d'un air gentiment réprobateur (l'air de dire au bébé : « Tu m'en fais voir de toutes les couleurs, toi, tu sais »), mais en tant qu'homme, pris au dépourvu, je n'ai rien trouvé d'autre que de sortir mon bloc-notes de mon sac matelot, me retourner vers la boulangerie et faire semblant de noter l'adresse en secouant la tête de droite à gauche, l'air de dire : « Et tu appelles ça " de tradition " ? Attends, tu vas voir. Toi, tu peux être sûr que je t'enlève une brioche d'or dans mon *Guide des Boulangeries de France*, l'année prochaine. »

Étape suivante : la pharmacie. Elle semblait « de tradition », elle aussi (le quartier voulait ça). J'ai acheté de l'aspirine, un excitant à la caféine, de la vitamine C, des cachets contre la nausée, du dentifrice et une brosse à dents souple. La médecine ne pouvait rien contre le trac (l'alcool oui, mais encore une fois, pas le matin), mais contre tout le reste, peut-être. Étape suivante : un bar (absolument pas de tradition, une grande brasserie clinquante, faussement luxueuse, aussi accueillante et chaleureuse qu'une salle d'embarquement à Roissy). J'ai commandé un café auquel je n'ai pas touché et un verre d'eau pour prendre mes remèdes. Puis je suis descendu aux lavabos, où je me suis soigneusement brossé les dents.

Bien entendu, je suis arrivé en retard à notre rendez-vous. C'était un vieux bar. Pas l'un de ces faux vieux bistrots pittoresques, de tradition et souvent « à vins », juste un vieux bar. Je l'ai aperçue derrière la baie vitrée, assise, son sac bleu posé sur la table. Elle fumait une cigarette. Elle regardait vers le garçon de café, qui discutait avec une petite vieille en faisant de grands gestes, son torchon à la main. Un coude sur la table, le menton appuyé sur la paume de la main qui tenait la cigarette, elle paraissait songeuse. Seul dans un café, on ne peut sans doute paraître que songeur. Sa main libre faisait doucement aller et venir le cendrier de plastique jaune sur le formica rouge. Puis elle s'est gratté le bout du nez. Elle s'est recoiffée distraitement. Elle a regardé sa montre, puis ses mains, longuement. Elle a ôté quelque chose de sa pommette droite, un cil ou un cheveu, qu'elle a fixé deux secondes en le tenant entre le pouce et l'index. Elle a écrasé sa cigarette en se mordillant la lèvre inférieure. Elle s'est massé doucement la nuque. Elle s'est redressée sur sa chaise et a rajusté les bretelles de son soutien-gorge. Le matin d'hiver se reflétait sur la vitre. Par juxta-position, je voyais Pollux Lesiak seule au milieu des passants emmitouflés, de la neige et des voitures.

Inutile d'essayer de décrire ce que j'ai ressenti à cet instant-là, ce serait peine perdue. Restons sobre et pondéré : j'ai eu envie de passer le restant de mes jours avec elle. Et j'ai oublié mon trac.

Mais en poussant la porte du bar, un seau d'eau m'est tombé sur la tête. C'est tout moi, ça. Je tourne sept fois mon cerveau dans mon crâne pour être sûr d'avoir tout prévu, attitudes à prendre et thèmes de discussions, et je ne me soucie pas une seconde du principal : la cérémo-nie d'ouverture. Il était trop tard, elle venait de me voir. Maintenant, il fallait indiscutablement que j'avance vers elle et que j'entre en matière. Mais comment ? L'embras-ser sur la bouche ? Impossible, inosable. Lui faire deux bises ? Plutôt mourir. Lui serrer la main ? Et puis quoi ? J'allais pourtant être obligé de choisir, dans trois pas. Si seulement elle pouvait me sauter au cou, ça m'aiderait. Ou me tendre la main, au pire. Mais là, en arrivant près d'elle, je risquais de perdre l'équilibre et de tomber d'indécision, si elle ne faisait rien pour m'orienter. Alors pour sauver les apparences, je me suis simplement assis en face d'elle. Et tout s'est enchaîné comme dans une comédie musicale à grand spectacle.

Elle m'a demandé en souriant – mais peut-être ne plai-santait-elle pas tout à fait – si je savais de quoi nous allions pouvoir discuter, pendant toute cette journée. Elle m'a avoué qu'elle y avait pensé avec une certaine inquié-tude, qu'elle était même allée jusqu'à chercher des idées. Quoi ? Non ? Oh oh oh. Elle n'est pas sérieuse, j'espère. Oh oh oh. Je n'ai jamais rien entendu d'aussi drôle. Com-ment a-t-elle pu réfléchir à une chose pareille ? Il faut pré-voir ce dont on va parler quand on a rendez-vous avec quelqu'un ? Oh oh oh. Ce serait le comble. Ce n'est quand même pas un entretien d'embauche, que je sache. Si ? Oh oh oh. Ah non, qu'elle m'excuse, mais je ne peux pas m'empêcher de rire. Désolé. J'espère que je ne l'ai pas vexée, mais c'est la première fois que j'entends ça.

Je pensais avoir pris un avantage certain, dès le départ, tenir la situation bien en main : c'était oublier un peu vite que, au royaume du sport, rien n'est joué tant que la ligne d'arrivée n'est pas franchie – je ne sais pourtant combien de fois j'avais déjà entendu cette phrase (ou la variante du coup de sifflet final). Mais dans certaines circonstances, on néglige ses bases les plus solides. Je trichais, je me moquais d'elle, je faisais le fiérot, oh oh oh.

ÉVITEZ DE TRICHER AVEC VOTRE PROMISE
ÇA SE PAIE AUSSI SEC

Nous avons commandé deux cafés (je savais que je ne pourrais pas toucher au mien, mais j'avais déjà prévu la parade : je serais fasciné par sa voix et sa beauté, à en oublier de boire, et soudain, MINCE, il est glacé), et elle m'a expliqué qu'elle aimait beaucoup ce bar, que le patron et le garçon étaient fort sympathiques, mais que les croissants étaient immangeables. (Merci petit Jésus.) Alors, comme elle trouvait dommage que, pour notre premier véritable rendez-vous, nous nous contentions d'une misérable tasse de café, elle était passée dans une excellente boulangerie près de chez elle et avait acheté deux croissants (les meilleurs de tout le quartier Montparnasse, à son avis) pour marquer correctement le début de notre première journée ensemble (elle sous-entendait « le début de notre vie ensemble », je crois). Elle a demandé une assiette au garçon, sur laquelle elle a amoureusement disposé les deux croissants qu'elle venait de sortir de son sac bleu. Nos croissants de fiançailles. Je ne bougeais plus. J'étais pris de court, il ne faut pas se voiler la face. Ils avaient effectivement l'air délicieux, nos croissants, mais gros, et gorgés de beurre. Ah la diablesse, quel coup de maître. (Involontaire, évidemment, elle ne pouvait pas savoir que je n'avais pas dormi et que je venais de vomir un flan.) En moins de temps qu'il ne faut pour le dire, j'ai compris que j'étais coincé. La logique nous le dit : face à un croissant, nous n'avons pas trente-six solutions – soit nous le mangeons, soit nous ne le mangeons pas. (Je ne pouvais pas faire mine de le manger et le garder dans mes joues à la manière du hamster (en attendant d'aller tout recracher plus tard aux toilettes). Ce serait trop visible : j'aurais l'air boudeur.) Si je le mangeais, je vomissais dans la seconde, ça ne faisait aucun doute (je n'aurais pas dû prendre d'aspirine, tout à l'heure, ça ne passe pas). Si je le laissais dans l'assiette, c'était comme refuser une alliance à l'église. Il serait resté seul entre nous deux, intact, comme un « Non » à notre amour. J'ai envisagé un moment de le laisser malencontreusement tomber par terre (l'émotion) et de marcher malencontreusement dessus en voulant le ramasser, mais symboliquement, je ne pouvais pas. Comme je ne pourrais pas déchirer une photo de Catherine ou de ma mère, même pour rire. Que faire ? Il fallait réfléchir plus vite qu'un puissant ordinateur, car elle commençait déjà à grignoter le sien, et le mien, resté seul dans l'assiette, me semblait grossir à vue d'œil, je ne voyais plus que lui, énorme et intact, elle ne devait plus voir que lui (« Il ne veut pas de mon croissant ? »), je m'attendais à ce que les passants s'agglutinent derrière la baie vitrée pour voir de plus près ce croissant gigantesque venu d'ailleurs. Je ne pouvais pas vomir devant elle au petit déjeuner, non. (Prends le risque de le manger, vaillant petit tailleur, me chuchotait une voix sournoise.) Pour gagner du temps, j'ai décidé de me mettre à parler en faisant des gestes avec mes mains, afin de ne pas pouvoir le prendre. Comme par hasard, j'ai entendu « ... ballottage défavorable... » à la radio du bar et, sautant sur l'occasion, je me suis lancé sur l'un des sujets que je devais éviter à tout prix, les élections. (C'est toujours pareil : il suffit de se jurer de ne pas dire « tu vois ? » ǎ un aveugle pour que ça sorte tout seul à chaque fin de phrase.) Les élections législatives, non. Je n'y connaissais rien, en plus. Et pour faire des gestes en parlant des élections législatives, bonne chance. J'aurais aimé qu'un vidéaste amateur qui passait dans le coin me filme à ce moment-là, la cassette m'aurait servi à rire plus tard. Je racontais probablement n'importe quoi, en cherchant désespérément des mots ou des expressions que je pourrais illustrer avec mes mains (« ballottage », par exemple, je mimais une balance ; « le RPR et l'UDF réunis », je suggérais une balle invisible en rapprochant mes mains, pour montrer qu'ils étaient bien groupés ; « score dérisoire », je montrais un petit espace entre mon pouce et mon index – elle devait assurément me prendre pour un dangereux malade). Et pendant ce temps, bien entendu, je n'arrivais pas à réfléchir à mon croissant. (Tu t'enfonces, petit tailleur, tu t'enfonces, murmurait la voix sournoise. Allez, tente le coup. Sinon, tel que tu es parti, tu peux lui dire au revoir, à ta belle.)

À l'instant précis où j'allais céder au chantage de la voix, ayant épuisé tout mon savoir politique et ma science du mime telle que me l'a enseignée Marcel Marceau, Pollux Lesiak s'est levée (avec une grâce, une souplesse extraordinaires, soit dit en passant, à la fois calme et vive, comme le jour se lève sur Conakry) pour aller chercher un sucre au comptoir. L'idée m'est venue instantanément, comme si le dieu des embarrassés lui-même m'avait décoché un trait de génie dans l'esprit. Il fallait agir vite. Pendant qu'elle me tournait le dos et attendait que le patron fort sympathique s'approche d'elle, j'ai avancé lentement ma main au-dessus de la table, sans quitter des yeux les cheveux de Pollux, très lentement, guettant le moindre mouvement de sa tête. Soudain, j'ai saisi le croissant comme un caméléon attrape une mouche avec la langue et l'ai fourré dans la poche droite de ma veste – un geste d'une rapidité exceptionnelle. J'avais dû baisser les yeux pour viser le croissant avec précision et ne pas heurter violemment l'assiette ni rater ma poche, et quand je les ai relevés, elle me regardait, sidérée.

Je me trouvais en mauvaise posture. Elle venait de me voir voler le croissant. Abattre ma main dessus à la vitesse de l'éclair et le faire disparaître dans ma poche comme un professionnel. J'étais condamné, personne ne pouvait plus rien pour moi. Elle est revenue vers la table d'un pas hésitant – cette fois, il n'y avait plus à tortiller, elle *savait* que j'étais un désaxé. De plus, comme elle m'avait prévenu qu'il s'agissait des meilleurs croissants de Paris, le mobile de mon acte paraissait clair : j'étais parfaitement conscient de la valeur du croissant, c'est pour cela que je l'avais dérobé – dans le but de le manger plus tard, avec un bon cigare, voire de le revendre.

Courageuse, elle s'est assise. La situation devenait à présent des plus délicates. Nous savions tous les deux que j'avais un croissant dans la poche. Mais ne pouvions en parler ni l'un ni l'autre (je l'imaginais mal me dire : « Dis donc, si tu crois que je t'ai pas vu… Rends ça tout de suite ! » – quant à moi, que pouvais-je faire ? Le reposer dans l'assiette sans un mot, tête basse ? M'excuser et lui expliquer que c'était plus fort que moi, je n'avais pas pu résister, je suivais pourtant une thérapie de groupe pour combattre ma cleptomanie ?). J'avais des miettes sur les doigts. Elle fixait mes doigts. Manifestement, elle ne comprenait plus la vie, ça devenait trop compliqué. Je mourais d'envie de lui dire la vérité, de ressortir mon croissant de ma poche et de tout lui expliquer, la nuit blanche, le trac, le flan (non, pas le flan).

Après tout, ce sera un test : si elle ne me considère pas comme un enragé après ça, elle m'aime. En outre, la nuit blanche, le trac, ce sera un nouveau moyen de me déclarer sans trop en avoir l'air, comme la lettre – il faudrait en reparler à un moment ou à un autre, de la lettre, de la soirée.

Je lui ai donc dit la vérité, une nouvelle fois. Elle a compris. Cette fille est le ciel pur. Quelqu'un qui me comprend, qui ne me reproche rien, qui ne me veut pas de mal. Cette fille est l'or des Incas. Elle a même ri. Elle a posé sa main sur la mienne pour que je ne m'inquiète pas. Cette fille est le miel des Vosges. Elle m'a embrassé du regard. Elle a mangé mon croissant.

Profitant de l'instant – tout est permis, tendresse et tolérance sont bien au rendez-vous, comme je l'avais rêvé –, j'ai enchaîné immédiatement sur la soirée de la semaine précédente. Que s'était-il passé ? Là encore, elle s'est montrée remarquable – je crois que je n'en aurais pas été capable. Elle m'a simplement raconté que je m'étais levé pour danser, que je semblais m'amuser avec une jeune femme et que, fatiguée et ne voulant pas m'ennuyer, elle s'était éclipsée en catimini. De toute évidence, elle en savait plus (ça oui, je lui avais tout raconté dans la lettre, en indécrottable plouc), elle en avait même sans doute vu plus qu'elle ne le disait, mais par pudeur et gentillesse (par intelligence, donc), elle s'en est tenue là. À sa place, vexé, jaloux, teckel hargneux, j'aurais sans doute lancé quelque chose comme : « Tu es comme les autres, mandrill stupide et libidineux, dès que tu vois une paire de nichons tu sautes dessus, tu t'es conduit de manière lamentable, je suis partie parce que j'avais honte de toi, j'avais l'intention de ne plus jamais te revoir, tu m'as déçue, oui, tu es comme tous les autres » – ou presque. Elle, elle se comportait exactement comme si elle ne m'en voulait pas. Sans doute parce que ça n'aurait pas servi à grand-chose – elle m'aimait, souvenons-nous de ça. J'étais béat d'admiration. Je ne savais pas quoi faire pour la remercier.

Afin de me donner une contenance (je me sentais minuscule devant elle), j'ai sorti les médicaments de mon sac matelot, pour prendre de la vitamine C ou de l'aspirine – je crois que paraître un peu souffrant, fragile, sensible, tourmenté, nous donne un je-ne-sais-quoi de romantique qui peut s'avérer très porteur dans notre rapport avec la femme. J'ai demandé un verre d'eau à ce garçon si sympathique et me suis mis à fouiller, en fronçant un peu les sourcils, dans le sac plastique de la pharmacie.

Je me concentrais pour éviter toute nouvelle maladresse (sortir la brosse à dents encore humide ou les cachets contre la nausée, par exemple). Dans le verre d'eau, j'ai laissé noblement tomber l'aspirine et la vitamine C en même temps – ouais, je suis jeune et libre, pas trop du genre à suivre les règles, je fais des mélanges.

Quelques minutes plus tard (alors que nous parlions (toujours inspirés par la radio) de l'ingérence des États-Unis dans les affaires du Nicaragua (le couple doit se roder, ce n'est que lorsqu'on se connaît bien qu'on peut discuter de choses futiles (avec délices))), j'ai remarqué qu'elle lançait de fréquents coups d'œil vers le sac de la pharmacie (que j'avais laissé bien en évidence sur la table, comme une statue dédiée à ma fragilité poétique) et qu'elle dépensait une énergie considérable pour continuer à m'écouter sérieusement parler de la CIA. Ce sac trônait entre nous depuis dix minutes. Un sac à ma gloire, à la gloire de ma fragilité poétique. Dessus, en gros caractères rouges, s'étalait la publicité suivante :

PÉRACEL – DIARRHÉES PASSAGÈRES

Bon, je ne suis plus à ça près, ce n'est pas grave. Pas de quoi en faire un monde. Je retournerai simplement voir la pharmacienne demain, et je lui logerai une balle dans le crâne.

Je n'ai pas voulu m'embourber en essayant de lui expliquer que tous les sacs de cette pharmacie étaient les mêmes, qu'ils les tiraient probablement à des dizaines de milliards d'exemplaires, que ce n'était pas un sac qu'on m'avait donné spécialement en raison de mes achats. (Elle s'en doutait, je suppose – mais ça laisse des traces quand même (une femme trouve une lettre dans la poche intérieure de la veste de son mari : « Seigneur, c'est une écriture de femme, il me trompe ! Et moi qui ai toujours été persuadée qu'il était fidèle comme un épagneul. Comment ai-je pu être sotte à ce point ? » Les mains tremblantes, elle lit la lettre et s'aperçoit qu'elle est écrite par la sœur du mari, qui lui demande s'il a toujours des photos de maman. « Ah bon, ouf. Cela dit, ça ne m'étonnerait pas qu'il me trompe quand même, ce salaud ! »).) Je me suis contenté de ranger le sac Péracel dans mon sac matelot – et en faisant cela, je me suis senti dix fois plus ridicule que si je l'avais laissé sur la table.

À partir du moment où nous sommes sortis du vieux bar, la journée s'est écoulée aussi simplement que la Seine sous le pont Mirabeau, nous marchions au même pas (d'habitude, lorsque je me promenais avec une fille, j'avais toujours des soucis pour régler mon pas sur le sien : soit nous marchions sur un rythme différent, et j'éprouvais une sensation de déséquilibre, de dissonance pénible – comme quelqu'un qui ne frappe pas dans ses mains en mesure ; soit je calquais mes enjambées sur les siennes et je marchais comme un type qui sort des toilettes avec son pantalon sur les chevilles), j'avais envie de lui prendre la main mais je n'osais pas, elle me touchait le bras de temps en temps. Nous marchions vers le nord, instinctivement, d'abord un peu vers l'est, Saint-Germain, puis la traversée de la Seine malgré le froid, Châtelet, Beaubourg et le Marais, nous ne croisions par magie que des personnages étranges ou amusants, des vieux qui parlaient seuls, des jeunes qui défilaient pour la galerie indifférente, une fille à tête de cheval en tenue d'équitation, une dame encombrée de cages vides, un facteur dépressif qui fixait sa sacoche en se caressant tristement l'oreille, un couple dont l'homme malaxait sans arrêt les fesses de la femme en marchant, comme pour la posséder et l'anéantir devant tout le monde, un jeune homme lourd, pâle et huileux, au visage couvert de boutons purulents, qui se promenait avec un gros livre en main, *Les Secrets du plaisir*, un clochard africain qui regardait autour de lui comme s'il se demandait ce qu'il pouvait bien foutre ici, une pharmacienne en blouse qui fumait sur le pas de sa porte, deux centenaires qui transportaient une échelle, tous les quartiers sous la neige semblaient se mettre à vivre lorsque nous les traversions, par magie, tous les immeubles semblaient abriter des gens

263

calmes et satisfaits, tous les commerces semblaient accueillants, les voitures bien chauffées et les passants débonnaires, les feux passaient au rouge lorsque nous voulions traverser, par magie, le décor nous convenait à merveille, nous observions tout, nous avancions dans un monde mécanique et magnétique aux rouages et courants parfaitement maîtrisés, tout fonctionnait comme par magie, c'était le palais de la Découverte.

Un peu après treize heures, nous avons pris un taxi – bien entendu, le chauffeur égyptien était aimable, drôle et cultivé – pour aller déjeuner dans un restaurant que j'aimais bien, près de chez moi, rue Jacquemont. En nous voyant entrer, le patron, Jean-Pierre, m'a dit :

– Eh ben… Encore une nouvelle ? Tu t'embêtes pas, hein, mon grand ?

C'était sa manière de flatter le client, de le mettre à l'aise (depuis que j'avais emménagé dans le quartier, il n'avait pas dû me voir avec plus de deux ou trois filles). Bien sûr, j'ai joué mon rôle, je me suis pris la tête à deux mains, je lui ai lancé un regard assassin et je me suis tourné vers Pollux en m'efforçant de rougir (c'est simple, il suffit de s'imaginer qu'on va mentir) :

– Ne l'écoute surtout pas. Je n'ai pas dû venir ici avec plus de deux ou trois filles. Mais si, je t'assure que c'est vrai.

Nous avons commandé une bouteille de Lirac et la jolie Françoise est venue nous apporter du saucisson en attendant les plats. Nous étions installés près de la vitre, la neige dehors nous laissait au chaud dans une bulle – je nous voyais tous les deux à table en symbole naïf du bien-être, comme la statue de la Liberté, la tour Eiffel ou le Père Noël dans d'autres domaines, immobiles et éternellement sereins dans un monde inversé où la neige serait à l'extérieur des boules. Nous ne parlions plus des élections législatives ni des diverses interventions américaines, mais de n'importe quoi d'autre. Pollux a mangé des poireaux vinaigrette, puis une escalope normande. Elle n'a pas pris de dessert. Moi qui n'avais jamais réussi, en plus de trente ans, à regarder quelqu'un en face (je ne sais si c'était de la timidité, un mauvais souvenir d'enfance ou un tic, mais lorsque je discutais avec les gens, c'était plus fort que moi, mon regard glissait toujours sur la droite ou sur la gauche, comme si je n'écoutais pas et m'intéressais à quelque chose d'autre dans la pièce – certains prenaient cela pour le reflet d'une certaine duplicité, je devais avoir l'air fuyant et fourbe), je ne parvenais plus à la quitter des yeux. Lorsqu'elle me rendait mes regards – souvent –, je sentais un faisceau de lumière et d'énergie me pénétrer jusqu'aux os, comme si elle entrait tout entière par mes yeux, j'avais l'impression de me trouver tremblant face au Sphinx, mais je tenais bon, je ne détournais pas la tête – de toute façon, c'était plus fort que moi. Nous nous entendions bien.

Au moment du café, j'ai prié de toutes mes forces pour qu'elle ne commande pas un déca. J'en étais venu à détester les gens qui prennent des décas. Ça datait de l'époque où j'avais commencé à inviter les filles au restaurant dans l'espoir de les niquer ensuite (c'est le deuxième palier dans la vie d'un homme, la séduction assise, après la séduction debout, celle qu'on pratique dans les boums et boîtes – ensuite, vers quarante ans, vient la séduction couchée (celle qui ne passe par aucune étape préliminaire, on croise des femmes et on les allonge), puis nous revenons aux douceurs de la séduction assise, vers la cinquantaine, avant de retrouver bien plus tard les émois simples de la séduction debout, dans les thés dansants et les bals de la salle des fêtes). J'ai vite compris qu'il existait une sorte de code entre les convives, à la fin du dîner. Si la femme prend un déca, c'est qu'elle refuse le rapport. C'est un signal clair, qui lui évite les remarques blessantes (« Je ne tiens pas à coucher avec toi car ton physique me gêne ») et les explications douteuses (« Je t'offrirais volontiers mon corps, mais j'ai mes truques » (une demi-folle m'avait même annoncé, d'un ton grave et faussement navré, que si elle préférait rentrer chez elle, ce n'était pas que je ne lui plaisais pas, non, que je n'aille surtout pas croire ça, j'étais pas mal, mais malheureusement elle avait une petite infection – ah, zut, dommage)). Certaines prennent la peine d'accompagner la commande du déca d'un petit commentaire destiné au prétendant qui ne connaîtrait pas les codes en vigueur : « Si je prends un café, je ne vais pas dormir de la nuit. » Là, en général, le bouc le plus bouillant se refroidit un peu. (Une hystérique à part entière m'avait un jour déclaré, d'une voix suraiguë qui avait fait se retourner bien des têtes dans le restaurant : « Houlà ! Si je prends un café, je vais avoir la danse de Saint-Guy toute la nuit ! » Dans un premier temps, j'avais failli répondre : « Justement, c'est ce que j'allais te proposer », mais une vision cauchemardesque m'a fait changer d'avis : je l'ai imaginée sur mon lit, couchée sur le dos, agitant furieusement les bras et les jambes, secouée de violentes convulsions, se tortillant dans tous les sens à la manière de saint Guy pendant que je l'honorais consciencieusement en essayant de garder cette concentration et cette application qui ont fait ma légende.) Bref, le déca était devenu ma bête noire. Je savais bien que si Pollux prenait un vrai café, ça ne signifierait pas qu'elle avait l'intention de ne pas dormir de l'après-midi et que nous pourrions nous jeter l'un sur l'autre en toute liberté dès notre sortie du restaurant, mais c'était une question de principe.

Elle a demandé un café. Un vrai.

Il faut des penchants intégristes pour prendre un déca à midi, je le reconnais ; mais enfin, même si ça ne prouve rien, c'est toujours bon à prendre. Un peu comme la lettre de la sœur dans la poche du mari : ce n'est pas parce qu'elle ne provient pas d'une maîtresse que le mari n'en a pas une, et ce n'est pas parce que ce café n'est pris qu'à midi que Pollux n'a pas l'intention de poursuivre notre relation sur le terrain de la sexualité primitive et sans tabou. Le message me semble même assez explicite, à bien y réfléchir.

Alors je me suis penché au-dessus de la table et je l'ai embrassée sur la bouche, sans rien de solennel, simplement comme un homme embrasserait sa femme dans un restaurant. Elle n'a pas eu l'air étonnée, pas plus en tout cas que la femme de l'homme.

Elle m'a simplement dit :

– Encore.

Et j'ai recommencé.

En sortant, nous sommes repartis lentement vers le sud. (Pour rien au monde, je ne lui aurais proposé de passer chez moi : je craignais trop qu'elle ne se méprenne sur mes intentions à son égard.) La neige avait cessé de tomber mais les trottoirs en étaient couverts. Elle devait tenir mon bras à deux mains et se coller contre moi pour ne pas glisser – je n'étais plus le même, j'inversais la vapeur de la puissante locomotive du destin avec une facilité insolente. Nous nous sommes appuyés contre un réverbère pour nous embrasser longuement, au mépris des clichés.

Nous sommes passés devant un cirque, près de l'avenue de Clichy. Elle venait de lire *Un cirque passe*, de Modiano, et m'a dit :

– Là, c'est le contraire, c'est nous qui passons.

J'ai eu la sensation que tout ce que ce cirque contenait de souplesse, de force, de plaisir, d'équilibre et de lumière irradiait vers Pollux et moi pour nous en imprégner au passage, comme le désir des enfants irradie vers le cirque qui passe et le charge de mystère et d'attrait tout au long de la route. Sentimental comme une adolescente à lunettes, j'imaginais les jongleurs, les trapézistes et les funambules s'interrompre en pleine répétition pour écouter, mélancoliques, le pas des amoureux qui s'éloignent sur la neige.

Nous avons continué à marcher en nous racontant toutes sortes de niaiseries enivrantes, et dès qu'il s'est mis à pleuvoir, vers Saint-Lazare, nous sommes entrés dans un café d'une laideur insoupçonnable. Quand le garçon maussade et laid s'est approché de nous de son pas de vieux grognard, je me prélassais dans un tel bain (chaud) de confort (moelleux) et d'euphorie (voluptueuse), je me sentais d'humeur si romanesque que j'ai eu envie de lui demander (comme dans les livres, lorsqu'on va boire un drink sous un grand parasol, dans le parc du château) :

« Apportez-nous des rafraîchissements, s'il vous plaît. »

Mais je n'ai pas osé, et nous avons commandé une bouteille de vin.

Pollux ne se maquillait pas beaucoup. Elle était pâle. L'un de ses yeux était un peu moins grand que l'autre. Elle avait une seule tache de rousseur, presque invisible, sous la pommette droite. Encore une fois, malgré le froid, elle ne portait ni collant ni bas, et sous son manteau, un pull léger, à col très échancré – j'apercevais parfois la bretelle blanche de son soutien-gorge sur son épaule. Lorsqu'une mèche de cheveux tombait sur son front, elle l'écartait aussitôt, d'un geste machinal et flou. De temps en temps, elle regardait ses mains, l'air momentanément ailleurs, absorbée, comme pour y chercher quelque chose qu'elle ne voyait pas – elle observait d'abord la paume puis le dos de sa main, avant de revenir à moi. À sa manière de lever la tête vers le serveur acariâtre lorsqu'il a posé brutalement la bouteille sur la table, puis à sa manière de cligner des yeux lorsqu'elle a renversé un peu de vin en me servant, j'ai senti qu'elle pouvait avoir des réactions violentes et incontrôlées. Je continuais à distinguer, par moments, le voile sombre qui passait sur son visage, dans son regard, sur sa bouche. Et pourtant, je voyais aussi de l'envie et de la gaieté, dans ses yeux. De l'appétit. Troublé par le vin, je pensais : « Elle doit être obligée de faire le deuil de quelqu'un ou de quelque chose qui n'est pas mort. » Je pensais aussi : « Elle est violente. Elle est faible. » Je l'imaginais perdue. Je pensais : « Elle est débordante de vie. » Et plus tard, en observant ses grands yeux tournés vers la rue, légèrement sur sa gauche, en regardant ses mains un peu nerveuses, son cou clair, j'ai eu l'intuition étrange, sans raison, en une fraction de seconde de lucidité intense – comme on ne peut en avoir que de façon extrêmement fugitive –, que le plaisir tenait un grand rôle dans sa vie. Le plaisir physique. Le sexe.

Un instant, j'ai eu peur. Je me suis dit : « Elle est peut-être insaisissable. Comme le mercure qui glisse sur le carrelage, se divise et file quand on essaie de le prendre entre ses doigts. » Mais elle s'est mise à me parler de son adolescence, à me raconter des moments instables, drôles ou pénibles, et je n'y ai plus pensé.

En début de soirée, nous étions attablés dans un autre café, plus bas, près de l'avenue Montaigne, en plein Diortown – le parfum, le cuir, la soie, les perles, dénaturés par l'obsession de la propreté et du luxe apparent, de la laque et du miroir. Mais nous résistions sans problème à la pression malsaine de ce quartier artificiel. Je commençais à me sentir fébrile. Au téléphone, Pollux avait bien précisé qu'il valait mieux ne pas trop nous approcher de la nuit. Or il faisait noir dehors. C'était l'hiver, d'accord, il n'était pas bien tard, mais quand même. Dans quelques minutes, l'un de nous deux allait devoir demander à l'autre, l'air de rien, si par hasard il n'avait pas un petit creux. Je préférais que ce soit elle. Il me semblait que ce serait plus convenable si l'idée venait de la femme, malgré l'étiquette. C'était elle qui avait fixé les limites (très arbitrairement, il faut le reconnaître), c'était donc à elle de prendre la décision de les repousser, voire de les supprimer purement et simplement. Purement et simplement, voilà deux mots qui seraient du meilleur effet dans le cadre de notre histoire. Et surtout, je me connais, je suis si persuasif qu'elle serait incapable de me dire non – une femme sous influence, littéralement enchaînée à ma volonté. La prendre ainsi en traître ? Jamais. Car bien sûr, ensuite, tout s'enchaînerait à la vitesse de la lumière, repas, vrai café, et plus rien ne nous arrête. Que vaudrait une idylle qui aurait commencé sur un coup bas ? Non, c'était indéniablement à elle de prendre l'initiative.

Cependant, je devais l'aider, lui laisser habilement deviner ce que j'attendais d'elle. J'essayais de me donner les traits de celui qui a faim, pour lui mettre la puce à l'oreille, mais c'est une composition très délicate car tout doit se jouer dans la nuance (je ne pouvais pas me frotter le ventre en me léchant les lèvres). Je jetais de fréquentes œillades vers une femme seule qui mangeait un croque-monsieur à quelques tables de nous, je mordillais tout ce que je trouvais (allumettes, vieux ticket de métro, doigts), et je glissais des sous-entendus discrets dans la conversation dès que c'était possible, de manière quasi subliminale (par exemple, lorsqu'elle m'a raconté qu'elle avait passé tout le mois de septembre à la campagne, chez sa tante, au milieu des vaches et des cochons, j'ai dit : « J'adore le rôti de porc »). Mais l'invitation ne venait pas. Sans doute était-elle aussi timide que moi, ou trop fière pour revenir d'elle-même sur la décision qu'elle avait prise au téléphone – ah, comme elle devait regretter d'avoir voulu jouer les coriaces. Finalement, touché de la voir ramer ainsi, je me suis risqué à une allusion un peu plus directe, ingénieusement amenée :

– On a bien marché, hein ?

– Ça, oui, on a bien marché.

– Ça faisait longtemps que je n'avais pas marché comme ça, dis donc.

– On n'a quand même pas traversé la cordillère des Andes.

– Non, mais… On a bien marché. Ah mon vieux. Ça creuse.

Remarquable. Tout en finesse, sobre, fluide, propre. Malheureusement, sa réaction n'a pas été celle que j'escomptais. Toute l'ingéniosité de mon stratagème n'a servi à rien.

– Oui, comme tu dis, ça donne faim. Il va falloir que j'y aille, moi, d'ailleurs. C'est bien ce qu'on avait dit, non ?

Effectivement, c'est à peu près ce dont nous avions convenu. On n'est pas toujours obligé de suivre les plans tracés une éternité à l'avance, mais je ne me sentais pas en mesure de contester. Elle avait prononcé ces paroles avec un petit sourire malicieux : je n'arrivais pas à déterminer si elle était contente du tour qu'elle me jouait en m'abandonnant là comme un chiot sur une aire d'autoroute, ou bien si ce sourire constituait un genre d'encouragement, un sourire qui signifiait : « Je sais aussi bien que toi qu'il est impossible que nous nous en tenions là pour ce soir. À toi de m'aider à renoncer à mes vœux de chasteté provisoire. » Il me paraissait inconcevable de la laisser partir maintenant, après à peine une dizaine d'heures passées ensemble (je me sentais comme un gamin auquel on annonce le 4 août que les vacances sont déjà terminées et qu'il faut rentrer à Paris parce que mémé est patraque), cette séparation prématurée me paraissait aberrante, mais, pour les raisons expliquées plus haut, je n'ai rien osé dire. Et depuis quelques secondes, depuis qu'elle avait déposé un billet de cent francs sur la table (jusqu'alors, c'est moi qui avais payé – je précise seulement pour qu'on n'ajoute pas « pingre » à la liste déjà conséquente de mes défauts), toute la fatigue due à ma nuit blanche, oubliée depuis notre rendez-vous matinal grâce à l'élan du cœur, me retombait lourdement sur la carcasse. Après tout, c'était une idée plutôt amusante, de se contenter du jour pour ce premier rendez-vous. Ça changeait. Nous n'étions pas comme ces millions de couples stéréotypés qui se grimpent dessus à la manière des pithécanthropes, le premier soir, après le restaurant. Nous avions la vie devant nous.

Peut-être vexée par mon manque de rapidité à réagir – ou simplement pressée parce que le Franprix de son quartier fermait à vingt heures, car avec le recul je suis persuadé qu'elle avait réellement l'intention de rentrer, pour m'apprendre la vie, m'apprendre à supporter de ne pas toujours obtenir dans la minute ce que je voulais (j'avais omis de lui dire que je n'obtenais plus ce que je voulais depuis belle lurette) – elle s'est levée pour aller payer au bar. Trente secondes plus tard, nous étions dehors, dans le froid des grandes steppes élyséennes, et nous marchions vers la station de métro, inextricablement entremêlés. Nous devions prendre la même ligne, la 13, dans des directions opposées – elle vers le sud, moi vers le nord, afin qu'à la détresse de la séparation et de la solitude nocturne s'ajoute pour moi celle d'un climat plus polaire encore.

Nous nous sommes embrassés pendant cinq ou six heures à l'intersection des couloirs – comme tous les amoureux de l'histoire de la planète « je n'arrivais pas à la quitter » – et c'est elle qui s'est éloignée la première, vers son quai. Je suis resté immobile à la regarder partir (ses cheveux, ses épaules) pour augmenter la tension mélodramatique.

Sur les quais, nous nous sommes retrouvés face à face, séparés par les voies électrifiées. C'était relativement gênant, je ne savais pas quoi faire. Je n'avais pas la moindre envie de continuer la conversation en criant devant les deux cents personnes présentes (j'avais déjà vu des couples ou des amis ne pas se gêner pour le faire et me demandais toujours si ces gens avaient ou non une vague idée de ce que peut être la pudeur (le pire, c'est lorsque l'un des deux, normal, semble affreusement embarrassé que l'autre déballe toute leur vie devant ce public forcément attentif, puisqu'il n'a rien d'autre à faire qu'écouter)), je ne me voyais pas non plus lui parler par gestes (je n'aurais pas su quoi lui mimer), ni la regarder droit dans les yeux sans bouger, ni me promener sur mon quai en sifflotant comme si elle n'existait plus. Heureusement, son métro est vite arrivé. Avant qu'il ne la cache, elle m'a fait un signe de la main, un geste de petite fille (en inclinant la tête sur le côté) à faire tomber une statue de l'île de Pâques, elle est montée dans le wagon, et à partir du moment où elle s'est assise, elle n'a plus prêté attention à moi. Elle regardait droit devant elle, comme si elle était seule. Quand les portes se sont refermées, elle a ouvert son sac bleu pour y chercher quelque chose. Comme le matin, lorsque je l'avais aperçue dans le café, je prenais plaisir à la voir ainsi au milieu des autres, dans cette sorte d'intimité particulière que crée la solitude dans une foule – et que l'on peut facilement surprendre, juste en regardant autour de soi. Elle n'était sans doute pas naturelle, puisqu'elle sentait mon regard sur elle, mais elle se prêtait à ce jeu, c'était le principal, elle acceptait de m'offrir une image d'elle sans moi. Quand le métro a démarré et que je l'ai vue partir, seule, sérieuse et déjà lointaine, j'ai ressenti la même émotion indicible que le matin. Pour rester encore une fois sobre et pondéré, disons que j'ai eu envie de me lancer dans la sculpture, la poésie, la peinture, la musique, l'art floral, le théâtre et l'architecture pour être capable de lui exprimer mon amour de toutes les manières possibles (même la danse, allez : je m'imaginais fort bien exécuter la danse de l'amour devant elle, gracieux et lascif, bouleversant). (J'ai également pensé à l'état dans lequel je me serais trouvé si cette scène avait eu lieu dix jours plus tôt, si je l'avais aperçue au dernier moment dans un métro qui s'éloignait : ainsi se serait passée, brève, notre seconde rencontre promise par la nature – alors je me suis rendu compte de ma chance.) Ma rame est arrivée un instant plus tard.

Ce n'est qu'à Saint-François-Xavier que j'ai réalisé que nous avions pris chacun la mauvaise direction. J'étais parti vers le sud, elle vers le nord. Si je raconte ça à quelqu'un, on ne me croira pas – j'essaierai, à tout hasard. J'ai commencé à monter l'escalier pour changer de quai et repartir dans l'autre sens. Décidément, on ne se refait pas. Quelle tête de linotte. Quel nigaud. Cela prouvait que Pollux me déboussolait réellement, que je n'étais pas en train de me monter la tête pour le plaisir – artificiel – de vivre une grande histoire merveilleuse.

Soudain, je me suis pétrifié sur une marche. C'est elle qui est descendue la première sur son quai. Je n'ai fait que suivre – ou plutôt le contraire. C'est elle qui est montée la première dans le mauvais métro. Or, Pollux Lesiak est peut-être une tête de linotte, je n'en sais rien encore, mais certainement pas une nigaude : c'est donc qu'elle est tout aussi déboussolée que moi.

JE LA TROUBLE.

Incroyable et grisante découverte. Elle m'aime jusqu'à l'égarement. Elle ne sait plus ce qu'elle fait. Le métro, le fer et la vitesse, qui n'ont a priori rien à voir avec les vibrations subtiles de l'amour, m'ont permis d'obtenir la réponse que mille questions précises à l'intéressée ne m'auraient pas fournie. (Elle était peut-être si pressée de s'enfuir après cette journée cauchemardesque avec le Roi des Nigauds qu'elle s'était engouffrée dans le premier couloir venu, comme une antilope qui fuit le feu, mais ça ne m'est pas venu à l'esprit.) Plein d'une foi nouvelle et, par conséquent, d'un courage nouveau, j'ai redescendu l'escalier sur lequel je m'étais engagé et je l'ai attendue au milieu du quai. Un premier train est arrivé, j'ai regardé passer les trois premiers wagons avec l'œil aiguisé de je ne sais plus quel héros bionique et j'ai trottiné le long des quatre derniers de ma foulée la plus aérienne. Personne.

Elle était dans le deuxième train, cinquième wagon, baignoire du fond, assise à côté d'un gros Chinois qui portait un bandage à la tête. Elle s'est levée, s'est avancée en souriant jusqu'à la porte ouverte et m'a dit :

– J'ai de la paella surgelée, si tu veux.

Elle habitait un grand studio, sans doute un ancien deux-pièces, au cinquième étage d'un immeuble étroit de la rue Vavin. Des murs blancs, fissurés, un parquet non

274

verni, deux grandes fenêtres sans rideaux, sur la gauche. Le lit, par terre dans un coin au fond de la pièce, était recouvert d'une couette bleue délavée. Contre un mur, des étagères métalliques croulaient sous des livres de poche rangés un peu n'importe comment – le premier que j'ai vu : *Le Bel Été*. Non loin du lit, un vieux divan de cuir râpé et deux chaises probablement volées dans un square entouraient une table basse de fabrication maison (une plaque de verre vert posée sur quatre piles de vieux annuaires), sur laquelle étaient entassés des journaux, des papiers, des lettres. Un ordinateur était installé sur une table à tréteaux entre les fenêtres. Sur une troisième table, en bois, flanquée de deux chaises pliantes, se trouvaient un bol de faïence, un verre à pied au fond duquel restait un peu de jus d'orange, un couteau dont la lame était enduite de beurre et un cendrier d'étain contenant trois mégots. Son petit déjeuner de la veille. Il y avait encore une grande armoire de style normand, une chaîne hi-fi et une trentaine de CD en vrac – le premier que j'ai vu : *No Comprendo*, des Rita Mitsouko –, une télé et un magnétoscope posés à même le parquet, près desquels s'élevaient deux grandes piles de cassettes vidéo dont le contenu était inscrit au marqueur noir sur la tranche – la première que j'ai vue : « WANDA ». Aux murs étaient accrochées des reproductions décolorées représentant des dessins de temples romains en ruine, le portrait d'un homme brun au regard saisissant, peint sur un grand carré de bois, une photo noir et blanc de Chet Baker, épuisé et songeur sur une chaise, une de Mr. Spock, le personnage de *Star Trek* et au-dessus de son ordinateur une feuille machine sur laquelle était imprimé : « POLLUX, TU DOIS TRAVAILLER ». Au fond, près du lit, une porte entrouverte donnait sur la salle de bains. En face des fenêtres, après les étagères à livres, le mur s'ouvrait sur ce qu'on appelle une « cuisine américaine », séparée de la pièce principale par un petit comptoir.

Assis sur le divan, j'ai compté les lampes qu'elle avait allumées en entrant : six. De vieilles lampes. Elle a posé une bouteille de whisky et deux verres sur la table basse, puis est allée vérifier dans le compartiment congélateur de son frigo qu'elle avait bien de la paella. Pendant que je nous servais, elle préparait quelque chose dans la cuisine. Je regardais attentivement autour de moi, je m'imbibais de son décor comme un morceau de coton dans un verre d'eau, j'avais le sentiment d'être admis dans sa vie, autorisé à visiter ses intérieurs. J'aurais aimé pouvoir disposer d'une journée entière, seul dans son appartement, pour en étudier les moindres détails, comme Sherlock Holmes devait le faire en quelques secondes lorsqu'il pénétrait chez une dame (je suis plus laborieux, mais je m'applique). Parmi les papiers entassés sur la table basse, j'ai vu dépasser une lettre signée « Thomas », une facture de téléphone de 1 651 francs, une carte postale de Manhattan, une disquette étiquetée « Mathilde ». Le cendrier posé sur la table de l'ordinateur était plein à ras bord. Sur son lit, il y avait un tee-shirt blanc en boule, et près de la lampe de chevet, les *Contes d'Odessa* d'Issaak Babel. Plusieurs objets étaient « exposés » sur les étagères à livres, dont une 4L Majorette rouge, un flacon d'eau de toilette pour homme, deux dés noirs, un appareil photo jetable, quelques boîtes d'allumettes apparemment orientales, un petit zèbre en bois peint qui s'écroule quand on appuie sur le fond de son socle avec le pouce et se redresse quand on relâche, une paire de lunettes rondes, une photographie encadrée d'un bel homme à l'air argentin, un vieux rasoir à main en argent et une petite boîte de concentré de tomates. Dans le pli du divan, j'ai trouvé une bague d'enfant comme il y en a dans les pochettes-surprises. Le téléphone, posé par terre près du lit, avait été peint en jaune. Le répondeur semblait être l'un des premiers prototypes construits dans les années soixante. Sur le côté du poste de télé était scotchée une photo d'elle, les cheveux plus courts, entre deux garçons, plutôt jeunes et séduisants : elle les tenait serrés contre elle, ils souriaient, elle se donnait un air grave et autoritaire, sourcils froncés. Ce qui me fascinait et me troublait le plus, c'était sans doute de m'apercevoir qu'elle avait vécu avant de me connaître.

Sur la table basse, sous un prospectus de Pizza Hut, j'ai aperçu une enveloppe EDF sur laquelle était griffonné « LVARD ». Je l'ai tirée discrètement pendant que Pollux me tournait le dos – pas extrêmement fier de ce que je faisais. C'était mon prénom et mon numéro de téléphone.

De toute évidence, elle n'avait pas prévu ma venue – il y avait deux chaussettes et un pantalon par terre, beaucoup de vaisselle dans l'évier de la cuisine et un paquet de six rouleaux de papier hygiénique Lotus sur le comptoir.

Elle est revenue avec deux petites soucoupes qu'elle a posées près de nos verres, s'est assise sur l'une des chaises de square, en face de moi, et nous avons repris notre discussion à l'endroit où nous l'avions laissée dans le bistrot de Diortown avant que je ne place ma réflexion machiavélique sur la marche et l'appétit, entre quoi il existait sûrement un lien obscur. Nous parlions de son mois de septembre à la campagne, de sa tante, qui avait été choriste de Joe Dassin. Le sujet me passionnait (Joe Dassin étant l'une de mes idoles), mais j'éprouvais quelques difficultés à me concentrer sur notre conversation. Qu'est-ce que c'était que ces trucs, dans les soucoupes ? Non. On aurait dit des crevettes, gris foncé, entières, recroquevillées sur elles-mêmes… et comme laquées. C'est peut-être très connu, je n'en sais rien, ça se vend peut-être dans les gares et les rues piétonnières au Japon, c'est peut-être même assez répandu en France, dans le milieu underground, mais je voyais ça pour la première fois de ma vie. Jusqu'à ce soir-là, j'avais réussi à maintenir une ligne de conduite très stricte : ne jamais manger un animal à antennes. Ni langoustine, ni cafard, ni escargot, ni homard, ni crevette, ni sauterelle, rien. Je n'ai aucune idée de l'origine de cette phobie alimentaire, mais je sais qu'Attila et toute sa horde de Huns resserrant le cercle autour de moi en grondant (qui aiguisant son couteau d'un air sadique, qui brandissant sa lance, qui faisant craquer les jointures de ses doigts, qui baissant son pantalon) n'auraient pas réussi à me faire avaler une crevette. (« Massacrez-moi, barbares, je m'en fiche. ») Pourtant, cette fois, j'avais le dos au mur ou je ne m'y connais pas. Si encore elle avait eu l'idée de nous mettre tout ça dans un bol commun, j'aurais pu faire semblant de piocher. Mais là, j'étais ficelé. Cela partait sans doute d'une bonne intention de sa part, ces deux petites soucoupes privées – comme les croissants. Je venais de comprendre que j'étais prêt à tout pour elle, qu'elle avait plus de pouvoir sur moi qu'une meute de violeurs sanguinaires, je m'apprêtais à lui donner la preuve d'amour suprême (qui passerait malheureusement inaperçue (il n'y a pas d'amour, paraît-il, uniquement des preuves d'amour ; que peut-on alors imaginer de plus abstraitement beau qu'une preuve qui non seulement ne prouve rien, puisqu'il n'y a pas d'amour, mais qui, de plus, n'attire l'attention de personne ?)), j'allais donc manger une crevette, quand un problème de taille s'est dressé devant moi. Comment ça se mange ? Il faut enlever la tête ou quoi ? La peau ? Ça a une peau ? Une carapace ? Il faut tout mâcher d'un coup ? Avec les antennes et tout ça ? Pollux avait commencé à boire – moi aussi, avec joie – mais ne touchait pas à ses crevettes. J'étais dans le brouillard, je ne savais plus si j'avais envie qu'elle en mange une ou non. Si elle en mangeait une, je connaîtrais la marche à suivre pour s'administrer correctement l'une de ces saletés. Si elle n'en mangeait pas, cela signifiait peut-être qu'elles n'étaient là que pour la décoration – elles me paraissaient aussi comestibles que des billes de verre. Mais alors que l'espoir commençait à renaître, la tante s'est définitivement installée à la campagne après la mort de Joe Dassin, coupant tous les ponts avec le show-biz, et Pollux a terminé son histoire. J'ai essayé de relancer aussitôt sur Mike Brant ou Il Était Une Fois, qui n'étaient pas non plus les premiers venus, mais elle m'a interrompu :

– Mange, hein, c'est fait pour ça.

Précision utile, mais lourde de conséquences. Je ne pouvais plus me dérober. Sale temps. L'heure était venue de faire face, et de choisir : décortiquer la crevette minuscule au risque de passer pour un grand névrosé (comme quelqu'un qui enlèverait la peau des petits pois), ou la lancer d'un coup au fond de ma gorge, avec les antennes et tout ça, au risque cette fois de passer pour un monstre (celui qui avale une souris en la tenant par la queue) ou un ignare fraîchement sorti de son placard (celui qui mord à belles dents dans une orange sans avoir eu l'idée de l'éplucher). J'étais en train d'osciller fiévreusement entre ignare et névrosé lorsqu'elle s'est levée pour aller chercher un cendrier dans la cuisine. Une idée m'a traversé l'esprit comme un TGV traverse un hameau de trois habitants, mais elle s'en est éloignée aussi vite. Non, si elle pivotait brusquement, saisie d'un doute, et me surprenait à voler une poignée de crevettes, mon compte était bon. Après le coup du croissant, plus aucune excuse ne l'empêcherait de penser que j'essayais de me mettre un repas de côté, petit à petit. L'heure était venue de faire face, il n'y avait pas à tortiller.

Je l'ai regardée se rasseoir. Son corps à la fois mou et ferme. Une énigme. Son visage simple et ouvert, son âme impénétrable. Sa poitrine, ses épaules. Je suis en train de perdre mon temps à me focaliser sur une crevette alors que Pollux Lesiak est assise devant moi, Pollux Lesiak croise les jambes en face de moi. Je m'accroupis pour observer à la loupe une écharde dans mon orteil alors qu'une soucoupe volante tournoie dans le ciel et que de petites mains bleutées s'agitent désespérément aux hublots. Je suis une taupe, une bourrique, on ne le dira jamais assez.

Je me suis emparé d'une crevette laquée d'un geste un peu trop sec et rigide – on aurait dit l'un de ces robots expérimentaux des années cinquante, avec un seul bras articulé à l'extrémité duquel une pince parvenait tant bien que mal à saisir un stylo sur une table. J'ai glissé l'animal dans ma bouche, en priant tous les enfants qui traînaient dans les limbes – mes frères – pour que l'absorption complète soit la bonne méthode, pour que je réussisse à garder un air naturel, et surtout pour que ne m'apparaisse pas l'image d'un flan de tradition fourré aux crevettes laquées. Je ne sais même pas si cette chose a eu le temps de toucher ma langue.

Si on avalait d'un bon coup, avant que les papilles ne comprennent ce qui se passait, ça n'avait aucun goût. À la deuxième crevette, j'avais déjà affiné ma technique : avec une légère pichenette, quasiment invisible (en cachant le pouce avec les autres doigts, à l'instar de l'illusionniste), ça descendait presque tout seul. J'allais facilement pouvoir lui faire croire que j'étais coutumier de ce genre de nourriture pour jeunes, que je l'ingurgitais sans même m'en rendre compte, comme des cacahuètes. J'étais soulagé. J'ai presque entièrement vidé ma soucoupe de crevettes laquées.

(Bien plus tard dans la soirée, elle m'avouerait qu'elle avait été surprise par l'indifférence avec laquelle j'avais englouti ce mets rare, très difficile à trouver à Paris.)

Nous avons mangé la paella (les crevettes me poursuivraient jusqu'en enfer, inutile de chercher à les fuir – et celles-ci, impossible de se les envoyer derrière la luette d'une bonne pichenette (pour une première, j'avais ma dose, mais l'amour m'euphorisait tout le circuit digestif ; j'aurais pu avaler des boulons sans m'en plaindre)), et bu du bon vin (elle en avait rapporté plusieurs bouteilles de chez sa tante choriste décentralisée, et attendait des occasions pour les ouvrir (j'étais une occasion – mon rêve)).

Plus tard, quand elle s'est dirigée vers la cafetière, quand elle a sorti du réfrigérateur un paquet de café tout ce qu'il y a de plus véritable, j'ai failli me mettre à courir dans la pièce en poussant des cris stridents, en me frappant le poitrail des deux poings et en levant haut les genoux sans me soucier des chaises et des lampes que je renverserais sur mon passage.

Au lieu de ça, je suis allé aux toilettes, pour me dégourdir un peu les jambes.

– Tiens, tu peux me ranger ça, s'il te plaît ? m'a-t-elle dit en me lançant le paquet de Lotus. Sur l'étagère, au-dessus.

J'ai refermé la porte derrière moi. J'ai rangé les Lotus au-dessus des toilettes, à côté de toutes sortes de produits ménagers, d'une pile de vieilles revues et de boîtes de tampons de différentes marques. La salle de bains était assez spacieuse, claire et vieillotte – elle paraissait décolorée (une sensation de fleurs séchées, même s'il n'y en avait pas). Un endroit agréable. Une baignoire sur pieds. Au bord, un flacon de shampooing pour cheveux secs ou abîmés, une bouteille d'Obao bleu marine, un gel douche pour peaux délicates et sensibles. À côté, sur un tabouret, deux serviettes pliées, vert sombre. Au-dessus du lavabo, un grand miroir au tain défraîchi. Sur la tablette, des flacons, des tubes, des crèmes, des boîtes, divers cosmétiques, des cotons-tiges, un doseur Signal, une brosse à dents bleue dans un verre, une pince à épiler, un coupe-ongles avec la tour Eiffel dessus, du Doliprane, du Spasfon, du Rhinofébral, de la vitamine C, des somnifères doux et du Lexomil. Au-dessus de la baignoire, une culotte blanche toute seule sur le séchoir. (Je n'ai pas pu m'empêcher de la prendre, de la regarder, de la toucher, de la remettre en place au millimètre près, un peu plus par là, un pli ici, voilà, parfait, elle n'y verra que du feu.) Accrochés derrière la porte, un tee-shirt, un caleçon (d'homme, je crois), un pull troué, une grande serviette, un peignoir blanc.

Quand je suis ressorti, elle m'attendait assise.

Ensuite, nous avons joué – à tout ce qui nous passait par la tête.

Je ne m'étais pas senti aussi bien avec quelqu'un, aussi libre et normal, depuis mes concours de grimaces dans la cour de l'école primaire Henri-Wallon avec ma fiancée de l'époque (Marguerite). (Et d'ailleurs, ces concours de grimaces n'existaient que dans mes rêves passionnés : ma fiancée de l'époque, Marguerite, n'a sans doute pas posé plus d'une ou deux fois les yeux sur moi – elle était au dernier rang de la classe, moi au deuxième. Elle ne savait pas que j'existais mais, pour lui prouver mon amour, je faisais exprès de penser à n'importe quoi quand les autres lisaient, et je suivais avec mon doigt lorsque c'était son tour.)

Les gros chiffres rouges du radioréveil indiquaient 1 : 14 quand elle m'a annoncé qu'elle allait prendre une douche. J'ai mis trois ou quatre secondes à réaliser, car elle avait parlé avec autant de naturel et de simplicité que si elle m'avait dit : « Je vais chercher des allumettes » ou « Je vais faire pipi. » Il fallait absolument que je parvienne à articuler quelque chose en réponse, je ne pouvais pas me contenter de la regarder fixement et de hocher la tête à la Bogart.

Moi – Oui, je t'en prie.

(Moyen.)

Elle – On a marché toute la journée, ça me fera du bien.

(C'est seulement le lendemain que je me suis aperçu qu'elle avait utilisé la même technique que moi pour l'appétit – la marche mène à tout.)

Moi – Oui, comme tu dis.

(Pas fameux.)

Elle – Tu pourras en prendre une après, si tu veux.

(Tu n'aurais pas une idée derrière la tête, toi, par hasard ?)

Moi – O.K., merci.

(Lamentable.)

Quand elle a refermé la porte de la salle de bains, j'étais à quelques battements à peine de l'arrêt cardiaque. Sa décontraction me terrifiait. J'étais figé, muet, dominé, embarrassé, comme ces pauvres types que je démolis dans les ascenseurs. (Mais j'étais chez elle, on se connaissait à peine, il y a des limites, ici je ne pouvais pas prendre les devants et par conséquent l'avantage – « Tu m'excuses, Pollux, je vais me doucher, parce qu'on a beaucoup marché. Où est la salle de bains ? ») Bon, quelle que soit la gravité de la situation, il faut rester calme et élaborer un plan de manœuvre. Tel que c'était parti, elle pouvait fort bien ressortir de là à demi nue (mais sans en avoir l'air, en tee-shirt et en caleçon, par exemple – je la savais délicate et retenue, et ne l'imaginais pas un quart de seconde ressortir de la salle de bains toute nue, la bouche entrouverte, l'œil brillant, les narines frémissantes, prête et offerte, dégageant une forte odeur de gel intime). Elle n'allait pas remettre des vêtements avec lesquels elle avait marché toute la journée, non ? Alors que pourrait-il se passer, lorsqu'elle reviendrait presque nue, toute propre et toute molle ? Il ne fallait surtout pas que je bondisse sur elle comme le pithécanthrope. À aucun prix. Malgré le désir qui rend fou. Non, je dois la faire attendre, l'affamer, je dois me débrouiller pour qu'elle brûle d'impatience, afin de la mener par le bout du nez. Et puis tout le monde sait, même le novice ou le simplet, que la femme souhaite qu'on l'apprécie également pour ce qu'elle a dans la tête. Si je dis « Ma chérie, enfin, depuis le temps que j'attendais ce moment ! » dès qu'elle a ouvert la porte, ou si je vais me glisser dans le lit maintenant, la couette bien remontée jusqu'au menton, je suis le dernier des derniers. À mon avis, ce serait même encore plus malin de ma part de ne pas céder à ses avances ce soir. Oui. J'ai lu dans un magazine féminin qu'ils sont de plus en plus rares, les hommes qui ne cèdent pas tout de suite. Il paraît que les femmes commencent à se lasser de voir les hommes déboutonner leur pantalon dès qu'elles claquent des doigts. Qu'est-ce que ce doit être, la vie d'une jolie fille ? Elle sort dans la rue, elle croise un homme, elle sait que si elle lui dit : « Je voudrais coucher avec vous, monsieur », il s'évanouit, puis se redresse comme un diable pour tourner la tête de tous côtés à la recherche d'un hôtel. Ce n'est pas comme nous les hommes. Je peux essayer de susurrer à l'oreille de dix passantes que je voudrais bien coucher avec elles, je remonterai chez moi tout seul, en haussant les épaules. Alors bien sûr, nous, quand l'une d'elles est d'accord le premier soir, on ne fait pas trop de manières, c'est normal, ça nous change. Mais elles ? Elle ? Sur dix hommes qui ont franchi la porte de cet appartement et à qui elle a fait le coup de la douche – c'est une hypothèse de travail –, dix se sont retrouvés entre ses pattes dans l'heure suivante. (Dans l'univers éthéré de l'hypothèse, rappelons-le, à des années-lumière de toute réalité.) Nous nous sommes embrassés toute la journée comme de vrais amoureux, Pollux et moi, ce serait une suite plausible, il n'y aurait rien à redire, c'est vrai, mais n'oublions jamais : séduire, c'est surprendre. Si je me refuse à elle ce soir – sans la repousser, attention, tout est dans la nuance –, je me singularise et double ainsi mes chances de conquérir son cœur. C'est une autre de ces lois de la nature indiscutables. Prenons Caroline, par exemple, il y a quelques années. Bien. À cette époque-là comme ensuite, toutes les filles ne relevaient pas leur jupe dès que je claquais des doigts, mais sur celles qui acceptaient de venir boire un dernier verre chez moi à quatre heures du matin, j'avais quand même un bon pourcentage de réussite. Elle, elle était venue. C'était dans la poche, normalement. À cinq heures, elle s'était mise à la fenêtre. Je m'étais approché derrière elle, je l'avais prise dans mes bras, je l'avais embrassée dans le cou, j'avais posé mes mains sur ses hanches, puis sur ses fesses… Bon. Elle m'avait laissé faire un moment, en poussant même un petit gémissement de temps en temps, puis elle s'était retournée et m'avait annoncé qu'il valait mieux qu'elle rentre. J'avais frôlé la chute pantoise. Je lui en voulais un peu, bien sûr, mais après son départ je n'ai plus pensé qu'à elle pendant deux jours, sans arrêt, une obsession jusqu'à notre rendez-vous suivant. Elle m'avait ferré. Et pas une seconde je ne l'ai considérée comme une allumeuse. (C'est important. Elle avait soigné le travail sur la nuance.) Si un homme peut réagir à ce genre d'astuce, que ressentira UNE FEMME ? Une jolie femme. Si je pousse de petits gémissements et que je m'en aille ? Elle restera tétanisée de désir et de stupéfaction admirative pendant plusieurs heures après mon départ, à tous les coups. C'est décidé, je dois me refuser.

Voilà, la porte s'ouvre. Il va falloir que je me refuse, à présent. Ce n'est pas gagné.

L'éternel féminin est sorti de la salle de bains dans un nuage de vapeur. En peignoir. (Comme je l'avais prédit : à demi nue mais sans en avoir l'air.) Les traits étonnamment lumineux. Rose pâle. Les cheveux humides, noirs et brillants, comme lors de notre première rencontre, comme lorsqu'elle avait répondu au téléphone, et maintenant quelques minutes avant notre première étreinte. (Non !) Sous le peignoir croisé, serré à la taille, je devinais ses seins avec autant de précision et de plaisir anticipé qu'on devine un fauteuil luxueux et confortable sous un drap blanc dans un manoir du Périgord. Ses pieds étaient encore mouillés. Elle n'avait plus une trace de maquillage sur le visage. Elle souriait. Pourtant j'en avais vu, des trucs, dans ma vie, mais alors là.

– Ça fait du bien. Tu veux y aller ?

– Euh… Non, ça va, merci.

Elle s'est assise sur le lit – presque allongée – et nous nous sommes remis à discuter. Je ne savais plus trop où j'habitais – si, ici. Je ne pensais qu'à lutter de toutes mes forces contre mon instinct de pithécanthrope. Je sentais la présence d'Oscar, confusément au-dessus de moi, je priais pour qu'il intervienne en ma faveur – impossible de tenir le coup tout seul : s'il la laissait claquer des doigts ne serait-ce qu'une fois (et pas fort), je foncerais sur elle comme un bolide, quitte à me casser la figure en m'emmêlant les pieds dans le pantalon que je baisserais en même temps (je suis un mandrill vulgaire et libidineux, je ne me fais plus aucune illusion à ce sujet). Nous parlons bien décontractés mais la bagarre fait rage derrière mon front paisible. Conscient de ma faiblesse, je me disais confusément que chaque minute supplémentaire de conversation devait être considérée comme une minute gagnée, une minute pendant laquelle elle se rendait compte que j'appréciais aussi ce qu'elle avait dans la tête. Je crois honnêtement que Pollux ne faisait pas exprès de pulvériser un à un mes derniers bastions de résistance, elle était simplement allongée sur son lit et discutait avec moi, personne ne pouvait rien lui reprocher de ce côté-là. Celle qui y mettait du sien, en revanche, c'était la ceinture de son peignoir. L'éponge, il n'y a rien de plus traître. C'est vivant, l'éponge, paraît-il. Ça ne m'étonne pas. Elle se relâchait, elle se relâchait. Pollux la resserrait bien de temps en temps, distraitement, mais elle était sans doute trop absorbée par notre discussion (qui tournait autour de l'existence d'Homère ou de la confiture de myrtilles, je ne saurais pas le dire) pour se rendre compte du drame atroce qui se jouait sous mes yeux. La ceinture en éponge me regardait d'un œil vicieux, et pfft, se relâchait d'un centimètre. Et je ne pouvais rien contre elle ! Vaincu sans avoir pu lutter. Qu'aurait pensé Pollux si je m'étais levé pour resserrer sa ceinture d'un coup sec en ricanant dans ma barbe ?

Je voyais la jambe gauche de Pollux Lesiak, le pied, la cheville, le mollet, le genou, je voyais la cuisse de Pollux Lesiak. Je voyais la courbe d'un sein. Allez, pouce. Vercingétorix des sens, j'ai jeté mon bouclier aux pieds de l'arrogante ceinture en éponge. Non, je n'allais pas me refuser plus longtemps. Prends possession de moi, luxure, puisque tu as su faire courber l'échine à ma vertu. (Ma vertu n'était qu'un calcul de séducteur à la manque, mais personne n'est censé le savoir.) Depuis un moment, je sentais sur moi le regard réprobateur d'Oscar, je pensais qu'il me poussait à résister, à rester scotché sur le divan pour favoriser le lancement romantique de notre histoire unique en son genre. Qu'est-ce qui me prenait, moi qui me trompais sans cesse sur les intentions des êtres de chair et de sang, de vouloir deviner celles d'un ange ? En un éclair, j'ai réalisé l'ampleur de ma méprise : bien loin de m'encourager à garder mes distances, Oscar contrôlait la ceinture. Une ceinture ne se défait pas toute seule, comment n'y avais-je pas songé plus tôt ? Aucun doute, je devais y voir la patte de l'ange. Et puisqu'il était mon ange, qu'il n'agissait donc que pour mon bien, je *devais* céder. Aussitôt, j'ai retourné ma veste et la ceinture est devenue mon alliée. Vas-y, maintenant, lâche-toi ! Desserre-toi ! (Chassez le pithécanthrope, il revient au galop – à travers la brousse, les yeux exorbités.)

Je fais le malin, mais je fondais littéralement devant cette femme simple (inutile de préciser qu'elle ne prenait pas de poses langoureuses, qu'elle ne battait pas des paupières, qu'elle n'écartait pas progressivement les jambes : elle restait absolument simple). Je n'avais pas seulement envie de coucher avec elle, c'était presque un détail : en la voyant, j'avais envie de me fondre en elle, de m'associer à elle, physiquement, comme un fantôme qui rejoint un corps mortel, comme une diapositive que l'on superpose à une autre.

Elle commençait à donner des signes de fatigue, réels ou feints. Elle se frottait les yeux, s'allongeait plus confortablement, se massait la nuque. Attention. À 2 : 26 au radioréveil, elle m'a dit qu'elle était fatiguée, qu'elle se couchait, et m'a demandé :

– Tu viens ?

Ce n'était pas une proposition timide. Ce n'était pas non plus une incitation à la débauche, au parfum de trottoir. C'était juste une question. Comme si je dormais ici depuis plusieurs mois. Comme si je m'attardais devant la télé. Ou comme si nous avions déjà abordé le sujet pendant le repas (« Bon, alors c'est entendu : vers 2 h 30, on baise. J'étais sûr qu'on allait s'entendre. Je te ressers un peu de riz ? »). J'ai toujours été estomaqué par l'aisance des femmes dans cet exercice, par l'insouciance et la spontanéité dont elles font preuve lorsqu'il s'agit de passer à la chose. Ça m'abasourdit et m'abasourdira jusqu'à la fin de mes jours. À croire qu'elles ont fait ça toute leur vie. L'homme est naturel dans le domaine du foot, de la voiture ou de la politique, la femme est, entre autres, naturelle dans le domaine de la chose. Du sexe, allez, disons le mot. Tant pis, la vérité est à ce prix. Du SEXE. C'est la femme qui veille sur la flamme du SEXE. Elle l'a en elle. Elle l'entretient. Elle la connaît. Elle n'en a pas peur. C'est pourquoi toutes les femmes sont plus portées sur la chose que les hommes. Sur le SEXE. Nous autres, les mâles, nous sommes très patauds quand le moment vient de proposer l'assemblage des corps : soit nous nous montrons obscènes et gras (« Je t'en mets un coup ? »), soit nous bafouillons jusqu'à nous entortiller la langue et la femme ne saisit pas le sens de notre proposition (« Mblogr ptron srunt ? » (moi, souvent)). (Une situation inconcevable (sauf si l'homme est un rustre dégoulinant) : l'homme invite une femme qu'il ne connaît quasiment pas à dîner chez lui, après le repas il se lève pour aller prendre une douche, il revient en peignoir, s'étend langoureusement sur le lit tandis que la femme reste assise sur le divan, laisse négligemment bâiller son peignoir, et au bout d'un moment dit d'un ton détaché : « Tu viens ? ») (Moi, en tout cas, je ne pourrais pas.) C'est trop ambigu pour nous, le SEXE. Les femmes, elles ont ça dans le sang.

Je me suis levé du divan, à l'aise comme une momie. J'étais sur le point de louper une bonne occasion de me singulariser, mais tant pis. Il fallait simplement que j'évite de penser aux dix autres qui s'étaient ainsi levés du divan ces derniers mois, dans l'univers envahissant de l'hypothèse. Voilà, je n'y pense plus.

Les quatre pas qui me séparaient du lit ont sans doute été les plus empruntés de l'histoire de la marche. À avancer ainsi vers elle allongée, j'avais l'impression d'aller au charbon. Heureusement, Pollux a eu la bonté, la présence d'esprit, la délicatesse de ne pas me fixer des yeux pendant mon approche – elle a tourné la tête vers la table de chevet et le radioréveil, l'air de se demander ce que pouvait bien faire là cet appareil noir avec de gros chiffres rouges. L'être parfait.

Arrivé près du lit, je n'avais plus d'idée pour la suite. Les trois mètres étaient franchis, très bien, mais maintenant ? Elle me regardait – elle ne pouvait pas non plus feindre de s'intéresser au radioréveil pendant dix minutes –, elle me regardait et semblait attendre quelque chose de ma part, mais quoi ? Je dois réfléchir vite, ce n'est pas le moment de me tromper.

Je me déshabille ? Il faudrait. Elle est presque couchée, en peignoir, je ne peux pas m'allonger tout habillé près d'elle, les bras le long du corps. Mais si je me déshabille maintenant, ça ne fait pas un peu vicelard ?

Je m'assieds sur le bord du lit ? Et puis ? Il faudra qu'elle reformule sa question autrement (« Est-ce que tu viens, finalement ? »). Mais quoi, alors ? Je me laisse tomber sur elle, lourd de passion ? Seigneur. Oscar ? Si je fais le mauvais choix, je peux tout perdre. Je ne sais qu'une chose : dans quelques instants, une fois que j'aurai résolu le problème de l'accès au lit, je vais devoir me montrer magistral en amour. Ou au minimum : à la hauteur. Non, il ne faut pas que je pense à ça. Surtout pas. Ça peut m'être fatal. Ne pas penser à ça. N'empêche, si ça ne se passe pas très bien, ça risque d'entamer les chances de survie de notre couple. Être à la hauteur, tout de même. Ne surtout pas penser à ça. On sait bien que c'est rarement prodigieux, la première fois. N'empêche. Ne pas partir battu. C'est mieux si c'est prodigieux. Je vais essayer de faire parler la foudre.

J'étais toujours en train de réfléchir au moyen le plus raffiné de la rejoindre sur le lit (en attendant, pris au dépourvu et manquant d'imagination, j'étudiais à mon tour le radioréveil en plissant le front et en me massant les reins – pour lui faire croire que j'étais un peu fourbu et donc plongé dans une profonde rêverie sur la beauté inaccessible de ce 2 : 27), quand elle m'a pris la main et m'a attiré vers elle.

Ensuite, je me suis laissé entraîner. C'était pas mal. C'était bien. C'était incroyable. Cette nuit, pour en avoir un aperçu, il faut imaginer les mille et une nuits, la libération de Paris, la piste aux étoiles, la messe de Noël, le carnaval de Venise, les feux de l'amour, la symphonie pastorale, l'île au trésor et le manège enchanté réunis dans une même pièce et concentrés en deux heures.

Dès que l'aube s'est levée derrière les grandes fenêtres, je me suis glissé hors du lit et me suis rhabillé. Je craignais de m'endormir. Et de passer ensuite la matinée avec elle. De déborder. Je voulais pouvoir mettre le jour et la nuit qui venaient de s'écouler dans une boîte à part, avant qu'ils ne se diluent dans le reste du temps. J'avais besoin d'être seul, maintenant. J'avais envie d'être seul, pour pousser des cris d'allégresse.

Je lui ai laissé un mot sur la table basse. (J'avais d'abord écrit un petit texte sincère, gavé d'amour rose, mais c'était si sirupeux, si mielleux qu'elle aurait probablement sucré son café avec. Je m'en suis donc tenu à un message très simple, dans lequel je lui expliquais que je devais passer au journal à 9 h 30, que je n'avais pas voulu la réveiller, que, pardon, j'avais regardé fixement ses fesses pendant dix minutes (c'était vrai, ça), que je n'avais pas vécu les pires vingt-quatre heures de ma vie (ce n'était pas faux non plus), qu'elle ressemblait à une petite fille quand elle dormait, qu'elle pouvait m'appeler quand elle voulait, et que je l'appellerais moi-même quand je voudrais, c'est-à-dire à 14 h 30.) Je l'ai regardée avant de sortir, nue et brune, sur le ventre, la couette à mi-cuisses, une main à plat sur le drap, à ma place, et l'autre près de la bouche. J'ai laissé mes yeux sur ses reins creux et lisses, sur son dos étroit, et je suis sorti en refermant très doucement la porte.

La rue Vavin s'éveillait grise et froide autour de moi, claire, étrangère. Les immeubles me semblaient majestueux et tranquilles, les fenêtres émouvantes, les premiers passants aimables. Je respirais l'air frais et humide à pleins poumons, je me sentais délicieusement anonyme, en vacances, dans un monde sans problèmes, dans un quartier qui ne me connaissait pas. J'avais l'impression de me promener dans une rue de Moscou, de Damas ou de Prague. J'aurais voulu écarter les bras et parler à ce quartier, prononcer à haute voix des phrases banales et stupides. (« Ah, quel bonheur. Qu'est-ce qu'on est bien, ici. ») Je marchais euphorique dans la grisaille, la fraîcheur, la nouveauté. Pour profiter de cette sensation de tourisme matinal, je me suis acheté un journal, je me suis installé dans une brasserie près de la baie vitrée et j'ai commandé un café et un croissant.

53

Pendant les dix jours suivants, nous ne nous sommes pratiquement pas quittés. Étant donné que nous ne travaillions sérieusement ni l'un ni l'autre (la Cravache donnait ses pronostics au hasard, et si Motel s'en est rendu compte, il ne m'a fait aucune remarque – parce qu'il m'aimait bien, je crois, mais aussi parce qu'il s'en fichait complètement : du moment que le journal marchait, le contenu n'avait pas grande importance pour lui), nous pouvions passer tout notre temps à nous promener dans le froid, à boire du vin dans les cafés, à parler, à manger dans de bons restaurants, à jouer à des jeux, à niquer, comme elle disait (elle trouvait « faire l'amour » assez stupide et dégoûtant, péquenot, ça lui faisait penser à « faire une belote » ou « faire un gigot », ça rendait l'amour gras et lourd, mis en ménage. Elle disait que c'était déjà presque impossible à comprendre, l'amour, à ressentir profondément, comment certains pouvaient-ils prétendre le saisir et le « faire » ? Quand elle entendait une demoiselle hautaine et constipée s'écrier, outrée : « Oh non, " baiser ", c'est laid ! On a " fait l'amour ", ça n'a rien à voir ! » elle avait la nausée. Elle l'imaginait pâmée sous son homme, s'efforçant de garder un visage de circonstance, empreint de noble béatitude, comptant fièrement les ciels jusqu'au septième), nous nous contentions de rester ensemble, tantôt chez elle, tantôt chez moi. (Caracas s'est immédiatement montrée familière avec Pollux, ce qui relevait du paranormal : je l'ai déjà dit, hormis Catherine, bien sûr, et l'étrange Nadège Monin, elle faisait de la charpie de toute créature féminine qui franchissait ma porte – elle essayait, du moins, car le chat, petit et insuffisamment musclé, doit surtout compter sur la ruse, la surprise et l'intimidation psychologique pour triompher d'un adversaire humain (en général, après avoir donné quelques coups de griffes et craché comme un fauve, elle comprenait que ça ne suffirait pas et s'attaquait au manteau de la cocotte indésirable, qu'elle mordait comme un yorkshire en colère, et à son sac, dans lequel elle pissait en fixant sa rivale d'un œil insolent – avec Pollux, rien de tout cela : elle aimait son odeur, elle se frottait sans arrêt contre elle).)

De ces dix jours, je ne garde en mémoire que des instants, des images presque fixes – et un sentiment global de facilité et de plaisir d'être.

Nous sommes allongés devant la télé, chez elle, vers deux ou trois heures du matin, nos jambes se touchent, nous regardons *Star Trek* en mangeant du chocolat et en buvant du jus d'orange.

Chez elle encore, nous jouons à nous poser des questions de Trivial Pursuit, sans le plateau, chacun notre tour. Elle est couchée dans son lit, je suis allongé par terre à plat ventre. Elle veut me battre coûte que coûte, mais je suis extrêmement fort.

Je suis allé l'attendre devant chez le dentiste, sans qu'elle le sache. Je suis assis sur un plot en ciment, sous la pluie, à une cinquantaine de mètres de la porte de l'immeuble, sur le trottoir qu'elle devra emprunter pour retourner vers le métro. Elle sort. Je la vois venir, tête basse, l'air préoccupé, seule. Quand elle relève les yeux et m'aperçoit, son visage s'illumine instantanément – une joie réflexe, une expression sur laquelle elle n'a eu aucun contrôle –, et elle se met à courir vers moi. Je sais qu'elle regrette d'avoir réagi si vivement sous l'effet de la surprise, sans retenue, sans une once de calcul, qu'elle sent de manière plus ou moins consciente que cette réaction est un peu démesurée en regard du cornichon assis là-bas sur son plot, je sais qu'elle préférerait s'arrêter de courir et franchir en marchant les dix mètres qui nous séparent encore (ce n'est pas possible, ça ferait bizarre), mais ce n'est pas grave : son visage à l'instant où elle m'a vu, cette première seconde de plaisir pur et spontané m'ont suffi.

Un matin, chez moi, je me réveille, dérangé par quelque chose. Je suis seul dans le lit. Où est-elle ? Ce qui m'a dérangé se trouve dans ma bouche : une petite boule de papier. Je la déplie et déchiffre les mots suivants, en caractères minuscules : « Ce message est mon dernier espoir. Comme une bouteille à la mer. Je le lance un peu au hasard, vers le haut, en espérant que quelqu'un le trouvera et viendra à mon secours ou préviendra les autorités compétentes. Je m'appelle Pollux Lesiak. Halvard Sanz m'a mangée. Aidez-moi. »

Une semaine après mon anniversaire, dans un restaurant italien proche de chez elle, elle m'offre un porte-bonheur, sa 4L Majorette rouge. Le souvenir est aussi net que si j'avais pris une photo. Elle me tend la petite voiture en prenant un air solennel comique. Elle est un peu maquillée, du noir sous les yeux. Elle s'est fait couper les cheveux dans l'après-midi. Elle porte du bleu, comme souvent. Du vin dans nos verres. Dans son assiette, des tranches fines de jambon de Parme. Quand j'ai pris mon cadeau, elle en mange une avec les doigts.

En sortant du laboratoire d'analyses, sur le palier, les résultats de nos tests en main, elle me saute dessus et enroule ses jambes autour de ma taille. Je mets mes mains sous ses fesses pour la tenir. Elle me dit à l'oreille : « J'ai eu peur. Je suis contente. »

Chez moi, je suis déjà couché, elle est en train de se déshabiller. Il est cinq ou six heures du matin. Elle est debout face à moi, en soutien-gorge et en culotte, l'air fatigué. Quand elle dégrafe son soutien-gorge, le dernier effort de la journée, la tête inclinée, les deux mains dans le dos sur l'attache, les bras repliés comme des ailes étranges, nues, une drôle d'image me vient à l'esprit. Celle d'un ange de chair, avec ces petites ailes, las et troublant, un ange tombé, un ange imparfait.

Durant ces dix jours, elle a semblé s'absenter plusieurs fois, brièvement. Elle glissait de côté, vers cette mélancolie parallèle et latente, cette zone sombre que j'avais entr'aperçue en quelques occasions déjà. Un jour, je lui ai posé la fameuse question des amoureux, la question la plus bête (mais aussi la plus incontournable, celle qu'on ne peut s'empêcher de poser même si l'on est parfaitement conscient de son inutilité).

– À quoi tu penses ?

– À rien.

La fameuse réponse des amoureux. Normal. J'ai insisté, je lui ai demandé si quelque chose la tourmentait, je lui ai dit que ce n'était pas la première fois que je remarquais dans son regard ce genre de petite noyade. Elle a d'abord semblé étonnée, m'a assuré qu'elle allait bien, qu'elle n'avait aucun souci particulier : elle était simplement un peu distraite par moments. Mais ce que les spécialistes nomment la « communion sentimentale », et que d'autres préfèrent appeler plus prosaïquement la « télépathie de ménage », ce n'est pas fait pour les chiens : je devinais qu'elle me cachait la vérité. Comme je m'obstinais à la questionner, subtil comme un tank, elle a fini par avouer :

– Je dois porter quelque chose de lourd, oui. Comme si j'avais un gros sac en bandoulière à l'intérieur.

– Mais qu'est-ce qu'il y a, dans ce sac ?

– Je n'ai pas trop envie d'en parler maintenant.

Toujours, lorsqu'on obtient ce qu'on veut, ne serait-ce qu'en partie, on se rend compte qu'on est allé un peu trop loin, porté par la volonté tenace, égoïste et cruelle, de *savoir*. Aussi, j'ai préféré la laisser tranquille et attendre qu'elle revienne elle-même sur le sujet, un autre jour.

J'ai pu également vérifier les pressentiments que j'avais eus lors de notre première journée. Comme je l'avais prédit, grand sorcier, elle était effectivement assez intéressée par tout l'aspect technique de la relation homme-femme, ce qui ne me dérangeait pas tellement. Lorsque alors nous niquions, ce qui n'était point rare, sans cesse elle répétait le même mot, toutes les dix secondes, avec une sorte d'acharnement égaré, d'une voix aussi suppliante qu'autoritaire, en plantant ses ongles dans mes bras : « Encore. » Et souvent dans la journée, n'importe où, dans le métro ou dans un bar, elle guidait timidement ma main entre ses jambes.

Je ne m'étais pas trompé non plus quant à la violence animale dont elle pouvait faire preuve (je suis fort). La plupart du temps, ces accès de froideur ou de méchanceté survenaient sans que j'aie rien vu venir. Elle était imprévisible, insaisissable. Gentille comme un bébé et méchante comme un enfant. J'avais beau l'observer pour comprendre ses réactions et peut-être ainsi les prévoir, je me laissais surprendre chaque fois. Séduire c'est surprendre, oui, et vice versa. Mais les voies qu'elle empruntait pour me séduire me restaient pour le moins impénétrables. (Et pourtant, c'était efficace : son comportement m'agaçait parfois, il m'arrivait d'avoir envie de lui jeter un verre d'eau à la figure (un réflexe typique d'impuissance), mais dire que j'étais séduit est un drôle d'euphémisme. Plus les jours passaient, plus sa présence me devenait indispensable. Pour employer une métaphore un peu tarte, j'avais le sentiment que, sans elle, je serais perdu comme un bateau sans voile, un bateau qui, même avec le gouvernail de la raison, ne peut plus que suivre le courant, vers n'importe où. Même si, pour l'instant, il arrivait de temps en temps qu'un brusque changement de vent m'envoie la vergue de ladite voile en pleine tête.) Un soir, nous étions sur le rebord d'une fontaine, vers Saint-Germain, elle assise sur mes genoux. Je la tenais dans mes bras, elle me tenait dans ses bras, il faisait très froid, elle enfouissait sa tête dans mon cou, me caressait les cheveux, nous n'avions pas ouvert la bouche depuis une bonne dizaine de minutes, rêveurs et romantiques. Soudain, elle s'est levée comme si je l'avais mordue et m'a dit d'une voix dure :

– Qu'est-ce qu'on fait, là, à roucouler comme des idiots ?

Elle s'est calmée dans les trois secondes – elle paraissait surprise elle-même, comme si quelqu'un d'autre venait de prendre fugitivement possession de son corps –, elle est revenue se coller contre moi pour m'embrasser, me murmurer des gentillesses à l'oreille, mais nous avons tout de même cherché un taxi pour rentrer.

Comme la plupart des amoureux, j'imagine, je me sentais inférieur à elle. Je la trouvais plus intelligente que moi – elle possédait les deux intelligences : l'innée, cet atout enviable qui permet d'évoluer dans le monde, de savoir instinctivement comment se comporter dans telle ou telle situation, et l'autre, celle qui s'acquiert (elle était plus jeune que moi mais j'avais l'impression qu'elle avait vécu des tas de choses, connu plusieurs fois le grand amour, tout lu d'Homère à nos jours, tout écouté de Bach à nos jours, tout vu de Botticelli à nos jours et de Méliès à nos jours, qu'elle avait fréquenté vingt mille personnes passionnantes et jeté un coup d'œil sur toutes les facettes de la nature humaine) (moi, en gros, j'avais touché quelques filles, lu quelques livres et pris quelques portes dans la figure) –, je la trouvais plus maligne que moi, plus libre, plus décidée, plus ferme dans ses choix, plus sensible à la beauté des choses (je m'inspirais d'elle pour forger mes goûts), plus originale, plus sincère, plus naturelle, plus courageuse, et plus agréable à l'œil. J'en concevais bien sûr un certain mépris rageur pour moi-même – le sentiment d'être « à la traîne ».

Un jour, nous sommes allés faire le marché ensemble, aux Batignolles. Sachant à peine ouvrir un paquet de nouilles, je lui laissais bien entendu la direction des opérations. Dans le marché couvert, elle allait d'un étal à un autre, étudiait les produits, choisissait avec attention, payait, sérieuse et efficace. Moi, bien entendu, je suivais. Même si c'était « mon » marché (je n'y avais jamais mis les pieds mais c'était le marché de « mon » quartier), je ne pouvais pas la guider, lui montrer le chemin (j'aurais tellement aimé, pourtant : « Viens, Pollux, on va voir la viande. Je connais un petit boucher, tu m'en diras des nouvelles. C'est par là. Première qualité, fais-moi confiance. »). Mais peu à peu, je commençais à me sentir mal à l'aise. J'étais à la traîne. J'essayais de marcher à côté d'elle, pour ne pas trop donner l'impression de suivre ma maîtresse comme un chien, mais ce n'était pas facile : elle se dirigeait vers le fromager mais changeait brusquement d'idée et piquait sur sa gauche vers le charcutier – pris à contre-pied, j'étais déséquilibré, je perdais quelques mètres et trottinais pour la rattraper. Finalement, les nerfs usés par cette vigilance de chaque instant, et conscient du ridicule de la situation (je devais avoir l'air d'un basketteur en défense), j'ai dû me résoudre à la suivre. J'étais furieux contre moi-même, évidemment, furieux d'attacher je ne sais quelle importance symbolique à de telles broutilles, mais pour m'épargner, je rejetais ma colère sur elle. Absorbée par son travail, elle ne prêtait que vaguement attention à moi. Elle ne calculait pas, elle se comportait simplement, elle avait raison. Moi, j'interprétais, je voulais donner un sens à tout, je me considérais comme un martyr, injustement traité. Comment pouvait-elle le savoir, d'abord, que je n'étais pas capable de distinguer une betterave d'une aubergine ?

Je m'enfermais dans ma bulle d'angoisse. Au bout d'un moment, elle a dû sentir que je perdais pied (je n'arrêtais pas de grogner : « Attends-moi », « On n'est pas aux pièces » ou « Et la salade ? Tu ne prends pas de salade ? ») car elle s'est retournée vers moi pour me demander si je préférais de la viande ou du poisson. Je m'en fichais complètement, mais j'ai senti qu'il fallait que je saute sur l'occasion pour affirmer ma personnalité :

– De la viande. J'aime bien la viande. S'il y a le choix, je préfère la viande.

Je voulais montrer que je savais moi aussi prendre une décision lorsque les circonstances l'exigeaient, que j'avais du caractère, mais elle a sans doute mal interprété mes paroles : « S'il y a le choix », pour elle, ça devait signifier : « À qualité égale. » Car après avoir passé en revue deux ou trois bouchers (elle tenait compte de mes

goûts, elle se pliait à mes exigences !), inspection ponc-
tuée chaque fois d'une petite moue peu convaincue (ben
quoi, c'est de la viande, non ?), elle a remarqué des poissons splendides et en a pris un gros. Je ne lui ai plus
adressé la parole jusqu'au soir.

Finalement, j'ai laissé éclater ma fureur – car je ne pouvais rien faire d'autre. Pendant qu'elle préparait le repas,
je suis entré dans la cuisine et lui ai fait une scène. Au
départ, je me sentais tout à fait dans mon droit, j'allais lui
dire ses quatre vérités, mais j'ai compris peu à peu que je
m'emportais pour rien, un poisson. Il était trop tard pour
m'arrêter. Au contraire, le sentiment de ma propre bêtise
ne faisait qu'accroître mon exaspération. Je ne parlais
pas français ou quoi ? Elle ne savait pas ce que c'était, de
la viande ? Elle m'avait demandé ce que je voulais manger simplement pour choisir le contraire ? Pour qui se
prenait-elle ? Elle a envie de manger du poisson alors on
mange du poisson, même si je n'aime pas ça ? Si, j'aime
le poisson, mais ce n'est pas le problème. Est-ce qu'elle
s'est bien rendu compte que j'existe ?

Vexé, enragé, je lui ai lancé à la figure la première
chose qui m'est tombée sous la main : une poignée de la
salade qu'elle venait d'essorer (je ne risquais pas de la
blesser gravement). Elle est restée immobile et muette
durant quelques secondes, puis s'est tournée vers moi
– j'ai deviné à son regard qu'une crise de violence animale s'annonçait : elle a attrapé le poisson par la queue
et m'en a donné un coup de toutes ses forces en pleine
tête. J'en suis resté tout bête.

Dix minutes plus tard, je me suis excusé, elle s'est
excusée (d'avoir choisi le poisson, puis de m'avoir
assommé avec), et nous n'avons plus jamais reparlé de
cette sombre affaire.

Chacun a passé le réveillon de Noël dans sa famille et,
le 27 décembre à midi, nous sommes partis en vacances.

54

C'est sans doute la semaine la plus agréable que j'aie vécue sur terre. En Normandie. Certains vivent la semaine la plus agréable de leur existence en Bretagne, en Bolivie, en Belgique ou en Pologne, il faut bien la vivre quelque part, moi ce fut en Normandie – Pollux Lesiak, je ne sais pas.

Clémentine Laborde, ma banquière, nous a prêté sa voiture. J'ai laissé Caracas chez ma sœur Pascale, qui l'aimait beaucoup et saurait s'en occuper aussi bien que moi.

– Entre deux affaires urgentes à régler, m'a dit ma sœur, tu vas peut-être enfin pouvoir nous la présenter ?

– Pas de problème. Elle s'est rangée, je te l'avais dit. Dès qu'on revient, je vous l'amène. Juré.

Pollux et moi, nous avions envie de changer d'année ailleurs. Cet ailleurs pouvait se trouver n'importe où, du moment que nous nous décalions pour prendre de l'élan et revenir au début de l'année suivante comme lancés par un élastique. La Normandie, c'était l'ailleurs le plus facile à atteindre. Pollux aimait bien les choses faciles. Moi aussi.

Nous sommes arrivés à Carteret le jeudi soir. Je voulais revoir l'hôtel d'Angleterre, qui n'avait rien de particulièrement somptueux mais me rappelait trois belles journées passées là-bas avec ma fiancée de l'époque, Claire. Les chambres donnaient sur une vaste étendue mi-sablonneuse, mi-herbeuse, bosselée de quelques dunes entre lesquelles s'étaient formées des flaques d'eau salée. Au-dessus de cette zone inclassable, à mi-chemin entre la terre et la mer, entre la campagne et le fond marin, de nombreuses mouettes tournoyaient comme folles en poussant des cris déchirants, des cris de veuves sauvages. Ou des goélands, peut-être. Le vendredi matin, je me suis réveillé avant Pollux et suis allé m'accouder à la fenêtre de la salle de bains, malgré le froid mordant. Je suis resté sans doute plus d'une demi-heure à les observer, fasciné, transpercé par les pleurs de ces mouettes, empli d'une immense tristesse. Mais c'était de la bonne tristesse. J'avais la sensation de m'intégrer à la communauté des mouettes, de me fondre dans ce monde constitué par leurs cris, le sable humide et la clarté glaciale du matin, mais au fond de moi je savais que je n'en faisais pas – ou plus – partie. Je me sentais comme un parent éloigné lors d'un enterrement. Je m'offrais un moment de désespoir pour le plaisir de retrouver ma vie heureuse et simple ensuite. Pollux Lesiak ronflait doucement dans le grand lit à quelques mètres de moi, je pouvais bien compatir quelques instants à la détresse de ces mouettes.

Et peut-être qu'elles rigolaient, après tout.

L'après-midi, nous nous sommes promenés sur la plage de Carteret, sans beaucoup parler, puis nous sommes allés nous réchauffer dans une sorte de pub, en buvant du whisky et en jouant à trouver des noms d'animaux qui commencent par « c » – il y en a des milliards. Le soir, nous avons dîné au restaurant de l'hôtel – elle a choisi des coquilles Saint-Jacques – puis nous avons discuté dans la chambre jusqu'à deux ou trois heures du matin.

Le lendemain, samedi, nous avons pris le bateau jusqu'à Jersey. Il n'a pas cessé de pleuvoir, nous nous promenions dans un monde gris sombre, opaque et froid, une terre sans vie, sans âme. Je n'ai pas aimé l'île, mais avec Pollux, j'aurais pris plaisir à traverser le fond de la mer du Nord en scaphandre. Au retour, sur le bateau, j'ai vu un homme que j'avais déjà repéré à l'aller et que nous avions croisé deux fois sur l'île. Un type assez moche, d'une quarantaine d'années, long et décharné, qui sentait le vice gluant à des kilomètres – un grand boyau rempli de sperme et de salive. Depuis le matin, il lançait des œillades lubriques à Pollux, de manière très directe, les yeux suintants et le sourire immonde. S'il s'était levé pour venir lui dire : « Je vais te défoncer le cul, petite pute, je sais que t'aimes ça », ça n'aurait pas changé grand-chose. Quand je le regardais, il ne se démontait pas. Il me fixait d'un air provocateur et cynique, sans se départir de son sourire d'hyène. (« Je vais la baiser, ta copine, elle n'attend que ça. Et tu n'y peux rien, pauvre type. Même si je ne la touche pas, c'est la même chose, tu sais bien qu'elle en crève d'envie. C'est une vicieuse, une salope, je sais les reconnaître. ») Pollux paraissait très troublée par ce porc. Elle me disait :

– Il est répugnant, il me donne envie de vomir. Tu as vu comment il me regarde ? Ça me dégoûte. Pour qui il se prend, ce type ?

Mais je ne pouvais m'empêcher de me demander si elle ne ressentait que du dégoût. Je trouvais cette pensée absurde – il était hideux –, mais malgré moi, je finissais par croire ce que les yeux de ce monstre me disaient. « Elle en crève d'envie, ta petite pute. » J'avais honte de lui prêter des désirs pareils – je me sentais indigne de son amour et de sa confiance – mais le doute s'était installé dans mon esprit, avec sa sale petite tête de rat malade, et grignotait tout ce qu'il trouvait. Quand j'ai vu que l'homme prenait le même bateau que nous au retour, j'ai failli aller le voir, le jeter au sol et l'étrangler en riant comme un possédé. Mais ce n'est pas mon genre. Je ne voulais pas donner plus d'importance qu'il n'en méritait à ce bouc ridicule. La pluie s'étant un peu calmée, tout le monde est sorti sur le pont. J'observais l'écume à l'arrière du navire et je pensais la même chose que des millions de passagers avant moi sur tous les océans du monde : « Notre vie, c'est un peu comme ce bateau. Ça fait beaucoup de mousse sur le moment, mais lorsqu'on regarde derrière nous, il ne reste qu'un mince sillage un peu huileux à la surface de l'eau. Et au loin, rien. » Soudain, une violente averse a éclaté. Tout le monde est rentré se réfugier à l'intérieur du bateau. Je me suis assis. Pollux n'arrivait pas. J'ai attendu encore quelques instants, puis je suis allé jeter un coup d'œil sur le pont arrière par la vitre. Ils étaient tous les deux côte à côte, le dos plaqué contre la paroi de la cabine passagers pour ne pas se faire trop mouiller. Pollux et le bouc, seuls dehors. Leurs épaules se touchaient peut-être. Je suis retourné m'asseoir car mes jambes ne me soutenaient plus. Je me suis senti devenir très pâle, un trou sans fond s'ouvrait en moi, comme si je venais de découvrir que ma mère était un travesti. Je n'arrivais plus à réfléchir, mon cœur battait dans mes oreilles et mes yeux. « Vicieuse. Salope. Petite pute. » Impossible de penser à quoi que ce soit d'autre. À la fin de l'averse, tout le monde est retourné sur le pont et j'ai suivi le mouvement. Quand elle m'a vu, elle est venue vers moi avec un grand sourire innocent et m'a pris dans ses bras. Après tout, il ne s'était rien passé. Je ne peux pas la considérer comme une vicieuse, une salope, une petite pute (les mots les plus hargneux viennent les premiers, on se croit au-dessus de tout ça, tolérant et civilisé, mais en une seconde, on descend très bas dans la vase) parce qu'elle reste seule avec un homme dont elle sait qu'il n'a qu'une idée en tête : la baiser. C'est injuste. Peut-être a-t-elle simplement voulu profiter de la mer sous la pluie. Peut-être est-il venu se coller contre elle pour la provoquer encore. Peut-être n'a-t-elle pas voulu rater ce spectacle à cause d'un pervers minable. Peut-être l'injuriait-elle mentalement en admirant la mer sous la pluie. Peut-être. Peut-être aussi pensait-elle à autre chose. Quoi qu'il en soit, dès le lendemain, l'image du bouc a commencé à se dissiper dans le sillage ondoyant de notre petit navire.

Dimanche, nous sommes descendus jusqu'à Granville où nous avons pris une chambre dans un grand hôtel qui dominait la plage. Elle a ouvert la fenêtre pour observer la mer et les quelques touristes en balade. Elle était accoudée sur le rebord, les reins cambrés. Ses hanches rondes, ses longues jambes. Je me suis approché derrière elle, j'ai relevé sa jupe et baissé sa culotte sur ses cuisses. Elle disait : « Non, non, arrête, les gens vont nous voir », mais elle n'a pas fait le moindre geste pour me repousser. Au contraire, elle creusait encore plus les reins, se mettait sur la pointe des pieds, comme si la partie inférieure de son corps réagissait toute seule, dissociée du reste, de sa tête bien droite, de ses épaules relâchées, de ses bras croisés. En dessous, une jeune femme blonde nous a fixés pendant un moment.

L'après-midi, nous nous sommes promenés en ville, main dans la main comme tout le monde, avant de nous réfugier dans l'un des rares bars ouverts pour nous protéger de la pluie. Le soir, nous sommes allés dîner dans un restaurant de poissons, entièrement bleu.

Le lendemain matin, en prenant le petit déjeuner dans la salle de restaurant de l'hôtel, nous avons lu dans le journal qu'un jeune couple s'était fait écraser par un train, du côté de Nancy. Leurs corps fragiles, broyés. Pendant quelques minutes, nous avons parlé d'eux.

En milieu d'après-midi, nous sommes partis vers Caen, sans trop savoir où nous allions dormir. Nous avons dépassé la « grande ville », trop lourde pour les amoureux, et nous nous sommes arrêtés à Ouistreham, car le nom me disait quelque chose. Ce n'est qu'en y arrivant – la nuit était déjà tombée depuis longtemps – que je me suis souvenu que c'était l'endroit où Nadège Monin avait vu le jour, plus de trente ans avant de se réveiller dans le lit d'un inconnu un peu bizarre qui aurait enfilé sa culotte sur son bras. Dans l'obscurité, le bourg ressemblait aux villes fantômes du Texas. Nous avons repéré quelques traces de vie près de la « plage » – c'est-à-dire surtout du port d'embarquement des ferries. Après avoir déniché une chambre de quarante ou cinquante centimètres carrés au rez-de-chaussée d'un hôtel neuf, nous avons mal mangé dans un restaurant cher et laid presque exclusivement fréquenté par des Hollandais, puis nous sommes allés marcher le long du port, nous asseoir près d'un phare. Il faisait froid et humide. On ne voyait rien, hormis la silhouette gigantesque d'un bateau rouillé qui s'apprêtait à partir, à une centaine de mètres de nous. J'étais « heureux », avec tout ce que ce terme peut comporter d'un peu bêta. Elle m'a demandé si je voulais des enfants un jour, j'ai répondu : « Je ne sais pas. » Quelques instants plus tard, elle a regardé sa montre et m'a dit :

– Il est une heure moins dix. On a changé d'année.

Cette nuit-là, dans notre chambre de bonne naine, quand j'ai posé une main sur son ventre, elle l'a retenue pour l'empêcher de descendre ou de monter. Elle n'avait pas envie, bon. Ça ne me dérangeait pas. Je ne suis pas un animal. Je ne suis pas un lourdaud besogneux qui tient à honorer sa bourgeoise tous les soirs dès que la lumière est éteinte.

Je n'ai pas arrêté de fermer l'œil de la nuit, mais sans pouvoir trouver le sommeil. Des centaines de milliers de camions énormes passaient devant la fenêtre, allant vers le port ou en revenant. Pollux dormait, aussi paisible et fraîche qu'une princesse dans un conte. Ses petits ronflements de jeune fille.

Le mardi, nous avons fui Ouistreham dès que possible et sommes remontés jusqu'à Étretat, le point de rendez-vous des amoureux et des suicidaires. Nous n'en parlions pas mais, depuis jeudi, nous étions poussés par l'envie de faire comme tout le monde. Près des fameuses falaises, je n'ai pas pu résister : je suis allé acheter un appareil photo jetable et dès que nous avons croisé un homme seul à l'air suffisamment pitoyable, je lui ai demandé de nous prendre en photo. Infâme, je jubilais. L'ivresse cruelle de la revanche. En plus, cet abruti ne nous a même pas coupé la tête.

Nous avons passé la nuit dans un hôtel « modeste mais confortable ». Je n'avais pas dormi depuis l'année précédente et Morphée le Terrible m'a donné un puissant coup de gourdin sur la tête pendant que Pollux la Douce buccalisait savamment ma vigueur douteuse. Il avait dû m'arriver de faire preuve de plus de tact dans des situations de ce genre. Mais après tout, Pollux n'était pas un animal, elle pouvait comprendre.

Le lendemain, mercredi, nous nous sommes dirigés vers Veules-les-Roses, dernière étape de notre voyage, en jouant à « Qui suis-je ? » dans la voiture (j'ai mis trois quarts d'heure à deviner qu'elle était Barabbas). Sur le bord de la route, nous avons aperçu une pelleteuse

Poclain abandonnée au milieu d'un chantier, déployant tristement sa longue trompe métallique vers la mer. Catherine (qui avait des photos de poclains sur tous ses murs) m'avait appris à aimer ces créatures rouges, lentes et gracieuses, qui creusent la terre sans effort apparent, puis pivotent majestueusement sur elles-mêmes, flegmatiques, en balançant leur trompe articulée avec l'élégance, la nonchalance et la dignité d'une vieille négresse qui sème des graines dans un champ, pour aller déposer la terre derrière elles, ou dans le camion, d'un geste souple et ample. Je me suis garé sur le bord de la route pour la montrer à Pollux. Sa silhouette fière et grave, pleine de douleur stoïque et de patience, se découpait sur le fond plombé de la mer et du ciel. Elle semblait penser : « Je suis lasse. Tant de peine alourdit mon cœur que pour survivre je me meurs. L'impuissance et la souffrance silencieuse seront mon seul réconfort, ma seule liberté. L'inertie sera ma dernière force. Non, sans rire. J'en ai marre de fouiller la terre. » Seule et oubliée de tous, elle tendait vainement sa trompe vers l'horizon, semblant rêver d'aller creuser l'inaccessible. Mais résignée, lucide et sans espoir. Plus belle qu'un vieil éléphant solitaire qui reprend des forces sur la rive d'un grand lac au crépuscule avant de se mettre en route pour son dernier voyage. Pollux l'a contemplée pendant un long moment sans rien dire, puis elle s'est tournée et a déclaré avec un sourire :

– C'est beau.

Qu'on ne vienne pas me dire que nous ne sommes pas « faits l'un pour l'autre », ou le coup va partir tout seul.

À Veules-les-Roses, nous avons pris une chambre près de la mer, à l'hôtel Napoléon – dirigé par l'étrange Madeleine, une Galloise provocatrice, marrante et désabusée, qui avait traversé à peu près tous les pays du monde avant de venir s'installer ici avec mari, fille et fils (accueillie un peu fraîchement par les Cauchois (gentils mais prudents), qui regardaient toujours d'un œil sévère les enfants de la perfide Albion, elle avait donné à son hôtel le nom de l'empereur par simple goût de la provocation). L'après-midi, nous sommes allés nous promener le long de la mer, comme presque chaque jour. Pollux m'a fait remarquer que plusieurs personnes seules et emmitouflées rêvassaient assises sur le long muret, face à la mer, séparées chacune par quelques dizaines de mètres. La mer est sans doute propice à la méditation, à l'introspection. On s'y plonge, on s'y fond, et puisque rien n'accroche le regard, moins encore que lorsqu'on fixe ses propres yeux dans un miroir, c'est peut-être comme si l'on plongeait en soi-même. Je n'en sais rien, je n'ai pas essayé – depuis que j'avais retrouvé Pollux, je n'avais certainement pas envie de perdre du temps à réfléchir. Elle m'a fait remarquer que ces gens arboraient exactement la même expression que ceux que l'on voit dans le métro. (Ceux qui reprochent aux passagers du métro de « tirer la tronche » m'ont toujours amusé. Cet acharnement à vouloir faire sourire tout le monde cache quelque chose. C'est stupide, surtout. Se sont-ils déjà demandé ce qu'ils ressentiraient s'ils entraient dans un wagon de métro rempli de gens qui sourient en regardant dans le vide ? Ce serait terrifiant.)

Après une promenade enivrante sur les falaises (le couple léger et confiant au-dessus de la mer, au-dessus de l'avenir vaste) durant laquelle je suis tombé dans la boue (les Clarks, pour la boue, ce n'est pas bon), après une longue marche dans le vent, nous sommes rentrés à l'hôtel, où le jeune cuisinier de Madeleine nous a préparé un excellent dîner. Dehors, un ouragan semblait se préparer. La pluie battait contre les baies vitrées de la véranda, le vent sifflait autour de l'hôtel comme s'il voulait l'abattre. Nous avons bu un ou deux whiskies au bar avec Madeleine, qui nous a raconté les trois ans qu'elle avait passés au Caire, puis nous sommes montés dans notre chambre. Pollux paraissait un peu cafardeuse. J'ai pensé qu'elle allait me parler du sac lourd qu'elle devait porter, mais elle est seulement restée debout quelques instants face à la fenêtre, les bras croisés, les jambes croisées, le buste légèrement penché en arrière. J'étais allongé sur le lit, je la voyais de dos, je me demandais comment elle parvenait à garder son équilibre. Pour ne pas avoir l'air de l'attendre comme un animal qui brûle d'honorer sa bourgeoise, j'ai ouvert le seul livre que j'avais emporté, un polar de Manchette. Elle est partie se brosser les dents. Je me suis levé pour savoir ce qu'on voyait de la fenêtre. Rien. L'obscurité et l'impression de tempête. Je me suis déshabillé, curieusement mal à l'aise. Elle est revenue, les lèvres encore humides. Elle s'est déshabillée en me souriant, elle s'est glissée sous les draps, et on a niqué dans la tempête.

Jeudi après-midi, nous sommes retournés sur Paris, par Fontaine-le-Dun, Yerville, Pavilly, Rouen et l'auto-route, la porte de Saint-Cloud, le périphérique, Montparnasse. Je l'ai déposée devant chez elle, rue Vavin. Nous ne nous étions pas éloignés de plus de cinq ou six mètres l'un de l'autre depuis une semaine, il était peut-être temps de souffler un peu (hormis celle de Noël, ce serait la première nuit que nous ne passerions pas ensemble depuis plus de deux semaines). Et cela nous permettrait de ranger cette semaine en Normandie dans une boîte à part. J'ai attendu qu'elle compose son code pour enclencher la première. Elle s'est retournée pour me faire un petit signe de la main – le même que lorsque son métro était entré en station, sur le mauvais quai –, elle a incliné la tête, puis s'est engouffrée dans l'entrée de l'immeuble.

55

Je venais de vivre une semaine complètement isolée du monde réel, du temps réel. Une semaine dans un univers parallèle, un univers libre et facile, où rien ne cloche, rien ne rate. (Un bouc infâme avait bavé sur mon épouse, j'avais passé une nuit blanche à cause des camions et j'étais tombé dans la boue – autant dire rien, comparé à la vraie vie. C'était le minimum pour que je n'aie pas le sentiment d'avoir emmené Pollux en vacances sur Mars.) Maintenant, il allait falloir revenir à la réalité, sur la planète Terre, celle des pièges et des entraves. Mais avec Pollux Lesiak comme équipière, je ne craignais rien.

Je songeais à l'incroyable intimité qui existait désormais entre nous. Ce qui me paraissait incroyable, plus exactement, ce n'était pas que Pollux et moi soyons intimes – tous les couples ou presque partagent la même intimité, ça n'a rien d'extraordinaire –, c'était plutôt que nous soyons *devenus* intimes (comme tout le monde). En route vers chez moi, en regardant les passantes par la vitre de la voiture, étrangères et lointaines, rapides, je me disais qu'il suffirait de quelques jours pour que je prenne l'une d'elles dans mes bras au bord de la mer, qu'elle me parle de ses angoisses d'adolescente, qu'elle me frotte le dos dans une baignoire, que je l'aide à boutonner sa robe. N'importe laquelle de ces passantes inconnues.

Un homme est dans un bistrot. À une dizaine de mètres, il aperçoit une femme qu'il n'a jamais vue. Il ne connaît rien d'elle. Elle est comme une bulle opaque dont il ne peut même pas toucher la surface. Il sait qu'il y a tout un monde à l'intérieur, des souvenirs et des goûts, des vices et des souffrances, un amour de jeunesse, une passion pour les westerns, une position préférée, un complexe, un père mort, un problème digestif, un prétendant éconduit, mais il sait aussi qu'il n'aura jamais accès à ce monde, qu'il ne fusionnera jamais avec elle : c'est impossible. Elle est l'incarnation du mystère. Et pourtant, quelques jours, peut-être quelques heures plus tard, ils sont tous les deux dans une chambre d'hôtel en Savoie, dans une ville où ils ne connaissent personne, elle lui demande de lui passer son soutien-gorge, elle est assise toute nue sur le bord du lit, elle lui dit qu'elle n'aime pas ses jambes – elles sont tordues –, il dit qu'elle est bête, qu'elles sont très bien, ses jambes.

Miraculeux. Cependant, c'est normal, bien sûr. C'est le principe de la vie. On ne connaît pas, puis on connaît.

Mais en y pensant dans la voiture, en me garant devant chez moi, cela me semblait inconcevable, trop énigmatique pour qu'un esprit humain puisse y réfléchir sérieusement. Quelque chose m'échappait.

Et le contraire me paraissait aussi inconcevable. Toutes ces inconnues auxquelles je ne passerais jamais un soutien-gorge dans une salle de bains, qui ne me parleraient jamais de la mort de leur père. Tous ces mondes inaccessibles : c'est impossible.

Je me demande si ce qui me semble inconcevable, ce n'est pas simplement qu'il existe des gens que je ne connais pas. Il serait temps que je me fasse à cette idée, pourtant.

Et au passage, tiens, je me demande si je ne suis pas obsédé par les culottes et les soutiens-gorge, par hasard.

Ça se pourrait. On dirait bien.

Parce que c'est de l'intimité tangible ? Les preuves que c'est possible ? Les petits témoins du miracle ?

Ça se pourrait.

Ou alors c'est juste un truc de cul.

Va savoir.

Le soir, j'ai éprouvé un curieux plaisir à me coucher seul dans mon grand lit. Être seul mais se dire qu'elle n'est pas si loin, qu'elle se couche aussi en ce moment. Être seul et pouvoir crier, tout en pensant joyeusement à elle. Désinvolte. Je me suis endormi très vite, comblé.

Le lendemain, je me suis levé à quatorze heures, presque pimpant. J'ai laissé un message sur son répondeur pour lui demander si on dînait ensemble le soir, puis je suis parti chez ma sœur Pascale et son futur époux, Marc Parquet, chercher Caracas (elle avait pris un bon kilo – et ma sœur deux (elle était enceinte)), je l'ai ramenée à la maison, je suis allé rendre sa voiture à Clémentine (avec une longue bise sonore sur la joue – sans elle, nous n'aurions peut-être pas pu nous offrir ce voyage de noces), je suis revenu dans mon quartier en métro (en souriant, les yeux dans le vide), je me suis arrêté au Saxo Bar pour annoncer à tout le monde que je ne m'appelais pas Pedro mais Halvard Sanz (stupeur, incrédulité, tournées générales), et je suis rentré vanné par tant d'agitation soudaine dans le vacarme et la ferraille après l'oisiveté nomade des bords de mer.

Il était 19 h 30, elle ne m'avait pas rappelé. J'ai donné quelques coups de fil – à Marthe, pour lui raconter notre séjour (elle n'écoutait pas vraiment, car elle croulait sous les manuscrits à corriger et allait probablement devoir passer la nuit dessus, ce boulot commençait à lui taper sur les nerfs mais elle n'avait pas envie de faire autre chose, malgré tout), aux Zoptek, pour leur raconter notre séjour (ils n'écoutaient pas vraiment, car la fille n'était pas rentrée depuis la veille, le père venait de se fouler la cheville et de se démettre (presque) l'épaule en essayant de danser en équilibre sur l'étroit muret du jardin, et la mère avait cassé la voiture le matin, en partant travailler encore un peu pompette), à l'actrice, pour lui raconter notre séjour (elle n'écoutait pas vraiment, car elle venait enfin de trouver le financement pour achever la postproduction de deux courts métrages qu'elle avait tournés l'année précédente, au Liban et en Syrie), à Catherine, pour lui raconter notre séjour (elle était contente pour moi). Ensuite, j'ai appelé mes parents, ma sœur, Clémentine Laborde, Michel Motel au journal, et trois ou quatre personnes qui m'avaient laissé des messages sur mon répondeur. J'ai vérifié que tout allait bien dans l'appartement, j'ai ouvert mon courrier de la semaine (rien de spécial, hormis des invitations pour un concert, envoyées par Clémentine, et une lettre rigolote de Catherine), j'ai servi un dîner royal à Caracas (thon albacore, jambon de pays, fromage de chèvre et chocolat au lait), j'ai mis mon linge dans la machine, j'ai posé l'appareil jetable dans l'entrée pour penser à le donner à développer le lendemain, je me suis préparé un café, j'ai changé l'ampoule de l'entrée, je me suis brossé les dents (ça ne peut pas faire de mal), et comme je ne savais vraiment plus quoi trouver pour m'occuper, j'ai rappelé Pollux. J'ai laissé un message maladroit, court, pour ne rien dire.

À vingt-deux heures, elle ne m'avait toujours pas téléphoné et je n'osais plus appeler (« Euh, oui, c'est encore moi. Halvard. Il est dix heures, là. C'est toujours d'accord, pour le dîner de ce soir, finalement ? »). J'ai commandé une pizza-mobylette et l'ai engloutie nerveusement devant un film de Guitry à la télé. J'attendais que le téléphone sonne, je lui lançais de longs regards en concentrant toute mon énergie dessus – rien à faire. J'ai demandé l'aide d'Oscar – rien.

J'ai regardé la télé jusqu'à deux heures du matin, sans rien comprendre à ce qui se passait sur l'écran. Où pouvait-elle bien être ? (Je refusais de l'imaginer chez elle pendant mes appels.) Chez des amis ? Je me suis aperçu que je ne connaissais pas une seule de ses relations. C'était heureux, peut-être : j'aurais été capable de téléphoner. (« Pollux est là ? Ah, oui, merci. Bonjour. Ça va ? Non, rien de particulier, c'était pour savoir où tu étais. ») Qu'est-ce qui me prenait ? Elle avait bien le droit d'aller dîner chez des amis, tout de même, après une semaine passée face à la même tête. Mais si, elle avait très bien pu partir avant quatorze heures. S'ils habitaient en banlieue lointaine, par exemple. Ou si elle avait plein de choses à faire à Paris avant de se rendre chez eux. Elle détestait interroger son répondeur à distance. Voilà. Jusqu'à maintenant, tout s'expliquait facilement. Comme tous les délaissés de la terre depuis l'invention maudite du téléphone, je suis quand même allé décrocher le combiné pour vérifier la tonalité.

Dans mon lit, j'ai voulu lire pour me décontracter, terminer le Manchette, mais soit je relisais sans cesse la même ligne, soit, si j'obligeais mes yeux à descendre d'un cran dès qu'ils arrivaient à droite de la page, le sens de l'histoire m'échappait complètement. Mes oreilles monopolisaient toutes mes facultés sensorielles : largement déployées, elles s'orientaient vers la pièce où se trouvait le téléphone et bourdonnaient comme des radars en attente. 3 : 07. Elle devrait appeler en rentrant, non ? Juste pour s'excuser d'avoir entendu les deux messages trop tard, ou pour me souhaiter bonne nuit. Non ? Après tout, je n'ai pas été très malin – c'est étrange, venant de ma part, mais rien n'est impossible. Je n'aurais sans doute pas dû lui téléphoner deux fois. Je lui collais aux fesses depuis plus de deux semaines (rien ne prouvait qu'elle n'avait pas ressenti le besoin de souffler un peu, sans oser m'en parler) et quelques heures à peine après notre retour, je la pourchassais déjà comme un huissier de l'amour, qui refuse de laisser la moindre seconde de répit à sa proie. J'étais un crampon, zut. Quel imbécile. Bon, tout n'était pas perdu, bien sûr. Il suffirait de ne plus la harceler, de se montrer patient. Elle me tapait gentiment sur les doigts, pour m'apprendre à vivre, mais elle téléphonerait sans doute dès le lendemain matin. Midi, disons. Mais oui, bien sûr : elle était sortie dîner chez des amis, elle était rentrée vers deux ou trois heures du matin, elle n'allait pas me réveiller en pleine nuit pour me souhaiter de beaux rêves ! Parfois, je me demande si je suis vraiment intelligent. Je pourrais l'appeler pour lui dire que je suis réveillé, d'ailleurs. 3 : 41. C'est un peu tard. Et puis non, de toute façon, j'ai dit non.

Le lendemain, j'ai craqué vers dix-sept heures. Encore le répondeur. J'ai raccroché avant le bip, mais j'ai rappelé aussitôt – la colère monte vite. (Je veux bien qu'elle me tape sur les doigts, mais là, soit elle se fout vraiment de moi, soit elle n'est pas revenue chez elle depuis hier, ce qui signifie assez clairement, me semble-t-il, qu'elle a passé la nuit à se faire grimper dessus par je ne sais quel jeune vicieux qui ne pense qu'à ça. À peine rentrée, c'est un peu fort de café. Ça la démangeait tant que ça ?) Je lui ai laissé un message assez froid, en essayant de produire une voix calme mais déjà vaguement résignée : « Tu pourrais peut-être donner un petit signe de vie, non ? C'est pas que je m'inquiète, mais bon, j'ai un peu d'affection pour toi, et tu me connais, je suis un marginal : quand j'aime bien quelqu'un, ça ne me dérange pas de l'avoir au téléphone de temps en temps. Et si la personne en question a envie de rester tranquille un moment, autant qu'elle me le dise, ça me semble fair-play : je crois que c'est un peu comme ça que fonctionnent les rapports entre les gens qui n'ont pas trop de haine l'un pour l'autre. Je ne sais pas, je me trompe peut-être. Je t'embrasse, Pollux. »

Après avoir passé la soirée dans l'état d'une poclain sur le bord d'une route, j'ai téléphoné une nouvelle fois vers minuit. Toute ma colère grotesque était à présent retombée. J'enviais sa patience, sa tolérance, sa manière simple et juste d'aborder la vie, je voulais l'imiter, et à la première occasion, je me comportais comme un adolescent irascible et jaloux. Je faisais pitié, tiens. Et si elle était allée deux ou trois jours chez sa mère, par exemple ? Que penserait-elle de moi, à son retour, en écoutant ce message de dément ? Que penserais-je d'une fille qui se conduirait ainsi ? Je me dirais : « Tiens, elle n'est pas aussi bien que je croyais. Dommage. » Je venais peut-être de faire une bourde. Je risquais de la perdre. Non, ne dramatisons pas. Ne cédons pas aux grands émois lyriques. Il faut que je réagisse comme elle (de manière simple et juste). Premièrement, étudier la situation avec lucidité, et donc ne pas s'affoler : ce n'est pas parce qu'une femme ne vous appelle pas pendant deux jours qu'elle vous a abandonné à tout jamais. Deuxièmement, envisager le pire et voir ce que ça donne : imaginons qu'elle ne veuille plus de moi (mais avant, décidons d'arrêter ce langage de tragédie piteuse, sinon nous n'arriverons à rien dans notre quête de la sagesse). Imaginons qu'elle préfère que notre histoire s'achève. C'est le pire des cauchemars, mais faisons un effort. Imaginons par exemple qu'elle en avait assez de nous voir ou de coucher avec nous, ou bien qu'elle souhaite que ces deux semaines presque parfaites restent intactes, ou encore qu'elle ait trouvé (si vite ?) quelqu'un d'autre vers qui tourner (elle le connaissait avant, peut-être ?) son amour. (Grouillons-nous de terminer cette réflexion, car cela devient franchement insupportable.)

Eh bien même dans ce cas terrible, nous nous ferons une raison en nous répétant sans arrêt que nous ne l'aimons pas que pour ses zones érogènes, et que le principal est que nous puissions continuer à la voir en amie. Nous pouvons toujours essayer de nous faire croire ça, ça ne mange pas de pain. Même si nous nous permettons de douter, pour le principe.

Dans le message, je me suis excusé de m'être comporté comme un roquet quelques heures plus tôt, je lui ai dit que je m'inquiétais un peu, c'est tout, que si elle le désirait nous pouvions très bien vivre chacun de notre côté pendant quelques jours, qu'elle n'avait qu'à me le dire, voilà, c'est ça, le tout c'était de me prévenir, même si elle voulait qu'on arrête là, j'espérais sincèrement que non, mais enfin on ne sait jamais, le tout c'était de me prévenir, parce que là je ne comprenais pas son silence, j'avais tendance à toujours envisager le pire, c'est vrai, j'étais idiot, mais on ne se refait pas, c'est parce que je l'aimais bien, mais si ça se trouve elle était simplement partie passer deux ou trois jours chez sa mère, qu'elle me tienne au courant, je l'embrassais, je ne bougeais pas ce soir, mais rien ne pressait, je l'embrassais.

Le lendemain, dimanche, j'ai téléphoné deux fois. En début d'après-midi et en pleine nuit. Elle exagérait, quand même.

Car désormais, en parlant tout seul sur la bande magnétique de son répondeur (« Pollux, s'il te plaît… »), j'avais le pressentiment plus que désagréable qu'elle était assise sur son lit, près de son téléphone jaune, et m'écoutait. Mon état d'esprit d'alors peut se décrire très facilement : je ne comprenais pas.

Le lendemain, j'ai téléphoné un peu avant midi. Je n'avais réussi à dormir qu'une heure ou deux, en début de matinée. Je n'avais pas mangé la veille, je n'avais pu avaler qu'une gorgée de café, je me sentais à vif. Je n'ai laissé que deux mots sur son répondeur : « Pollux ? Merde. » (Ce n'est pas très fin, mais j'étais à court d'imagination.) L'après-midi, je suis allé consulter le Minitel à la poste pour essayer d'obtenir le numéro de ses parents. Je n'ai trouvé que trois Lesiak dans toute la région parisienne. Personne n'avait de fille nommée Pollux (un homme m'a raccroché au nez en croyant à une blague). Dans un kiosque, j'ai noté le téléphone de deux journaux spécialisés en arts plastiques, à tout hasard. L'un n'avait jamais entendu parler de Pollux Lesiak, l'autre si.

– Non, elle n'est pas là, monsieur. Elle ne passe que très rarement, vous savez. Elle nous envoie ses papiers, le plus souvent.

Le soir, en rentrant, j'ai tourné en rond autant que je pouvais, puis j'ai rappelé. Je suis encore tombé sur cette saleté d'annonce de répondeur, qui commençait à m'irriter les tympans. « Vous êtes bien chez Pollux Lesiak, je suis absente, mais vous pouvez toujours me laisser un message. Merci, au revoir. » Bip.

« C'est encore moi. Appelle-moi, Pollux, j'en ai marre. Une seule fois, ensuite je te laisse tranquille. S'il te plaît. Quoi qu'il se passe, ce n'est pas grave, appelle-moi. S'il te plaît. Merci. »

Dans les jours qui ont suivi, j'ai téléphoné encore plusieurs fois, sans grand espoir, juste pour entendre sa voix et l'empêcher ainsi de me laisser tomber. Finalement, un soir, je suis allé à pied jusqu'à la rue Vavin, très vaguement conscient que ce n'était peut-être pas la meilleure chose à faire.

Sa fenêtre était éclairée.

J'ai composé son code mais me suis ravisé aussitôt. C'était l'occasion idéale de savoir si elle se moquait réellement de moi. Je suis entré dans une cabine. Trois sonneries. Normalement, le répondeur décroche à deux. Je vais pouvoir lui parler. Ma main s'est mise à trembler. Qu'est-ce que je dis ? Je hurle ou je fais comme si de rien n'était ? Vite !

– Oui, allô ?

Une voix de jeune homme.

J'ai raccroché comme si j'avais entendu la voix du diable – et même avec plus d'effroi et de dégoût, car je ne l'aurais sans doute pas reconnu, le diable. La cabine s'est effondrée sur ma tête en millions d'éclats de verre immatériels, tous les immeubles de la rue se sont écroulés sans bruit, les passants se sont désintégrés instantanément et mon cœur est tombé dans ma chaussette gauche, entraînant mes poumons, mon estomac, mon foie et mes intestins. Je suis entré dans un café, j'ai bu quatre whiskies cul sec en une minute trente (le patron a refusé de me servir le cinquième), je suis ressorti sans lever les yeux vers sa fenêtre, je suis monté dans un taxi, en bas de chez moi j'ai acheté une bouteille de Cutty Sark à l'épicerie, je suis monté en vitesse et j'ai bu jusqu'à tomber.

56

J'aurais dû parler à ce type, hier. J'aurais dû lui demander qu'il me passe Pollux. C'était peut-être un ami. Non, ça suffit, je ne vais pas continuer jusqu'à la retraite à chercher toutes les excuses possibles pour ne rien voir. Ce n'était pas un ami. C'était son « mec » (pouah). Elle le fréquentait sans doute déjà avant notre rencontre à la soirée de la maison d'édition – j'ai au moins le droit d'espérer qu'elle n'a pas fait sa connaissance le soir même de notre retour. Peut-être a-t-il quelque chose à voir avec cette chose « lourde » qu'elle doit porter ? J'aurais dû lui parler. Parler à Pollux. L'entendre me dire elle-même : « Excuse-moi, c'est lui que j'aime, en fin de compte, je retourne avec lui. » Un peu de mélo, ce serait toujours ça à me mettre sous la dent pour passer mes nerfs.

J'ai rappelé en début d'après-midi, pour que les choses soient bien claires. Ça ne répondait plus. Elle était partie ? Ils étaient partis ? Je lui ai envoyé deux longues lettres, auxquelles elle n'a jamais répondu. Un soir d'éthylisme, je suis repassé devant chez elle, son appartement était éteint. J'ai composé son code (il a fallu que je regarde sur mon carnet d'adresses, je l'avais déjà oublié), je suis entré dans le hall. Sa boîte aux lettres, apparemment, ne contenait qu'une facture, à son nom – j'ai glissé mes doigts dedans pour fouiller, oui, la honte ne pouvait plus m'atteindre. Elle avait donc eu mes lettres. Son nom figurait toujours sur la boîte. Elle habitait encore ici. Ou bien gardait-elle seulement cet appartement comme une sorte de pied-à-terre – sans répondeur ? J'ai griffonné une ânerie sentimentalo-fataliste sur un morceau de papier que je suis monté glisser sous sa porte.

Une semaine plus tard, j'ai abandonné. Il n'y avait plus rien à faire. Je l'ai laissée partir, je l'ai abandonnée.

Plus d'un mois après notre retour de Normandie, je l'ai appelée une dernière fois, une nuit de misère. J'espérais de tout mon cœur qu'elle allait décrocher, que je pourrais essayer de jouer l'indifférent, l'ami sans rancune. « Alors, qu'est-ce que tu deviens ? Tu as un nouveau fiancé ? Oui ? Je suis content pour toi, sincèrement. Hein ? Non, moi non. Des petites histoires comme ça, quoi. Ah ah, oui. Tu me connais. On s'est quand même bien amusés, tous les deux, hein ? » Mais je n'ai pas eu cette chance. Elle était partie pour de bon. « Le numéro que vous avez demandé n'est pas en service actuellement. » Brusquement, c'était fini. Elle était retournée dans le reste du monde, ailleurs, nulle part. Dans un quartier que je ne connaîtrais jamais, dans une rue qui ne figure pas sur les plans, dans un immeuble sans fenêtres. Elle n'existait plus pour moi. Voilà, très bien, je n'avais plus rien à perdre.

Comment avait-elle pu se conduire de la sorte ? Qu'elle me quitte, pour un autre ou non, passe encore. On ne peut pas s'étonner de ce que les gens vous quittent. Après tout, en observant notre histoire posément, à l'écart, il fallait reconnaître que nous n'étions restés que dix-sept jours ensemble. Ce n'est pas considérable, par rapport à d'autres. Et surtout, en repensant à ces dix-sept jours, j'ai découvert avec stupeur que rien ne m'avait jamais

« prouvé » qu'elle était amoureuse de moi. Je ne m'étais quasiment pas posé la question, le lien étrange qui nous unissait me paraissait évident, incontestable. On ne se demande pas si un bébé aime sa mère. Moi, j'étais amoureux d'elle : sûr. Mais elle ? Elle ne m'avait jamais rien dit, jamais rien montré de particulier – des femmes qui passent deux semaines avec un homme, qui couchent avec lui, qui partent en Normandie avec lui mais ne l'aiment pas, ça court les rues par bataillons de mille. Se poser cette question me semblait bien sûr un peu idiot, attendre des « Je t'aime » ou des preuves encore plus, mais je ne savais soudain plus à quoi me raccrocher. J'avais pourtant bien « senti » quelque chose, non ? D'où me venait cette certitude ? (Je n'étais pas exactement le genre d'homme que l'on peut qualifier de « sûr de soi ».) De ses regards ? De sa manière de me toucher ? De l'attention particulière qu'elle semblait me porter ? (J'étais peut-être si habitué à rencontrer des ennuis, des obstacles et des individus récalcitrants que, pour une fois qu'une personne se conduisait avec moi de façon relativement normale, mon pauvre cerveau de persécuté en déduisait illico qu'elle était éperdument amoureuse de moi ? (Comme le poussin qui croit que le chien est sa mère parce que c'est le premier être vivant qu'il a vu en sortant de l'œuf.)) Malgré tout, est-il possible de se tromper à ce point sur quelqu'un ? (Pour qu'elle se détourne de moi si rapidement et sans le moindre regard en arrière, elle devait vraiment n'éprouver que la plus plate indifférence à mon égard (pimentée même, à l'évidence, d'une pincée de mépris) ; et seul un monstre de cruauté et d'égoïsme aurait pu me laisser souffrir ainsi sans répondre, sans même se donner la peine d'appeler pour me dire « Fous-moi la paix, je ne t'aime pas ».) Apparemment, oui, on peut se tromper. Une vérité au moins sautait aux yeux : alors que je m'extasiais peu de temps auparavant sur notre *incroyable* intimité, je m'apercevais soudain que je ne savais même pas si cette fille éprouvait un peu d'amour pour moi, et n'avais aucune idée de ce que pouvait être cette chose lourde qui la rendait triste. Ce sont tout de même deux éléments qui ont leur importance, dans la personnalité de quelqu'un. Sans compter les autres zones d'ombre. Je connaissais la couleur de ses culottes, certes, son adolescence vacillante et son goût pour les objets usagés, mais c'était à peu près tout. Pollux Lesiak restait presque aussi mystérieuse pour moi que les bulles opaques, attirantes, que l'on aperçoit au loin, dans les bistrots ou sur les grands boulevards. Et elle venait de disparaître aussi subitement, aussi définitivement qu'une jolie passante au coin d'une rue.

Les semaines suivantes n'ont pas compté pour moi. Je me sentais vide mais lourd, inutile, je n'avançais plus dans le temps. J'étais l'une de ces bouteilles de jus de fruits qui sont exposées dans les cafés, en hauteur, depuis le premier jour d'ouverture : décolorées, fadasses et translucides, avec toute la pulpe et la couleur déposées au fond en une mélasse dégoûtante. J'étais monté m'exposer là-haut tout seul, et plus personne n'aurait l'idée de me consommer.

Je me contentais donc de rester chez moi sans rien faire – sans même pleurer (ou bien, si je versais quelques larmes de circonstance, c'était sur mon propre sort, des larmes d'acteur raté devant son miroir, de fausses larmes, égocentriques et théâtrales pour « vivre » ma douleur, mon amour enfui, des larmes d'apitoiement pitoyable) : ce que je ressentais n'avait rien à voir avec du chagrin. C'était une sorte d'anéantissement, une destruction totale de ce qui peut pousser quelqu'un à mettre un pied devant l'autre (envie, besoin, espoir, etc.). En me souvenant de tout ce qui m'était arrivé depuis la chute dans la baignoire, je m'apercevais que, même si je me sentais légèrement abattu sur le moment, j'avais toujours trouvé la force de continuer cahin-caha, poussé par je ne sais quoi, en partie l'illusion de pouvoir retrouver Pollux, en partie mon propre élan de vie, ou quelque chose comme ça. Désormais, plus rien. Pollux Lesiak avait disparu, et tout le reste avec. Que pouvais-je faire, maintenant ? Car il faut bien faire quelque chose, la vie l'exige. Rester assis jusqu'à la fin de mes jours ? Fuir ? J'avais déjà essayé bon nombre de méthodes qui s'étaient révélées totalement inefficaces. Et pour fuir, il faut bouger. Or je n'avais plus de muscles ni de tendons. Et qu'est-ce que je pouvais fuir ? Mon apathie, mon anéantissement ?

Pourtant, au bout de quelques semaines d'inexistence, c'est ce que j'ai fait. Car la vie exige qu'on bouge. Et même si l'on refuse, elle se débrouille. Elle bouge ce qui est autour, s'il faut. Ou bien elle attend, elle fait confiance à son père, le temps, qui n'est pas non plus le dernier des imbéciles. Ils manigancent tous les deux pour que *ça* bouge. C'est leur rôle. Le temps m'a endormi l'air de rien, m'a distrait, m'a redonné de la vigueur sans que je m'en aperçoive, et la vie, sentant la proie prête, m'a pris en traître et m'a relancé dans l'action, dans l'existence, dans la fuite. Elle avait compris que je n'étais plus qu'un corps, sans esprit, sans envies, sans peurs, sans rien d'autre que de la chair et du sang, elle n'est donc pas allée chercher midi à quatorze heures. Elle a pris mon corps et l'a jeté dans la luxure. Elle m'a fait découvrir quelque chose que je ne connaissais pas (la facilité stupéfiante avec laquelle on peut parvenir à s'accoupler avec n'importe quel être humain qui passe près de soi), par l'intermédiaire d'une première fille qu'elle a discrètement posée à côté de moi. Sur le coup, bien entendu, je n'ai pas eu conscience de tout cela. J'ai seulement pensé que ma douleur se calmait, que Pollux Lesiak s'effaçait – je suis même allé jusqu'à me dire, nabot misérable, qu'elle n'avait rien d'exceptionnel, après tout –, que mes sentiments changeaient avec le temps (je passais de la souffrance à l'amertume, et plus tard ce serait vraisemblablement l'indifférence), et quand cette première fille est venue s'asseoir à côté de moi, je n'y ai vu qu'une occasion de reprendre un peu l'exercice, d'un point de vue simplement sportif. Et plus tard, quand je suis allé m'asseoir à côté de toutes les autres filles, je ne me suis pas rendu compte que c'était une fuite, et à la fois le contraire, un moyen détourné de repartir dans la vie : mesquin et couillon, j'ai pensé que ce serait une manière comme une autre de me venger de Pollux. Une vengeance nerveuse.

NE VOUS ÉNERVEZ JAMAIS

Je ne voulais plus bouger après Pollux, et pourtant je me suis jeté comme un sauvage sur toutes les femmes que j'ai croisées.

57

Environ deux mois après notre retour de Normandie, Marthe m'a invité à un dîner chez elle. J'ai refusé, dans un premier temps, par réflexe dépressif. Mais elle s'est débrouillée pour me convaincre – « Allez, viens. »

Elle avait réuni une douzaine de personnes – des traducteurs et des traductrices, pour la plupart, ainsi que quelques amis « extérieurs ». Je ne connaissais que Nono, Cédric et Robert, entrevus lors de la soirée qui m'avait permis de retrouver Pollux (Marthe avait eu la gentillesse, si l'on veut – disons plutôt l'indulgence –, de ne pas inviter Laure). J'étais assis à côté d'une jeune femme rousse plutôt sympathique, timide et effacée (je ne me souviens plus de son visage – mais son prénom m'est resté : Flavia). J'ai beaucoup bu ce soir-là, pour ne pas me sentir parmi eux, pour m'envelopper dans mon petit malheur. Au moment du café, je ne sais pas ce qui m'a pris, j'ai éprouvé le besoin de remuer. Je pensais à Pollux, je me sentais nerveux – ivre et hargneux. D'abord, je me suis mis à parler beaucoup. Je me disais : « Sois agressif, provoque-les, pour qu'ils te tapent un bon coup sur la tête », mais je n'y parvenais pas. J'étais aimable avec tout le monde – je les ai même fait rire (je m'écoutais parler avec horreur). J'avais besoin de violence, et de fureur dirigée contre moi.

Soudain, j'ai vu les jambes de ma voisine Flavia. De belles jambes, à mon avis. Elle portait une jupe courte et un collant noir. Depuis longtemps, je haïssais les collants de toute mon âme, mais là ça n'avait rien à voir. Ce n'était qu'un emballage. Je me suis senti, progressivement, devenir malade. Je me suis senti changer de nature – devenir un animal qui ne se soucie de rien d'autre que de ses besoins. Or j'avais besoin de deux choses : susciter la réprobation, le mépris ou la colère des douze personnes assises autour de la table ; ou bien jeter cette fille par terre, déchirer ses vêtements, lui écarter les jambes, la maintenir au sol et m'en servir. (Ah j'étais remonté, hein.) (Pourquoi elle ? Pourquoi ces pulsions sauvages orientées vers une jeune femme si réservée, si ordinaire ? Parce qu'elle était assise à côté de moi, je suppose. N'importe quelle autre femme présente à la table m'aurait mis dans le même état – son corps, son apparence, ce n'était qu'un emballage.) Et soudain, une idée de génie m'est venue à l'esprit – il convient ici de ne pas oublier que j'étais soûl et momentanément frappé de démence. J'allais glisser ma main entre ses jambes. À table. Sans me poser de questions, sans mettre de gants. Je n'avais rien à perdre, au contraire : soit elle bondissait en arrière sur sa chaise, me giflait violemment devant tout le monde (neuf cent quatre-vingt-dix-neuf chances sur mille), et j'obtenais la haine générale que je recherchais ; soit elle me laissait faire (une chance sur mille, en se montrant optimiste – probabilité que l'on pouvait raisonnablement diviser par dix, sans provoquer la moindre critique des scientifiques, en étudiant quelques secondes son visage de fille sage et timorée), et dans ce cas-là, je pouvais nourrir de sérieux espoirs quant à la réalisation de mon fantasme bestial. Bien entendu, je ne me faisais aucune illusion, mais je me rendais compte – avec une certaine sensation d'euphorie – que, malgré tout, rien ne m'empêchait de glisser ma main entre les jambes de cette jeune femme. J'allais prendre une gifle, mais je m'en moquais, j'allais définitivement passer pour un sale type vicieux aux yeux de toutes les personnes présentes, mais je m'en moquais. On a l'impression qu'il nous est interdit de nous comporter aussi bassement, mais pas du tout. On peut. Tout à la joie de ma découverte, je me suis mis à parler comme le plus spirituel des joyeux drilles. J'étais excité comme une puce, je me laissais aller, je faisais rire tout le monde – même Flavia ma voisine, dont je sentais le regard sur ma tempe droite (attends, toi, tu vas comprendre qu'il ne faut jamais se fier aux apparences, ne jamais accorder sa confiance aux inconnus). J'y trouvais un double plaisir : celui de m'insinuer dans le cœur des autres convives, sournoisement, avant de les estomaquer, de les décevoir comme personne encore ne les avait jamais déçus (« Eh oui, c'est moi, Super Décevant ! »), et celui de retarder avec délices le moment où je commettrais mon crime. Je leur racontais ma triste mésaventure avec Peau-d'Âne, en y ajoutant des tas de détails de mon invention pour pimenter l'histoire. Faites attention, les gars : comme Peau-d'Âne, Super Décevant avance masqué, sous sa grande cape de blagueur. Votre naïveté vous perdra. À la fin de mon récit, Robert a enchaîné sur une anecdote du même genre, et toute l'attention de la tablée s'est tournée vers lui. Mon heure de sinistre gloire approchait. J'ai bu une dernière gorgée de café, émoustillé jusqu'aux oreilles, et avec un sang-froid ahurissant pour un homme qui s'appelle Halvard Sanz, j'ai posé ma main droite sur la cuisse gauche de Flavia. À mon grand étonnement, elle n'a pas bondi en arrière. Elle n'a même pas sursauté, ne s'est pas tournée vers moi, n'a pas bougé d'un centimètre. Elle continuait à regarder Robert qui racontait son histoire, comme si elle ne sentait pas ma main. Bon, Super Décevant avait manqué son attaque (il se décevait lui-même – professionnel jusqu'au bout des ongles). Après tout, elle interprétait peut-être mon geste comme une marque d'amitié ou une manifestation de bien-être, après un repas fameux, au milieu de tous ces gens sympathiques et drôles (« On est bien, non, Flavia ? ») – allez savoir, avec les filles, c'est tellement compliqué. Prêt à tout pour déclencher une réaction, j'ai remonté ma main à l'intérieur de sa cuisse, sous sa jupe, jusqu'à ce que mon petit doigt bute contre une zone plus chaude. Elle n'a toujours pas bondi en arrière. Elle a serré ma main entre ses cuisses pendant quelques secondes, très fort, puis les a écartées de manière assez significative. J'étais pris au dépourvu, je dois le reconnaître. (Elle semblait suivre l'histoire de Robert avec toujours autant d'attention, mais un observateur sagace aurait pu remarquer qu'elle tripotait assez nerveusement une boulette de mie de pain.) J'ai baissé discrètement les yeux (depuis quinze ou vingt secondes, mon envie de me faire huer et cracher dessus par l'honnête assistance s'était estompée) : j'avais remonté sa jupe jusqu'en haut de ses cuisses. Si son voisin de droite tournait la tête, il tombait à la renverse. Elle a dû penser la même chose que moi car, à ce moment-là, elle a approché sa chaise de la table pour se servir de la nappe comme voile de pudeur. J'ai fait de même avec ma chaise car je me trouvais dans une position pour le moins inconfortable, penché en avant. Je l'ai observée du coin de l'œil : elle regardait droit devant elle, sérieuse et froide – une bonne élève en classe de maths. Contre mon petit doigt, en revanche, c'était de plus en plus chaud et humide, à travers le collant et la culotte. Proche de la transe, j'ai changé très lentement la position de ma main entre ses cuisses pour que mon petit doigt ne soit plus le seul à profiter de sa liberté d'esprit. Alors la douce et discrète Flavia a écarté plus largement les jambes, tout en s'adossant plus confortablement au dossier – comme quelqu'un qui se détend après un bon repas – pour avancer les fesses au bord de sa chaise.

Le lendemain, quand je me suis réveillé chez elle, elle était déjà partie travailler. Elle m'avait laissé un mot sur la table : « J'ai passé une bonne nuit. J'espère que toi aussi. Le café est dans le frigo. Claque la porte en sortant. Flavia. » J'ai pensé à Pollux, mais tant pis pour elle et tant pis pour moi.

Que s'était-il passé ? Comment une jeune femme à l'air si timide, si prude, pouvait-elle accepter d'ouvrir ses draps à un inconnu, simplement parce qu'il avait mis une main entre ses jambes ? Je m'étais retrouvé, par le plus grand des hasards, assis à côté d'une nymphomane aux traits de sainte-nitouche, et mon instinct animal avait fait le reste, flairant la bonne affaire ? C'était peu probable. J'étais si drôle et si fascinant lorsque je racontais une histoire que ce modèle de vertu avait perdu la tête dès que j'avais touché sa cuisse et remonté sa jupe ? Sans excès de modestie, c'était encore moins probable. Mais alors ? Il fallait que je comprenne. Je me suis remis à sortir. Et pas qu'un peu.

Trois jours plus tard, après une soirée chez l'actrice, j'ai demandé à l'une de ses amies – Lucie, que je rencontrais pour la première fois – si elle pouvait me raccompagner chez moi. Nous étions seuls dans sa voiture, mais ma lâcheté naturelle m'empêchait d'agir directement (et pourtant, c'était indispensable : le moindre brin de cour préalable aurait ruiné la validité de mon expérience). Soudain, l'occasion idéale s'est présentée – idéale pour le dégénéré que j'étais devenu depuis que Pollux m'avait laissé tomber. Nous étions arrêtés à un feu rouge, avenue de l'Opéra, lorsqu'elle a dit :

– J'ai envie de pisser.

Dans la seconde suivante, réagissant par réflexe avec la délicatesse d'un boucher en rut, j'ai plaqué fermement ma main entre ses jambes, avec cette phrase finement ciselée :

– Je vais t'aider à te retenir.

Quand j'ai réalisé l'extraordinaire vulgarité de mon attitude, il était trop tard pour faire marche arrière. (« Excuse-moi, je regrette, je suis comme fou, je ne sais plus ce que je fais, oublions tout ça. ») D'ailleurs, si elle est restée une ou deux secondes interdite, elle n'a pas eu l'air de trouver mon geste révoltant : un quart d'heure plus tard, nous étions par terre dans ma chambre.

Avant de repartir, à l'aube, elle m'a avoué que le côté « direct » (on ne peut pas mieux dire) de mon assaut ne lui avait pas déplu, loin de là.

– Si tu avais essayé de me draguer comme tout le monde, de faire le joli cœur, de me baratiner pour me baiser, je crois que j'aurais eu la flemme de te suivre. C'est toujours pareil. Et puis ce n'est pas vraiment de l'amour, hein, entre nous. Alors je ne sais pas, ça ne m'aurait pas tenté plus que ça. Là, j'ai eu l'impression de transgresser un tabou en acceptant si vite, de faire ce qui ne se fait pas, c'était bien.

Je commençais à mieux comprendre. Mais ça n'expliquait pas tout. Je me vois plutôt dans la catégorie « très moyen », physiquement – voire « plutôt moche ». S'il suffisait à un homme très moyen de toucher les fesses de n'importe quelle femme dans la rue pour qu'elle accepte de coucher avec lui parce qu'elle a le sentiment de transgresser un tabou, ça se saurait depuis quelques millénaires. Intrigué, j'ai donc poursuivi mon enquête.

Pendant sept ou huit semaines, je n'ai pour ainsi dire eu qu'une activité : grimper sur des femmes et me faire grimper dessus par elles. C'était stupéfiant. Il suffisait que je demande, d'une manière ou d'une autre, pour qu'elles soient d'accord. Ma technique s'affinait au fil des jours. D'abord, j'ai diversifié mes méthodes de conquête (la main entre les jambes, procédé primitif, comportait tout de même des risques évidents – à ma quatrième tentative, après trois triomphes retentissants, j'ai pris autre chose de retentissant dans la figure (la main d'une certaine Vanessa, manifestement coincée)) : j'utilisais des approches du genre « Tu viens chez moi ? » avec parfois quelques variantes plus astucieuses (« Tu habites loin ? Tu m'offres un verre ? »). Ensuite, j'ai compris qu'il fallait tout de même consentir à quelques bavardages préliminaires. Au mépris de toute règle de sécurité, j'ai risqué deux essais sur de parfaites inconnues, l'une dans le métro, l'autre aux Galeries Lafayette : celle du métro est devenue toute rouge et s'est sauvée en courant presque, comme si elle craignait que je ne la poursuive, celle des Galeries m'a regardé droit dans les yeux et a murmuré en secouant la tête d'un air consterné : « Pauvre con. » (J'avais tenu à tenter cette deuxième expérience pour m'assurer que l'échec du métro n'était pas dû à la personnalité trop puritaine de la victime – celle des Galeries transpirait la lubricité.) Il fallait donc discuter un peu avant de passer à l'acte – pas obligatoirement avec la personne visée, d'ailleurs ; s'adresser aux autres devant elle lors d'une soirée, comme chez Marthe, suffisait amplement. (Refusant toujours de m'estimer spécialement envoûtant lorsque je parle, j'imagine qu'elles acceptent dans ces circonstances parce qu'elles se disent à peu près : « Voilà un homme apparemment normal, gentil et sensé, qui me traite comme une garce vicieuse : que demander de plus ? ») Enfin, et surtout, je me suis aperçu qu'il ne fallait pas piocher à l'aveuglette dans le tas de femmes. Par exemple, les femmes très extraverties, qui parlent de cul comme d'autres de cuisine et s'habillent de façon aguichante (cela n'a absolument rien à voir avec leur beauté, bien entendu – seulement avec les talons hauts, les bas et les décolletés plongeants, ces grosses ficelles publicitaires presque pathétiques), ne donnent pas toujours de très bons résultats : non seulement le pourcentage d'échecs est sensiblement plus élevé que chez les plus discrètes, mais en outre, leurs performances s'avèrent souvent décevantes. D'autre part, j'ai remarqué que l'âge jouait également un rôle primordial : il vaut mieux s'adresser à des « femmes » qu'à des « filles » (c'est une question de vocabulaire, mais je situe très arbitrairement la frontière vers 26 ou 27 ans). La plupart des filles, ayant peu vécu, n'ont sans doute pas encore le détachement et la sérénité nécessaires pour pouvoir admettre sans honte qu'elles « aiment ça », comme on dit, et que rien ne les empêche d'accepter simplement pour le plaisir, sans alibi amoureux. Les raisons possibles sont multiples, mais le fait est : en dessous de 26 ou 27 ans, le taux de réussite est moins impressionnant. Au-dessus, même si je n'ai pas établi de statistiques précises, on doit frôler les 80 % – je sais que cela peut paraître énorme, mais c'est incontestable : toutes les femmes sont prêtes à coucher avec un homme de passage, pour peu qu'il demande. Qu'elles soient seules ou en couple, célibataires ou mariées (sauf celles qui sont amoureuses (disons : sauf la grande majorité de celles qui sont amoureuses)).

Pour élargir mon champ d'action, je sortais quasiment tous les soirs. C'est ainsi qu'en un peu moins de deux mois, en respectant les quelques règles énoncées plus haut, j'ai connu (de manière aussi directe qu'agréable et éphémère) Flavia, secrétaire de rédaction, Lucie, scripte, Marie-Noëlle, institutrice, Laurence, traductrice et mariée, Hélène, maquettiste au chômage, Sylvie, traductrice, Sylvie, femme de dentiste, Anne, employée de banque, Béatrice, peintre, qui vivait avec le même homme depuis quatre ans, Louise, sœur d'une amie, Isabelle, Sandra, Odile, et d'autres dont j'ai oublié jusqu'au prénom. (Je dois paraître vantard, je m'en rends compte, mais je ne suis pas particulièrement fier de cette liste, pas plus que si je donnais celle des personnes avec lesquelles j'ai dîné au restaurant, par exemple.)

Durant deux mois, j'ai baigné dans la luxure. Je voyais des seins et des fesses partout, je devenais insatiable, je me noyais dans la chair. J'étais sidéré par la vertigineuse diversité des femmes, même « nues » (j'avais une préférence pour les grandes filles molles, mais toutes les autres me plaisaient aussi) : les différences physiques, bien sûr, innombrables, mais également la gamme infinie de leurs comportements au lit – ou ailleurs. J'ai rencontré celle qui me tapait dessus comme une sauvage pendant ses orgasmes, celle qu'il fallait actionner calmement pendant une bonne demi-heure avant d'obtenir le moindre soupir mais qui pouvait jouir ensuite six ou sept fois consécutives en ne laissant passer que quelques secondes entre chaque orgasme, celle qui me repoussait violemment dès qu'elle se sentait sur le point de jouir (pour ne pas pécher, j'imagine), celle qui n'enlevait jamais son soutien-gorge, celle qui aimait que je la morde et celle qui aimait que je lui tape sur les fesses (Flavia), celle qui ne supportait pas le moindre geste vif ou brutal, celle qui se masturbait sans arrêt (pendant mais aussi après, quand je reprenais mon souffle – heureusement que je ne suis pas susceptible), celle qui pleurait à chaudes larmes après chaque orgasme, celle qui simulait de manière très exagérée (c'était comique, elle me faisait penser à Sarah Bernhardt dans une grande scène tragique), celle qui tenait absolument à ouvrir la bouche à genoux devant moi, dans les lieux publics (les toilettes des restaurants ou des cafés, les wagons de métro vides, les squares déserts – et même une fois à l'étage meubles du Bon Marché, cachée derrière un canapé (je devais avoir l'air bizarre, seul debout près d'un canapé les yeux exorbités)), celle qui voulait que je lui raconte en même temps, et en détail, ce que je faisais avec les autres, celle qui m'appelait Vincent, celle qui aimait que je l'insulte (après « salope », « putain », « chienne » et « garce » je ne savais plus quoi dire, je me sentais tout bête, je me creusais furieusement la cervelle – « Euh… Salope, je l'ai déjà dit ? » –, si concentré sur mon vocabulaire que j'en oubliais de prendre plaisir à ce que nous étions en train de faire – « Vilaine, ça va ? » (pour tout arranger, elle me répétait « Vas-y, sers-toi de moi, fais-moi tout ce que tu veux ! » et je ne trouvais rien de vraiment immoral à lui faire (on a vite fait le tour d'un corps, tout de même – je pouvais toujours lui tirer les oreilles ou lui secouer les jambes, mais ça n'allait pas chercher bien loin dans le génie pornographique) (c'était celle du Bon Marché)), celle qui se sermonnait toute seule (« Je devrais avoir honte, je devrais avoir honte… » – l'endroit qu'elle préférait, c'était devant la glace), celle qui inondait les draps d'un ou deux litres d'un liquide incolore et inodore, très fluide, qui ressemblait à de l'eau, celle qui ne supportait pas que je garde les yeux ouverts (celle qui n'enlevait jamais son soutien-gorge), celle qui se remettait sous tension à peine une minute ou deux après la séance précédente, à mon grand désarroi (je n'ai pas la faculté de récupération des stars du sport), celle qui, comme les hommes, devait tout arrêter immédiatement après son orgasme (elle devenait électrique, « intouchable » – pour un couple provisoire, ce n'est pas l'idéal, car on n'a pas le temps d'apprendre à se synchroniser : le pauvre bonhomme reste en suspension, tétanisé et brûlant, frustré, les nerfs à fleur de peau), celle qui ne prenait de plaisir que par-derrière (celle du Bon Marché, qui aimait que je l'insulte), celle qui, manifestement, n'avait accepté que pour passer le temps ou se donner un genre catin (elle regardait les murs de ma chambre pendant que je me démenais et me concentrais sur celle de l'avant-veille (celle qui se masturbait comme une possédée) pour essayer d'en finir au plus vite, et alors que j'apercevais enfin le bout du tunnel, au dernier instant, elle s'est écriée : « Merde ! J'ai fermé la voiture ? »), celle qui m'empoignait brutalement par les hanches pour m'utiliser comme un godemiché avec un corps autour et celle qui touchait mon machin avec émotion et respect, les yeux émerveillés, brillants, comme si j'avais Patrick Bruel entre les jambes (la même que celle qui n'enlevait jamais son soutien-gorge et ne voulait pas que je la regarde). Je ne sais combien il y en a eu, mais ça doit faire un paquet.

J'ai profité de ces deux mois pour parfaire ma connaissance de l'espèce féminine. Je ne m'étendrai pas sur les principales différences anatomiques, pour éviter de devenir vulgaire si ce n'est déjà fait, mais certaines parties du corps me touchaient particulièrement : le pli de l'aine, par exemple, lorsqu'elles étaient assises nues sur le bord de lit – comme une ligne tracée dans de la pâte à modeler. Les plis plus discrets (presque des traces, des souvenirs de plis) qui marquent le haut des cuisses, à l'intérieur, à l'endroit où la peau est la plus douce et la plus fine – lorsqu'elle est allongée sur le dos, les jambes pliées et écartées, ces lignes semblent délimiter une zone sacrée, presque circulaire, une vallée à la fois interdite et accueillante, comme sur une carte, ou une île mystérieuse isolée au milieu du corps. Les plis des genoux, surtout lorsque les jambes sont peu musclées, peu anguleuses, flexibles et paresseuses. Les traits rose pâle sous les seins. Toutes les marques de sous-vêtements trop serrés ou de ceinture, comme des empreintes dans la cire. Les plis, parfois à peine visibles, qui soulignent les fesses sur quelques centimètres, à partir de l'entrejambe. Et juste en dessous, ceux qui écartent légèrement les cuisses, comme des jarretières invisibles remontées très haut, et qui, lorsqu'elle se tient debout de dos, les pieds joints, laissent parfois un losange de jour – ça, alors, ça me faisait presque pleurer d'émotion. Pour résumer en deux mots : les plis. (Mais pas les plis de graisse, attention, ça n'a rien à voir.) Les plis qui prouvent que la chair est molle, que la chair est fragile. Je n'aimais pas les muscles, les fesses dures, les chevilles trop marquées, les hanches osseuses. J'aimais que leur corps soit humain.

Je me renseignais, je posais beaucoup de questions, j'écoutais tout ce qu'elles disaient, comme un chercheur ou un élève consciencieux. Il ne faut pas croire que je me passionnais uniquement pour ce qu'elles avaient sous la ceinture : leur esprit me fascinait tout autant. En me renseignant sur leurs fantasmes, j'ai eu la surprise de découvrir qu'elles avaient quasiment toutes le même. Le fantasme de la femme-objet. Il pouvait évidemment prendre plusieurs formes selon les caractères, mais le thème de base restait sensiblement le même – « Je veux qu'on " utilise " mon corps. » Au hit-parade, les deux vedettes étaient : la femme ligotée (éventuellement bâillonnée ou aveuglée), et la femme mise à la disposition de plusieurs hommes (deux en règle générale, trois plus rarement). Ces deux scénarios venaient très largement en tête. Derrière suivaient plusieurs variantes : la putain, l'odalisque, la gentille servante disponible qui ne demande qu'à rendre service, l'épouse docile offerte à des inconnus par son mari, etc. – l'objet. (Inutile de rappeler ce que tout le monde sait, les fantasmes ne sont pas faits pour être vécus, du moins les plus spéciaux (le ligotage, par exemple, peut facilement se laisser vivre), et pas une de ces femmes n'aurait aimé se faire prendre de force dans la *vraie* vie.) (Je dois reconnaître que, si l'on peut m'accuser de n'importe quoi sauf de considérer les femmes comme des objets (j'aurais même plutôt tendance à attribuer ce rôle aux hommes – à celui qui s'appelle Halvard Sanz, en tout cas, pauvre petite boule impuissante dans le grand flipper du monde), ces histoires de femme-objet ne me laissaient cependant pas indifférent. Holà. Loin de là.) À bonne distance venaient les fantasmes inverses, les envies de pouvoir absolu, de domination (« Donnez-moi un homme, un mâle viril de préférence, ôtez-lui toute capacité de résistance et tout esprit d'initiative, et laissez-moi seule avec lui dans une pièce. Je veux l'utiliser comme un esclave vigoureux, ou un corps inerte mais exploitable, je veux l'user, le vider, puis le jeter »), et les fantasmes impliquant une autre femme (plusieurs d'entre elles avaient déjà essayé). Je n'ai pas beaucoup entendu parler d'amour sur une peau de bête devant un feu de cheminée qui crépite, ni de volupté au crépuscule sur un voilier blanc ancré dans les Caraïbes.

Quelques-unes de ces femmes, étrangement, sont tombées amoureuses de moi – du moins le croyaient-elles. Pourtant, je pense avoir toujours été honnête avec elles, comme disent les fourbes. Je n'annonçais pas dès les premières secondes : « Autant te prévenir tout de suite, mignonne, ce n'est que pour le cul », mais dès qu'elles abordaient le sujet, ou si leur comportement me laissait entrevoir le moindre soupçon d'affection trop marquée (ce qui n'était pas le cas, la plupart du temps ; la majorité de ces femmes, j'en suis convaincu, étaient là pour la même raison que moi : prendre du plaisir sans se compliquer la vie), dès que l'ambiguïté glissait son corps d'anguille sous les draps, je m'efforçais de me sauver.

S'il a suffi de quelques heures à trois ou quatre femmes pour tomber amoureuses de moi, c'est parce qu'elles se sont vite aperçues que j'étais « inaccessible ». Certes, j'étais fatigué, niais, sombre, maladroit, déprimé, malchanceux – sans oublier très-moyen voire plutôt-moche, ce qui est toujours un handicap de taille – mais inaccessible. Car à ce moment-là, j'avais le cœur à tomber amoureux autant qu'à me teindre les sourcils en vert clair. Et le fait de savoir que je n'étais ni un apollon ni une star n'a pu qu'accroître leur volonté de m'attraper, leur besoin de m'emmener avec elles – « C'est trop bête, quand même, il devrait être facile à atteindre ! » (Pollux, c'était le contraire : j'étais tellement accessible pour elle – non, si c'était vrai, si la vie était aussi cynique, ce serait effroyable – qu'elle s'était aussitôt rendu compte que je ne valais pas une cacahuète, au fond.) On tombe artificiellement amoureux de l'inaccessible, mais sur l'instant, il est normal que la nuance nous échappe.

Quant à toutes ces femmes qui ont si rapidement cédé à mes lestes avances, elles devaient également deviner une sorte de distance (même si ce n'est sans doute pas exactement la même chose puisque, sexuellement, j'étais on ne peut plus accessible). Je pense qu'elles se sont montrées si accueillantes et complaisantes car elles pressentaient que je n'avais rien à perdre – la détresse m'avait rendu parfaitement insouciant –, que je ne donnerais que ma surface, ne demanderais que la leur, et me moquais éperdument qu'elles acceptent ou refusent. Elles voyaient que j'étais ailleurs et me suivaient sans hésiter parce qu'elles ne « craignaient » rien de moi. Comme si j'avais l'apparence et les facultés d'un homme, mais n'étais pas un homme.

Un soir, je suis allé à une fête chez une amie. J'y ai rencontré sa sœur, qui habitait avec elle et que j'ai trouvée jolie. J'ai bavardé un moment avec elle près du buffet, puis je lui ai demandé si elle ne voulait pas que l'on s'éloigne un peu de tout ce monde. Nous sommes sortis sur la terrasse et je l'ai embrassée tout de suite. À la fin de la soirée, je lui ai demandé (toujours aussi poliment) si elle ne voyait pas d'inconvénient à ce que je reste dormir là : elle m'a emmené dans sa chambre. Nous nous sommes déshabillés aussitôt la porte fermée. J'étais passablement ivre, mais pas au point de m'endormir tout de suite.

Le lendemain, quand j'ai ouvert les yeux, je me suis aperçu que la chambre était pleine de peluches, de poupées et de gadgets. Sur les murs étaient punaisés des posters de groupes à la mode, des photos de chatons et de chevaux, des cartes postales en forme de cœur. La couette et les rideaux étaient roses. La fille se tenait debout près de la fenêtre, vêtue d'un long tee-shirt Mickey. À la lumière du jour, sans maquillage et les cheveux défaits, je lui donnais quatorze ou quinze ans.

J'ai senti une grosse boule de pâte crue gonfler dans ma gorge. Comme lorsque j'avais découvert Laure dans ma baignoire à la place de Pollux, je n'ai pas su faire preuve d'une grande diplomatie. Je suis quelqu'un de sensible, le moindre choc me déstabilise. Je me suis assis dans le lit et j'ai articulé d'une voix étranglée :

– Tu as quel âge ?

Elle avait vingt et un ans, bon. Dix-neuf ou vingt, en supposant qu'elle ait un peu triché. Ça va encore. Mais la seule chose qui comptait à mes yeux, c'est qu'elle en paraissait quatorze. Et ça ne m'avait pas empêché de me faufiler dans sa chambre et de lui faire subir tous les outrages pendant je ne sais combien de temps. L'alcool n'était pas une excuse. J'ai eu peur. J'ai senti que si je continuais à me prélasser dans la luxure je n'allais pas tarder à perdre tous mes repères. (Je n'en avais déjà plus, c'est entendu, mais ce n'est pas parce qu'on est perdu sur un radeau en plein océan qu'il faut plonger pour aller se perdre au fond – car même si l'on y trouve de jolis poissons multicolores, on y respire difficilement.)

De toute façon, ça ne tombait pas si mal. Je commençais non pas à me lasser, mais à me décourager. Deux mois plus tôt, je rêvais encore d'intimité et de dessous blancs en observant les passantes inabordables, j'avais été servi. Mais si j'avais passé des moments agréables, ça n'avait pas grand-chose à voir avec le « miracle de la découverte » qui m'intriguait tant. Même d'un point de vue physique, d'ailleurs. Une inconnue un peu trop petite ou un peu trop ronde croisée dans l'après-midi me tentait davantage qu'une femme aux formes « idéales » avec laquelle je m'apprêtais à passer une deuxième nuit. Ou pire encore : dans une soirée, je remarquais une femme en pantalon serré dont les fesses – par exemple – me paraissaient « parfaites » (c'est-à-dire qu'elles incarnaient cette perfection inaccessible de la chair après laquelle je courais depuis vingt ans – combien de fois m'étais-je dit, en suivant d'un œil hypnotisé des fesses semblables dans la rue : « Je donnerais n'importe quoi pour pouvoir baisser ce pantalon, les regarder, les toucher, je donnerais dix ans de ma vie, tout l'or que je possède » ?). Par chance, je réussissais à ramener chez moi cette femme aux fesses mythiques. Je baissais son pantalon, je baissais sa culotte, je regardais ses fesses, je touchais ses fesses. Ce sont de belles fesses, c'est sûr. Superbes. Rien à dire. Et alors ? Comme souvent, quelque chose m'échappait. Je les regardais, je les touchais, je ne pouvais rien faire de plus, et pourtant j'avais le sentiment de rester à distance. De ne pas saisir le mystère de la perfection. Si une passante était entrée à ce moment-là dans la chambre (au moment où j'entre, moi, dans la fiction), même moins jolie mais vêtue, encore à voir, à toucher, porteuse d'espoir, j'aurais abandonné aussitôt ma créature aux fesses d'or pour suivre la nouvelle et essayer de soulever sa jupe. (Les fesses sont un symbole pour que les enfants comprennent bien, mais je ne suis pas spécialement préoccupé par les fesses, je pourrais en dire autant des jambes, du ventre ou de la poitrine. Les seins, tiens, oui. Combien ai-je vu de seins, dans ma vie, et surtout ces derniers mois ? Deux fois plus que de femmes nues, c'est dire. Et pourtant, ils me fascinent et m'émeuvent toujours autant. Même si ceux que je devine sous le pull léger de cette femme semblent quasiment identiques à ceux que j'ai touchés la nuit passée – du moins autant qu'ils peuvent l'être –, ils me paraissent mystérieux, irréels, *utopiques*. C'est tout de même intrigant, non ? Est-ce qu'on s'imagine courir après des choses qu'on a déjà vues cent fois, qu'on connaît par cœur – des verres à pied ou des lunettes, par exemple –, en rêvant d'en revoir d'autres, d'en découvrir toujours plus ?) Et si ma créature aux fesses d'or me téléphonait le lendemain pour me voir, je trouvais un prétexte quelconque et sortais seul, poursuivant ma quête mais sachant qu'elle n'aboutirait jamais.

Ce que je cherchais, je l'ai compris tard, c'était le corps de Pollux Lesiak. Je devais me contenter de l'aspect charnel – je n'arrivais déjà pas à retrouver ses fesses, je pouvais toujours courir pour retrouver son esprit, son âme, son amour –, la forme d'un sein ou la couleur d'un œil m'apportaient un peu de réconfort en souvenir, une position de jambes qu'elle prenait souvent, une manière de secouer la tête sur l'oreiller ou de me tenir par les épaules, je ne pouvais pas demander grand-chose de plus, mais je sais que, parmi toutes ces femmes si rapidement approchées et si rapidement quittées, je cherchais Pollux. Je m'y prenais maladroitement – aller chercher l'âme d'une femme entre les jambes de toutes les autres, ce n'est sans doute pas la bonne méthode – mais il fallait bien que je fasse quelque chose. On ne peut pas rester sans rien faire. On ne peut pas s'arrêter.

Si, on peut. Quelques jours avant la fin du printemps, l'une de mes amies s'est arrêtée. Ma seule amie d'enfance, du moins la seule que je revoyais régulièrement, la seule que j'aimais encore. La première fille que j'aie vue toute nue. Elle s'est pendue dans sa chambre.

58

Le dimanche matin, elle était sur terre – le dimanche soir, elle n'y était plus. J'étais rattrapé par cette épouvante incrédule face à la mort. Mon amie d'enfance. Que j'avais vue toute nue dans la chambre d'un pavillon de banlieue, allongée sur le lit, des années et des années plus tôt. Que je n'avais pas osé toucher. Qui me demandait sans arrêt des cigarettes, dans le hall du lycée. Qui avait détruit une chaîne hi-fi à coups de pied dans une boum. Qui écrivait des histoires en rentrant de cours. Qui passait pour une sauvage. Qui était, en réalité, un ange de douceur et d'intelligence. Qui aimait les garçons mais n'osait pas les ennuyer. Que j'avais perdue de vue après le bac, et retrouvée par hasard dans l'annuaire de Paris, des années plus tard. Qui vivait seule dans un désordre indescriptible, de papiers, de journaux, de livres et de cassettes. Qui ne trouvait jamais assez de temps pour tout faire entre les hommes de passage. Qui aimait chanter, aller au théâtre et manger italien. Qui courait dans tout Paris pendant une semaine, séduisait tous les hommes qu'elle croisait, puis restait assise devant sa fenêtre durant toute la semaine suivante. Qui avait passé quelques nuits chez moi, et moi quelques-unes chez elle. Qui dormait sur le ventre. Qui aimait toujours les hommes mais craignait encore de les ennuyer. Qui avait passé un mois de janvier dans une clinique psychiatrique. Qui renversait la tête brusquement en arrière quand elle riait. Qui se tenait au courant de tout. Qui conservait tout, notait tout ce qu'elle vivait. Qui avait peur : de vieillir, de s'ennuyer, de manquer de temps, de ne plus tomber amoureuse, de ne plus savoir écrire, de retourner en psychiatrie, de devenir folle, de manquer d'enthousiasme, de ne plus trouver de travail, de manquer d'argent, d'être mise à l'écart, d'attraper le sida, de se laisser dépasser (par quoi ?), de devenir faible, de ne plus être comprise, de ne pas avoir d'enfants, de continuer à vivre. Que j'avais aidée à choisir un maillot de bain quelques jours avant qu'on ne la retrouve au bout d'une corde, morte, rigide et froide.

Les dernières années, les derniers mois surtout, elle apprenait tout ce qu'elle pouvait. Le chant, le solfège, le multimédia, l'anglais, le roller, etc. C'est absurde.

Elle m'avait téléphoné une semaine plus tôt pour me dire que tout allait bien, que tout allait mieux, qu'elle avait compris quelque chose : il ne faut pas s'inquiéter. Ce n'étaient sans doute que des mots. Peut-être pas. Je n'ai pas compris. Je l'imaginais sortant acheter une corde, cherchant un endroit dans son appartement pour la fixer, montant sur le tabouret. Je l'imaginais passant la corde autour de son cou et regardant autour d'elle, dans sa chambre, ses livres et ses journaux en désordre. Je l'imaginais posant les yeux au dernier instant sur quelque chose d'un peu ridicule, par hasard, une paire de chaussettes ou une boîte d'allumettes. Je me sentais tomber en y pensant, je me sentais perdre l'équilibre. Je ne comprenais rien. Je ne voyais pas le rapport entre se pendre et ne pas s'inquiéter, s'il y en avait un. Peut-être avait-elle simplement dit cela pour me rassurer, pour que je m'éloigne d'elle. Sans doute. Mais elle a laissé un mot à ses parents, pour leur dire aussi de ne pas s'inquiéter, de penser à elle avec sérénité. Je la voyais prendre sa respiration, regarder les journaux en désordre, faire tomber le tabouret, voir la paire de chaussettes.

Ce trajet, court ou long, sa chambre de petite fille, les cigarettes dans le hall de l'école, le bac, son grand amour, puis le journalisme, les hésitations, la clinique, les cours de chant, le maillot de bain, sa chambre de femme, elle au milieu de cette chambre, à la fin, pendue.

Au début de l'été, j'ai commencé à lâcher prise. J'ai cessé de courir après les passantes, je suis revenu chez moi, avec Caracas. Je n'avais plus rien. Je n'avais plus d'ennuis avec le monde, plus de plaisir, plus d'envies, plus de questions, plus de projets, plus d'amour, plus de femmes dans mon lit, plus d'amie d'enfance.

Pendant une dizaine de jours, j'ai hébergé deux prostituées rencontrées dans un bar de l'avenue de Clichy, Helena et Olivia, qui s'étaient fait jeter de tous les hôtels du quartier. À vingt-cinq ou vingt-six ans, elles arrivaient en fin de parcours, toxicos et putes pas chères sur les boulevards extérieurs, la peau trouée des pieds à la tête, le sida partout dans le corps. Quand elles sont arrivées, elles ne mangeaient rien (juste du riz au lait, quand elles en avaient sous la main), ne parlaient presque jamais, somnolaient en permanence, fumaient quatre paquets de cigarettes par jour (même en « dormant » – assoupies, elles continuaient à en allumer une au mégot de la précédente), ne se levaient que pour aller travailler près du périphérique puis acheter leur poudre à Pigalle (près de trois mille francs par jour, chacune), revenaient chez moi, se piquaient n'importe où, dans les mains, les seins, les pieds (dès qu'elles approchaient une seringue de leur bras, les quelques petites veines que l'on distinguait encore disparaissaient aussitôt, comme des vers qui rentrent sous terre), et après une heure de veille durant laquelle elles essayaient parfois de cuisiner, pour me faire plaisir, ce que je leur avais acheté dans la journée, elles replongeaient dans la plus profonde léthargie. Olivia s'allongeait sur la banquette et Helena dans mon lit (je couchais avec elle). Helena restait toujours entièrement nue à la maison (pour aller travailler, elle enfilait un haut de maillot de bain et une minijupe en skaï rose sans rien en dessous) tandis qu'Olivia ne quittait jamais sa jupe et son tee-shirt moulant, par pudeur (Olivia était un travesti, qui s'appelait autrefois Olivier, et ne se serait montré nu devant nous pour rien au monde – c'était sa dernière volonté, Helena n'en ayant plus depuis longtemps). Elles étaient en manque en permanence. Comme elles ne parvenaient jamais à économiser la poudre qu'elles achetaient la nuit, elles commençaient à trembler et à transpirer peu après midi, à devenir folles de douleur en début de soirée, animales, trempées, grelottantes, vert pâle, se gavaient de Néocodion, refaisaient leurs cotons de la nuit, s'injectaient du jus de citron presque pur dans les veines, avalaient tout ce qu'elles trouvaient dans mon armoire à pharmacie et partaient travailler le plus tôt possible. Un samedi soir, après une pleine charretée de clients et un shoot de luxe pour fêter ça, Helena a fait une overdose. Elle était violette. Même Olivia a eu peur. Il a fallu qu'elle la roue littéralement de coups pour qu'elle reprenne connaissance. Quelques secondes après avoir ouvert les yeux, Helena s'est mise en colère contre elle – c'était la première fois que je l'entendais élever la voix. Elle lui reprochait de l'avoir rattrapée. (Plus tard, elle m'a expliqué qu'elle n'avait même plus la volonté suffisante pour se tuer délibérément.)

Un matin, on a sonné. Comme je dormais, Helena est allée ouvrir. C'était le releveur de compteurs EDF. Probablement déconcerté de se retrouver face à une jeune femme nue, ou effrayé de voir ce corps encore jeune rongé par le sida et couvert de trous et de cicatrices – elle me faisait penser à une jolie fille sous-alimentée qu'on aurait plongée dans une baignoire de verre pilé –, il s'est trompé dans ses notes. Quelques jours plus tard, j'ai reçu une facture de quarante et un francs.

Une nuit, elle est rentrée seule, plus tôt que d'habitude. Elle souriait d'un air bizarre, livide. Quand je lui ai demandé ce qui se passait, elle s'est contentée de soulever sa jupe rose : elle avait l'entrejambe en bouillie. Un client avait sorti un couteau et, comme elle refusait de lui donner son argent, le lui avait planté entre les cuisses et avait eu le temps de faire pas mal de dégâts avant qu'elle ne lui éclate le nez d'un coup de coude et ne réussisse à s'enfuir de la voiture. Elle n'estimait pas nécessaire d'appeler un médecin. Moi, j'étais sur le point de tomber dans les pommes. Elle disait que ce n'était pas la première fois qu'elle se faisait abîmer (elle avait une cicatrice sur le sein gauche, une sur le ventre, et une sur presque toute la longueur de la cuisse gauche), que ça s'arrangerait tout seul et que, de toute façon, elle ne sentait absolument rien.

– Et puis ça fait bien quatre ou cinq ans que j'ai pas vu de sang à cet endroit-là. Ça me rappelle des souvenirs.

Finalement, j'ai réussi à la convaincre de me laisser téléphoner à SOS Médecins, en lui expliquant qu'il y avait neuf chances et demie sur dix pour que ça s'infecte, qu'elle ne pourrait donc pas « s'en servir » pendant un long moment et que ses revenus en prendraient un drôle de coup. Ils l'ont recousue et gardée deux jours à l'hôpital. Malgré les bonnes doses de Valium qu'ils ont accepté de lui donner pendant ces deux jours, elle est revenue dans un état de manque effroyable. Olivia l'attendait à la maison, avec un peu de poudre dont elle avait réussi à se priver. En franchissant le pas de la porte, Helena a dit d'une voix boudeuse :

– Que des pipes pendant trois semaines. Merde.

Avant cet incident, je couchais toutes les nuits avec elle. Ce n'était pas par amour, encore moins par désir. Je serais incapable de dire pourquoi. Pour mon amie d'enfance, pour Pollux. Ou peut-être simplement parce que c'était un moment de tendresse – pour elle aussi, j'espère. Ou parce que c'était toujours elle qui venait vers moi, dans le lit, et que je n'avais pas envie, sans doute par paresse, de dire non. Pourquoi faisait-elle ça, après avoir subi tant d'horreurs presque identiques sur les boulevards ? Soit pour me « payer » le service que je leur rendais en les hébergeant, soit pour se prouver qu'elle pouvait encore coucher avec un homme sans recevoir d'argent et sans éprouver de dégoût. C'est sûrement très naïf, mais je pencherais plutôt pour la deuxième hypothèse – même si j'avais compris que la seule chose qu'elle désirait encore, c'était la mort. Je savais bien qu'elle simulait, quand elle gémissait et se mordait les lèvres, mais je savais aussi que c'était uniquement pour ne pas me blesser, pour me faire plaisir – ce qui me touchait bien plus que toutes ses caresses.

Au bout de dix ou douze jours, j'ai dû leur demander de partir. Je sentais que je commençais à me laisser entraîner vers le monde végétatif dans lequel elles stagnaient en attendant de mourir. Et l'argent – qui n'avait pour elles aucune valeur concrète (pas plus que si elles donnaient des sacs de bonbons pour obtenir leurs doses) : elles dépensaient chacune près de cent mille francs par mois – devenait un problème. Au début, elles tenaient absolument à me rembourser la nourriture que j'achetais pour elles. Je ne pouvais pas refuser. Mais petit à petit, les sommes qu'elles me donnaient le soir en rentrant augmentaient. (« Tiens, je te donne un billet de deux cents balles, j'ai pas de monnaie. ») Le samedi soir de l'overdose, particulièrement fructueux, elles m'ont fourré cinq cents francs chacune dans la poche. J'ai compris que ça n'allait pas durer. De plus, Olivia s'était mis en tête de faire le ménage tous les jours. Quand je voulais l'en empêcher, elle s'énervait (« Quoi, j'ai pas le droit de vivre comme tout le monde, de faire des choses normales, c'est ça ? »). Je me sentais de plus en plus mal à l'aise. Le jour où elles m'ont annoncé qu'elles allaient m'acheter une petite voiture d'occasion pour que je puisse les emmener travailler et revenir les chercher (leur évitant ainsi les pipes gratuites aux braves pères de famille qui les prenaient en stop, à l'aller et au retour), je leur ai expliqué que je ne pouvais pas, que ce n'était pas ma vie (comme si je savais ce que c'était, ma vie). Elles ont compris, elles sont parties sans un reproche, en m'embrassant comme à la fin du mois d'août au camping, et je ne les ai plus revues.

Bien plus tard, j'ai appris – en allant interroger sur le boulevard l'une de leurs « collègues » qui était venue deux ou trois fois à la maison – qu'Olivia était morte moins d'un mois après leur départ, d'une overdose (Helena n'avait probablement pas cherché à la faire revenir, même si rester seule ne devait pas être une perspective des plus réjouissantes), et qu'Helena (Hélène, peut-être) s'était éteinte dans un hôpital, en octobre, des suites d'une maladie opportuniste dont son ex-collègue n'a pas su me dire le nom.

(Je suis allé faire un test, le printemps suivant, au labo devant lequel Pollux m'avait sauté au cou, j'étais négatif. Je suppose que j'ai eu de la chance, comme toujours.)

À la fin du mois de juillet, je suis allé rejoindre Catherine à Anvers – elle y passait quelques jours avec Arnaud. Je ne suis pas descendu au bon endroit – le train s'arrêtait dans deux gares dont le nom commençait par Antwerpen, j'ai choisi la mauvaise. J'ai marché je ne sais combien de temps le long de la voie ferrée, dans l'obscurité, seul et découragé, avant de commencer enfin à croiser quelques rabbins – ou des juifs en costume traditionnel, je ne suis pas très expert – en approchant du quartier des diamantaires. J'ai repéré l'hôtel en arrivant en ville, les fenêtres donnaient sur les rails. Un hôtel hideux, cher et sinistre, tout en hauteur, dans lequel Catherine et Arnaud ne se trouvaient pas – il s'est avéré plus tard qu'elle s'était trompée de nom. J'ai tout de même pris une chambre, que j'ai fuie au plus vite pour aller me promener quelque part. Qu'est-ce que je faisais là, perdu au milieu des Flamands, en pleine nuit, dans une ville que je ne connaissais pas, avec pour seul point d'attache un hôtel qui n'était pas le bon, sans une idée en tête et sans une adresse en poche ? Je suis entré dans quelques bars au hasard, dont un sur le port (inquiétant), j'ai mangé des frites grasses, j'ai beaucoup marché, lentement, gai comme un paquet d'algues noires, et j'ai terminé la nuit dans une boîte punk en sous-sol, entouré de blonds décharnés en transe, en haillons et en sueur, qui hurlaient des trucs incompréhensibles. Au petit matin, je suis remonté dans ma chambre au huitième étage, j'ai allumé la télé fixée en hauteur, baissé les stores métalliques, ouvert le minibar, puis je me suis couché avec quelques mignonnettes de whisky et me suis endormi devant un reportage en flamand sur les tigres.

En début d'après-midi, je montais dans un train pour Bruxelles, histoire de ne pas rentrer trop vite à Paris. Là, en face de la gare, je suis tombé sur un hôtel miteux dont

le nom m'a plu : le Midi Palace. Au bar, la patronne mas-
sacrée par le temps, dont le visage entier me paraissait
barbouillé de rouge à lèvres, discutait avec trois maque-
reaux aux cheveux huileux. Elle m'a dit de monter dans
les étages et de trouver une chambre libre – les portes ne
fermaient pas à clé, je n'avais qu'à regarder à l'intérieur.

Après avoir dérangé une grosse blonde en porte-jarre-
telles bleu, à quatre pattes sur le lit, qui se faisait besogner par un petit papi tout sec, puis un travailleur
émigré, disons roumain, qui, en maillot de corps, allongé
sur le dos, les mains derrière la tête, semblait chercher le
secret du bonheur, j'ai trouvé une chambre vide. Elle
n'invitait pas franchement à la méditation ni au plaisir
d'une bonne sieste, mais j'ai préféré m'y installer plutôt
que de continuer à ouvrir des portes au risque de tomber
sur « ce qu'il n'aurait jamais dû voir ».

L'armoire bancale et vermoulue n'avait plus de portes,
une boule de cheveux bouchait le lavabo, le lit était défait
et le drap taché d'un peu de sang. On a vu pire, dans les
films réalistes. J'ai poussé l'oreiller sale par terre, rabattu
la couverture, et je me suis couché dans la position du
penseur roumain. Je suis resté là jusqu'au soir, une drôle
d'idée en tête. Je pensais à mon amie d'enfance, qui
n'était plus nulle part, et je me disais : « Être allongé
dans cette chambre répugnante à Bruxelles, c'est mieux
que rien. Par rapport à rien, c'est même presque
agréable. »

J'ai décidé que Pollux Lesiak se trouvait, au même
moment, dans un bistrot des Abbesses. Assise devant un
verre de vin, en face de son nouveau fiancé. Ils parlaient
d'un de leurs amis qui cherchait du travail. Elle lui caressait distraitement le dos de la main.

Je suis descendu au bar, j'ai bu un whisky, laissé mon
sac de voyage en garde à la patronne – je ferais confiance
à peu de gens comme à une vieille maquerelle – et suis
entré dans le premier restaurant à gauche en sortant de
l'hôtel.

Je n'avais pas faim. L'atmosphère et le décor auraient d'ailleurs coupé l'appétit à plus d'un goinfre. Une seule table était occupée, par un couple de touristes espagnols vraisemblablement égarés. La pauvre serveuse puait les règles. C'était trop pour moi. Je pensais m'être liquéfié puis évaporé depuis longtemps, n'avoir plus de contours ni de limites, mais je me trompais. Une chose bête comme une odeur de règles peut suffire à déclencher ce qui ressemble à de la colère. Le sang, la mort, le sexe, tout se mélangeait en moi comme si je devais avaler de force le monde en bouillie – comme quelqu'un qui coule, à bout de souffle, ne peut qu'ouvrir la bouche, même s'il se noie dans un égout. Si je pouvais, pour ne plus être obligé de l'absorber par tous mes pores, j'aurais détruit le monde. Et Pollux Lesiak avec, qui s'était fondue dedans.

J'ai quitté le restaurant avant que la serveuse – qui n'y était pour rien, la malheureuse – ne vienne prendre ma commande, je suis allé payer l'après-midi à la maquerelle fossile, récupérer mon sac, et j'ai pris le train pour Paris.

Sur le quai, deux jeunes gens s'embrassaient tendrement. La fille pleurait, le garçon se retenait à grand-peine. À la manière dont ils se serraient de toutes leurs forces dans les bras l'un de l'autre, on devinait qu'ils étaient à la fois tristes de se quitter et heureux de constater cette tristesse, heureux d'être amoureux. Inquiets et rassurés de se sentir inquiets. C'était la scène la plus banale du monde mais ils la jouaient bien. Ils avaient de la chance. Plus tard, j'ai revu la fille dans le train, seule. Son visage était grave, presque soucieux, elle semblait plongée dans quelque réflexion sérieuse et ne portait plus la moindre trace d'amour. Au fond d'elle, sans doute. Mais en surface, plus rien ne restait de l'émotion torrentueuse qui la faisait chavirer de douleur et de bonheur, à peine quelques minutes plus tôt. Elle était déjà « détachée ». Sobre et seule. Détachée de son fiancé, détachée de la passion. Je devais avoir le même aspect, depuis plusieurs mois.

Gare du Nord, j'ai jeté négligemment un paquet de cigarettes vide par terre. Une petite vieille qui s'apprêtait à me croiser a grogné en me fusillant du regard :

– C'est ça, salissez tout ce que vous pouvez. La Terre ne peut pas se défendre, hein, c'est pratique ?

Surpris et vaguement honteux, je me suis baissé pour le récupérer. Une fois que je l'ai eu dans la main, j'ai réalisé l'incongruité de la situation. Qu'est-ce que je suis en train de faire ? La Terre ne peut pas se défendre ? Pour une impuissante, elle se débrouille. Et moi, je peux me défendre, peut-être ? Tout m'attaque et je me baisse pour ramasser gentiment un morceau de carton qui risquerait d'incommoder notre brave mère la Terre ? Mon paquet à la main, je me suis senti aussi lâche et rampant qu'un prisonnier passé à tabac qui s'excuserait d'avoir postillonné, en criant de douleur, sur l'uniforme de son tortionnaire.

– Va te faire foutre, vieille guenon.

Je lui ai lancé le paquet de cigarettes à la tête et me suis éloigné calmement, fatigué, la laissant plantée comme une bonne élève à qui le cancre de la classe vient de mettre une main aux fesses, outragée, toute raide.

J'ai trouvé plusieurs messages sur mon répondeur, dont un de Marthe, que je n'avais pas vue depuis plus d'un mois. « J'ai appris, pour ta copine. Je suis désolée. » C'était gentil de sa part – même si tout le monde sait que, dans ces cas-là, un ou mille mots n'ont pas plus d'effet sur le chagrin qu'un souffle sur une blessure. Au fait, comment était-elle au courant ? Je lui avais parlé quelquefois de mon amie d'enfance, mais elle ne la connaissait pas – ni aucune de ses relations, probablement. Je l'ai rappelée pour savoir.

Elle ne parlait pas de mon amie d'enfance, elle parlait de Pollux Lesiak. Et si elle était désolée, c'est parce qu'elle venait d'apprendre sa mort. Un ami de Pollux, qui travaillait occasionnellement pour la maison d'édition – celui qui l'avait emmenée à la soirée, lors de nos « retrouvailles » –, lui en avait parlé par hasard. Marthe était persuadée que j'étais au courant – comment imaginer que non ? –, que je n'avais rien dit pour ne pas me plaindre, ou parce que aborder le sujet me faisait mal. Elle était encore plus désolée, bien sûr. Pollux était morte depuis longtemps déjà. Au début du mois de janvier. D'une mort aussi laide que toutes les autres, mais particulièrement obscène. Renversée, écrasée par un bus. J'ai dit non – d'une voix basse et posée qui m'a surpris moi-même – et j'ai raccroché.

Elle était probablement morte le soir de notre retour de Normandie. Ou le lendemain matin. Juste après notre voyage, en tout cas.

La première image qui m'est venue à l'esprit, curieusement, c'est son appartement. Ses six lampes, le téléphone peint en jaune, la photo d'elle entre deux garçons, sur le côté de la télé, les étagères métalliques remplies de livres de poche, les boîtes d'allumettes orientales, les dessins de temples romains, la feuille punaisée au-dessus de son ordinateur, « POLLUX, TU DOIS TRAVAILLER ». Sa salle de bains décolorée, ses tubes et ses flacons. Son décor à présent inutile. Figé dans le temps, immobile et désert. Abandonné. Sans elle. Je me représentais son appartement sans elle.

Je ne savais pas grand-chose de Pollux Lesiak. Je ne savais pas ce qu'elle pensait de moi, je ne savais pas ce qu'elle avait en tête en montant jusque chez elle le dernier soir, après m'avoir adressé ce petit signe de la main, après avoir laissé la porte de l'immeuble se refermer lentement derrière elle. Je ne savais pas ce qu'elle s'était dit en s'endormant, pendant que je pensais à elle dans mon lit. Elle était morte depuis sept mois. Je me suis souvenu d'avoir en effet entendu parler, à la télé ou à la radio, vers le début de l'année, d'un accident de bus qui avait fait un mort et quelques blessés. En essayant d'éviter un cycliste, le bus qui roulait trop vite était monté sur le trottoir et avait percuté un groupe de passants. Je crois me souvenir de la sensation que j'avais éprouvée en apprenant cette nouvelle. La puissance monstrueuse du fer sur la chair et les os. La grosse machine aveugle et vrombissante qui bondit hors de la route pour aller écraser des êtres humains. Je n'y avais pensé que pendant quelques minutes, bien sûr.

« Un tragique accident de la circulation a fait un mort et cinq blessés, dont deux graves, ce matin, en plein Paris. »

Cet événement presque banal, si éloigné de moi, qui avait traversé furtivement l'une de mes journées sept mois plus tôt, je devais soudain retourner le chercher, l'adopter malgré le gouffre qui me séparait de lui et le considérer désormais comme l'un des événements les plus importants de mon existence.

Je me retrouvais seul. Mon amour mort. Un amour mort.

Creux, tremblant, du vide partout dans le corps, j'ai téléphoné à l'ami de Pollux, dont Marthe m'avait donné le numéro. L'accident avait eu lieu le matin du vendredi 4 janvier, de bonne heure, rue de Vaugirard. Je lui ai demandé tous les détails. Le bus l'avait percutée de face, en terminant sa course contre un immeuble, après avoir renversé cinq autres personnes. On ne savait pas où elle allait, ce matin-là, à pied. Elle avait eu les jambes brisées, la cage thoracique défoncée, et sa tête avait heurté le bas du mur. Elle était morte sur le coup.

Elle était enterrée à Boulogne.

Je ne voulais pas voir sa tombe.

Pollux Lesiak était morte depuis sept mois et je ne le savais pas. En cherchant les causes de son silence, ça ne m'avait même pas effleuré l'esprit. Depuis sept mois, j'étais vraiment tout seul et je ne le savais pas. Depuis sept mois, elle ne faisait plus partie de l'humanité et je me promenais comme si de rien n'était. Sept mois sans me douter de rien, sept mois sans qu'on me dise rien, sept mois d'illusion. Sept mois vécus à côté de la réalité. Je n'avais pas cessé de penser à elle, je l'avais cherchée, je l'avais attendue, je l'avais imaginée dans un bistrot avec son fiancé, je l'avais maudite, je l'avais rejetée – alors qu'elle n'était plus là. Alors que j'étais seul. Un amour mort. Pendant que je baisais toutes les femmes que je trouvais, pendant que je me vautrais sur elles en pensant à Pollux, elle se décomposait sous terre. Elle se décomposait toute seule sous terre pendant que je baisais les autres.

Maintenant, il devait à peine rester quelques lambeaux de chair sur son squelette.

59

Le lendemain, après une nuit blanche, je me sentais plus transparent qu'un œuf de cristal, plus léger qu'un fantôme, inconsistant, volatil. Il faisait très chaud. Je pouvais faire ce que je voulais. Plus rien ne me retenait ici, plus rien ne me retiendrait nulle part, je n'avais plus qu'à me laisser emporter n'importe où par n'importe quoi.

J'avais de l'argent sur mon compte en banque. Motel me payait bien et ajoutait une prime lorsque je trouvais les bons chevaux. En plus d'un an, comme je n'achetais jamais rien et ne dépensais de l'argent que dans les bars et les restaurants, j'avais amassé une somme rondelette sans le savoir – Clémentine Laborde avait bloqué l'envoi de mes relevés sur l'ordinateur de la banque, afin que je puisse vivre sereinement, normalement, sans penser à l'argent (elle se contentait de me prévenir quand mes réserves baissaient de manière inquiétante). Pour être plus tranquille, j'ai emprunté trente mille francs aux Zoptek (qui m'ont souhaité bon voyage), dix mille à Marthe (qui m'a suggéré de faire attention à moi), et j'ai demandé à Clémentine de ne pas s'affoler si mon compte passait dans le rouge au bout d'un certain temps : je reviendrais bien un jour.

– Du moment que tu fais ce que tu veux, je ne m'affole pas.

En fin de compte, tous les gens que j'aimais étaient des génies de la vie – pas des magiciens, des génies. J'étais bien entouré. Et pourtant, moi, au milieu d'eux, je ratais tout. Je gaspillais leur génie. Il était sans doute temps que je parte.

Je lui ai tout de même apporté plusieurs fiches de paie pour qu'elle puisse m'accorder un emprunt si ma situation financière devenait vraiment critique. J'ai signé au bas du contrat – elle remplirait le reste en temps voulu si nécessaire –, je l'ai embrassée et suis allé donner ma démission à Motel – il s'en foutait comme de la première chemise de son grand-oncle, apparemment, mais il m'a dit que je pourrais revenir quand je voudrais. Ensuite, je suis parti voir mes parents en banlieue. Je leur ai demandé de ne pas s'inquiéter si je restais absent un long moment, ils m'ont répondu la même phrase que Clémentine, presque mot pour mot.

– Tant que tu fais ce que tu as envie de faire, je ne m'inquiète pas, m'a dit ma mère.

Ce n'était sans doute pas malin, de quitter tous ces gens.

J'ai laissé un message sur le répondeur de Catherine, qui devait être encore à Anvers dans un hôtel mystérieux, pour lui dire que Pollux était morte en janvier (je n'avais parlé de sa « disparition » inexpliquée qu'à elle), que je partais un peu n'importe où dans le monde, qu'elle ne se fasse pas de souci pour moi.

J'ai confié une nouvelle fois Caracas à ma sœur Pascale, en la prévenant qu'elle l'aurait peut-être sur les bras pendant un bon bout de temps. Un mois, deux mois… ou plus. Pas de problème, elle aimait beaucoup Caracas. Pascale avait un ventre énorme. Marc Parquet ne la quittait pas des yeux. Personne ne s'est inquiété des risques, avec le chat – la toxoplasmose, des choses de ce genre.

Moi aussi, j'aimais beaucoup Caracas. En la quittant, j'avais le sentiment de trahir sa confiance – car je le savais, elle me faisait aveuglément confiance. C'était un chat, c'est vrai, mais quand même. Je me trouvais égoïste, malhonnête, injuste, méprisable. Mais je ne pouvais pas l'emmener.

Deux jours plus tard, après avoir donné plusieurs coups de fil à des amis pour essayer de trouver des appartements libres dans le monde, j'ai mis un paquet de vêtements dans mon sac, j'ai vérifié la validité de mon passeport et je suis parti en avion.

J'ai commencé par Londres, où une amie de l'actrice, Ruth, m'avait proposé de me prêter un appartement du côté de Bayswater, au nord de Hyde Park. C'était un deux-pièces au rez-de-chaussée, dont les grandes baies vitrées donnaient directement sur le trottoir. En me promenant dans Hyde Park, seul un matin au milieu de ce désert de pelouse sillonné de longues allées rectilignes que l'on voit s'étirer loin devant soi, comme un soldat survivant sur le champ de bataille, je pensais à Pollux et à mon amie d'enfance. J'avais appris leur mort à quelques jours d'intervalle, comme si la vie avait gardé le secret de celle de Pollux dans le seul but de m'enfoncer une bonne fois pour toutes, en doublant la puissance du coup qu'elle m'assenait sur le crâne. Mais je n'avais pas ressenti les deux disparitions de la même manière. Celle de mon amie d'enfance m'avait laissé à genoux, accablé par le chagrin et l'impuissance, comme si on l'avait assassinée sous mes yeux. Sa mort m'avait surchargé de tristesse. Celle de Pollux, parce que je n'en avais été averti que sept mois plus tard, parce que je m'étais déjà accoutumé à son absence (même si elle anéantissait toutes mes forces), m'avait plutôt arraché quelque chose. En perdant tout espoir de la revoir, le sentiment de désespoir s'estompait lui aussi en partie – du moins le désespoir « actif ». (Comme quelqu'un qui marche sur un fil et perd l'équilibre, tombe et se retrouve par terre un mètre plus bas, perd également toute sensation de déséquilibre.) Il m'était impossible de faire le deuil d'une femme morte depuis sept mois. Il était trop tard. Je ne pouvais plus que continuer à vivre sans l'accepter. La mort de Pollux était devenue irréelle. Je me suis arrêté au milieu d'une allée de Hyde Park. Debout sur cette vaste étendue presque plane, silencieuse et nue, j'ai regardé autour de moi et j'ai compris cependant très clairement que, comme mon amie d'enfance, elle était descendue sous l'écorce terrestre et ne remonterait plus jamais à la surface.

Dans un bar de Soho – rempli de pédés bien plus accueillants et chaleureux que le reste de la population londonienne –, je buvais une pinte de bière australienne et retrouvais des images de Pollux. Assise dans le métro, sachant que je l'observais depuis l'autre quai, elle regardait droit devant elle, sérieuse. Elle jetait un gros caillou dans le port de Ouistreham. Elle laissait dans la boîte cartonnée toutes les croûtes d'une pizza que nous avions commandée. Dans la voiture, elle se penchait pour chercher des cassettes au fond de la boîte à gants.

Un soir, au comptoir du O'Bar, près de Piccadilly, une fille soûle m'a jeté un verre de bière en pleine figure en hurlant que je n'arrêtais pas de la tripoter. « Bastard ! » Je n'avais même pas remarqué sa présence à côté de moi. L'un de ses amis a bien failli me mettre en pièces, mais je devais avoir l'air si résigné, si passif, qu'il a fini par me laisser tranquille.

Je suis parti au bout de cinq jours. À part traîner dans les pubs, je ne savais pas quoi faire dans cette ville.

J'ai mis le cap sur Amsterdam, au hasard – en repassant par Roissy, presque par réflexe, comme si je craignais encore de trop m'éloigner. Je n'y suis resté que vingt-quatre heures, dégoûté par cette ville. J'ai bien essayé de me promener le long des canaux, d'admirer ces maisons magnifiques sans me soucier du reste – c'est-à-dire des habitants, des boutiques, du vingtième siècle hollandais – mais la beauté passée de la ville me semblait noyée, ensevelie sous plusieurs couches de laideur et de mauvais goût. J'ai fini par me réfugier dans une salle de jeux, devant un jackpot agaçant qui absorbait toute mon attention. Dès le lendemain, je suis parti pour Barcelone.

Je me suis installé dans un petit hôtel trop cher de la vieille ville et n'ai visité que les endroits touristiques : les Ramblas, la Sagrada Familia, l'horrible village olympique. Puis je suis allé vers le port. Là, j'ai vu un jeune couple sortir d'une voiture. Des Espagnols, mais visiblement touristes ici. Après les avoir dépassés, je me suis retourné vers eux. L'homme tenait la femme par les épaules, ils admiraient un gigantesque bateau de croisière. De loin, je me suis vu en Normandie avec Pollux. Eux deux, là-bas. Ils se connaissaient peut-être depuis dix jours, il l'avait peut-être niquée la veille à la fenêtre d'un hôtel de Séville, ils jouaient peut-être à « ¿ *Quien soy ?* » dans la voiture en se dirigeant vers Barcelone. En tout cas, ils avaient une histoire, des secrets, des souvenirs, des points communs. En m'attardant un moment sur leurs deux silhouettes jointes, j'ai eu le sentiment de les envelopper d'attention, de les encourager, de les aimer sans qu'ils le sachent. Ils avaient un passé, une vie intérieure. Quel mystère.

Le troisième ou le quatrième jour, j'étais assis sur une chaise de plastique orange, devant une bière chaude, abruti de soleil sur le terre-plein central des Ramblas, et je pensais à Pollux, disparue, volatilisée. Morte. Elle souriait en me tendant sa petite 4L Majorette rouge. Elle me tournait le dos, penchée au-dessus du clavier de son ordinateur, elle écrivait un article à propos de je ne sais quelle exposition pendant que je feuilletais un magazine sur son lit. Elle sortait de sa salle de bains en peignoir pour me demander si j'avais pensé à laisser des croquettes à Caracas, en passant un Demak'up sur sa pommette droite. À Jersey, elle courait se mettre à l'abri sous un porche, en tenant son sac bleu à deux mains au-dessus de sa tête – moi, je continuais à marcher, pour pouvoir la regarder courir.

Soudain, de l'autre côté de la Rambla, encadré par deux policiers, j'ai reconnu Hannibal, la petite frappe de Marseille qui avait massacré le coiffeur chauve. Il était habillé comme un clochard et ne s'était pas rasé depuis plusieurs jours, mais je suis certain que c'était lui. Ses cheveux avaient poussé et son regard n'avait plus rien de cette arrogance minable qu'il arborait le soir de notre rencontre au Charme slave, cent ans plus tôt. Il paraissait maussade et désabusé, il se traînait tout au fond de la société – de la société espagnole, en l'occurrence. L'un des policiers le tenait par le col et le poussait sans ménagement. Hannibal ne semblait même pas songer à protester. Ce serait un drôle de hasard, mais je crois bien que c'était lui, oui. S'il avait tourné la tête de mon côté, il m'aurait sans doute trouvé changé, moi aussi. Non, il ne se souvenait probablement pas de moi.

À Rome, j'étais assis sous un parasol dans un café à touristes, en face du Colisée. Je buvais un whisky au prix d'une bouteille, je fumais une Camel, les jambes croisées, je suivais des yeux les filles qui passaient devant la terrasse en scooter, comme dans les films des années soixante, j'admirais le Colisée – qui se dresserait toujours là, au bord de la route, pépère, un siècle après ma mort. (Un peu plus tôt, j'étais allé voir à travers les grilles les dizaines de chats sauvages qui vivaient à l'intérieur. Une pensée pour Caracas, qui devait ronfler dans l'un des fauteuils de ma sœur. Curieusement, j'ai imaginé que tous ces chats efflanqués et méfiants seraient toujours là un siècle après ma mort, eux aussi.) Un car rempli de Japonais est passé devant le bar. Je devais paraître naturel et décontracté car ils collaient leur nez à la vitre et m'observaient comme une curiosité locale, un bon exemple de la population romaine – rien ne pouvait leur laisser deviner que je me trouvais dans le plus grossier des attrape-touristes. J'en ai retiré une certaine fierté, sans savoir pourquoi. Peut-être simplement parce qu'ils me considéraient comme un élément du décor, quelqu'un de parfaitement intégré à la vie ici. Ils croyaient sans doute que j'étais chez moi, « à ma place ».

Je les ai regardés de l'air le plus le distrait possible, comme si je voyais tant de cars défiler dans ma ville que je n'y prêtais même plus attention. Je me suis même massé pensivement l'arête du nez pour leur montrer combien j'étais détendu.

Mais en voyant s'éloigner ce long bloc de métal bourré d'êtres humains à l'abri, ce petit bastion roulant qui tranchait Rome, j'ai repensé à celui qui avait écrasé Pollux contre un immeuble. Une image très nette m'est venue à l'esprit : pour éliminer la femme que j'aime, l'humanité tout entière monte dans une sorte de char d'assaut, un engin qui peut contenir tout le monde, puissant et froid, solide, rugissant, l'humanité se serre les coudes, rentre la tête dans les épaules et va percuter Pollux Lesiak de face, lui broie le corps et lui éclate la tête contre un mur.

Assise sur le rebord de la baignoire, elle se coupait les ongles, concentrée, appliquée. Face à la mer, dans la chambre d'hôtel de Granville, elle remontait sa culotte et me lançait un regard amusé par-dessus son épaule. Au réveil, elle restait toujours assise un long moment au bord du lit avant de se lever. Elle se tenait debout sur le trottoir, trempée, son tabouret cassé à la main.

Un soir, sur le chemin de l'hôtel, une pute m'a convaincu de monter avec elle. Elle portait un body blanc en dentelle, une jupe de skaï noir, des bas filés et des talons aiguilles. Je l'ai suivie jusqu'à l'hôtel en souriant de sa démarche (qui ressemblait à celle des patineuses lorsqu'elles sortent de la glace, sur la pointe des patins, dans leur costume ridicule). Entre quatre murs crasseux et sur un couvre-lit rose qui crissait sous les ongles, elle a fait tout ce qu'elle a pu pendant vingt minutes pour me mettre en marche, assise sur le bord du lit où je m'étais docilement allongé, en me lançant des regards pressés et en pestant comme quelqu'un qui n'arrive pas à faire tenir un château de cartes (je m'efforçais de la comparer à sa collègue Helena pour essayer d'éprouver un peu de tendresse, mais l'effet obtenu était évidemment à l'opposé de celui que j'espérais – je me voyais en client répugnant), puis, de rage, elle a jeté la capote encore en rondelle et m'a chassé de la chambre en me traitant d'impuissant. Quand j'ai franchi la porte, je l'ai entendue cracher derrière moi.

J'ai pris un avion jusqu'à New York, où un ami des Zoptek possédait un appartement qu'il n'utilisait que deux mois par an – je devais passer chercher les clés chez quelqu'un d'autre. C'était un trois-pièces assez spacieux et clair, dans la 43e Rue, à quelques pas de Times Square et de son effervescence de fin du monde. Je me plaisais presque à New York, à Manhattan, dans ce grand fourre-tout bâti en hauteur, cet entrepôt de pierre qui abrite les derniers sursauts de l'espèce humaine, plein de folies en vrac et de rêves qui s'achèvent. Pour une fois, je me sentais plus ou moins « à ma place » dans ce cimetière hurlant de la planète.

Le premier jour, dans les toilettes de l'appartement, j'ai trouvé une araignée toute seule au milieu de sa toile, parfaitement immobile. Je me suis dit qu'elle attendait probablement déjà là à l'époque où je vivais encore à Paris. Une araignée seule au plafond d'un appartement vide, à l'autre bout du monde, qui ne fait rien d'autre que tisser sa toile et attendre sans bouger – ou ne pas attendre. Sans que personne le sache. Tant de solitude. Loin de tout. J'ai éprouvé quelque chose d'indéfinissable. La sensation d'une énigme, triste.

Durant les deux semaines que j'ai passées à New York, j'essayais de me comporter comme les héros des romans américains que j'aimais lire quelques années plus tôt. Je regardais le *Johnny Carson Show* à la télé, en mangeant des sandwichs thon-mayonnaise et en buvant de la Bud en bouteille, la nuit, en caleçon.

Le matin, je me levais le plus tôt possible pour marcher dans les rues de Manhattan avant qu'elles ne brûlent. J'achetais toujours une petite bouteille de jus d'orange dans une épicerie rutilante tenue par un Mexicain, deux doughnuts dans un grand bar de Broadway, sous les néons duquel traînaient déjà quelques épaves de la nuit, pâles et ensablées, puis je flânais dans les rues sans ciel jusqu'à Battery Park, avant de remonter en ligne droite par les longues et larges avenues jusqu'à Central Park, où je mangeais un sandwich à treize heures. Un jour, devant le Madison Square Garden, un jeune couple s'est approché de moi timidement. L'homme, un grand blond sans menton, m'a tendu un vieil Instamatic et m'a demandé dans un anglais approximatif si je pouvais les prendre en photo, tous les deux. Bon. C'était de bonne guerre. Je ne leur ai pas coupé la tête.

En reprenant mon chemin, j'ai sorti de mon portefeuille la photo de Pollux et moi à Étretat. La regarder m'était insupportable. Pollux me pinçait la taille, l'air très sérieux. Elle portait des baskets rouges. Une mèche de cheveux lui tombait sur l'œil gauche. Je me suis souvenu que, ce jour-là, sous son pantalon, elle avait les deux genoux écorchés. Deux nuits plus tôt, dans la chambre de Granville, elle s'était assise à califourchon sur moi, par terre, et s'était brûlé les genoux sur la moquette. Il ne fallait pas que je regarde cette photo. C'était de la douleur pour la douleur, du masochisme. Je l'ai posée sur un banc dans Washington Square. Quelqu'un a dû la trouver. Avec un peu de chance, il s'est demandé qui nous étions, ce que nous faisions en ce moment.

J'ai quitté New York peu après, pour me prouver qu'on pouvait en ressortir, puis j'ai passé deux jours à Los Angeles et quelques heures à Las Vegas – je suis sûr que, si un expert vivait assez longtemps pour visiter chaque kilomètre carré du globe, il nommerait Las Vegas sans hésiter lorsqu'on lui demanderait, sur son lit de mort, de désigner l'endroit le plus hideux du monde.

À Tokyo, j'ai senti que je m'essoufflais. Les rues me paraissaient certes un peu plus bruyantes, grouillantes et colorées qu'ailleurs, mais que pouvais-je y faire d'autre que marcher sans but, comme à New York ou à Barcelone, picoler dans les bars, comme à Paris ou à Londres, dépenser mon argent dans les machines à sous, comme à Las Vegas ou à Amsterdam, ou regarder les filles qui passent à toute vitesse comme à Rome et partout ailleurs ? Je n'avais rien à faire à Tokyo.

Je ne quittais presque plus ma chambre d'hôtel, au vingt-troisième étage d'une tour blanche, enfermé en hauteur. Engourdi devant la télé, je voyais défiler des films, des documentaires et des émissions dans toutes les langues. Maria Callas, la forêt amazonienne, des compétitions cyclistes, *Mission impossible* en japonais, les rats de laboratoire, Hitler en super-8, des défilés de mode, les temples de Louqsor et de Karnak, *La Notte* en anglais, Richard Nixon, l'élevage des autruches, *Ben Hur* en espagnol, les grands paquebots de la première moitié du siècle, la chirurgie esthétique, la puissance de Sony, la carrière de Marvin Hagler, le sida en Chine, Lady Di, *James Bond contre Dr No* en japonais, le réchauffement de la planète, Julia Roberts, Staline. Je pressentais que quelque chose était possible, mais ne savais pas quoi.

Je ne savais plus où chercher, surtout. Ni même si cela pouvait s'atteindre. Je me voyais comme un archéologue qui chercherait les ruines d'une ville mythique sans posséder la moindre information à son sujet, sans savoir si elle a réellement existé, sans savoir dans quelle partie du monde elle se dressait peut-être autrefois, et sans savoir si les techniques modernes permettraient éventuellement de creuser assez profond pour la retrouver. Cet archéologue – à qui l'on aurait dit : « Essayez de fouiller sur le site de Koublak. » (« Le site de quoi ? ») « De Koublak. » (« Qu'est-ce que c'est que ça ? ») « Débrouillez-vous. » (« Mais ça se trouve où, Koublak ? ») « Vous devenez agaçant. Débrouillez-vous » – ne persévérerait sans doute pas longtemps. J'en étais là. Que Koublak reste enfoui, tant pis, je n'allais pas courir éternellement. Comme je l'avais prédit plusieurs mois auparavant, j'étais un bateau sans voile depuis la disparition de Pollux Lesiak. Je dérivais partout dans le monde, malheureux comme une pierre (qui flotte). J'avais beau ne m'arrêter que dans les villes célèbres, essayer de rester sur les rails qui mènent tranquillement aux sites touristiques, pour ne pas avoir la sensation de m'égarer complètement dans le monde vague, et continuer à avancer coûte que coûte pour ne pas couler, le manque d'énergie et de volonté me forçait maintenant à regarder la réalité en face : j'allais n'importe où et je n'y faisais rien. Et bien que ce soit exactement ce que j'avais imaginé en partant de Paris, j'en avais marre. Voilà. J'avais tout fui, de toutes les manières possibles – et j'en étais toujours au même point, la fatigue en plus. Comme dans les pires cauchemars : on veut se sauver mais on reste sur place.

J'arrêtais tout brutalement, comme mon amie d'enfance ? Je m'allongeais et j'attendais que ça s'arrête tout seul, comme Helena ? Je continuais à marcher entre les bus, comme Pollux ?

Encore une fois, le hasard s'est occupé de mon cas : le feu a pris dans l'une des chambres de la tour, neuf étages en dessous du mien.

Ils ont réussi à maîtriser l'incendie assez rapidement et les occupants de l'hôtel s'en sont tirés avec une belle frayeur. Mais cela a suffi à me faire quitter Tokyo. Cela devenait presque drôle : je viens me percher en haut d'une tour, à des milliers de kilomètres de tout ce que je connais, et le feu s'attaque à cette tour, sous mes pieds, pour essayer de la faire tomber – et de la réduire en cendres, au cas où j'aurais survécu par miracle à la chute.

C'était une bonne raison pour décider de m'enfuir encore. Sans cet incident, j'aurais peut-être fini par demander la nationalité japonaise. Et à l'instant même où j'ai compris que j'allais quitter cette ville d'un moment à l'autre, ma destination suivante m'est apparue comme une évidence.

60

J'allais visiter l'Égypte. Ce serait parfait pour moi. Il suffirait de suivre le Nil sans réfléchir, de se laisser guider entre et sur ses rives par une agence quelconque, sans s'aventurer dans le désert, et de remonter ainsi paisiblement jusqu'au lac Nasser. Le lit du Nil serait un long conduit dont je ne pourrais pas sortir. Je ne sais si ce projet m'est venu en tête grâce au reportage qu'avait diffusé je ne sais quelle chaîne de télévision du monde à propos des temples de Louqsor et de Karnak, si la recherche des ruines de Koublak m'avait inconsciemment poussé vers l'une des plus anciennes civilisations ou si cette idée s'était imposée à moi par sa simplicité (je ne voulais plus dériver dans tous les sens : je n'avais qu'à suivre le cours d'un large fleuve presque rectiligne, du nord au sud ; je ne voulais pas rester sur place mais n'avais plus la force d'avancer : je n'avais qu'à me laisser emporter lentement par un bateau), je me demande si Oscar ne m'a pas inspiré discrètement, mais je sais qu'en l'espace d'un instant, au bar de l'hôtel de Tokyo, j'ai deviné que je ne pouvais plus aller qu'en Égypte. C'était une certitude comparable à celle de la boule de flipper qui sent que, pour fuir ce vacarme, ces éclats de lumière et ces chocs à répétition, elle doit se résoudre à suivre l'inclinaison de la pente et à descendre tout droit, non pas pour disparaître, espère-t-elle, mais pour revenir quelques secondes plus tard dans le couloir de lancement, ragaillardie. Ou même pour disparaître, après tout, tant pis. N'importe quoi plutôt que ces coups violents sur la tête.

Je suis revenu à Paris pour acheter mon billet de croisière dans une agence – si je partais de Tokyo, le touropérateur tenait absolument à me ramener à Tokyo. Il ne devait pas me rester grand-chose sur mon compte en banque, mais j'ai préféré ne pas me renseigner à ce sujet. Je n'ai prévenu personne de mon retour, j'ai écouté les messages de mon répondeur d'une oreille distraite, je ne me suis nourri que de pizzas-mobylettes jusqu'à la date du départ et ne suis sorti qu'aux heures creuses, en poussant la précaution jusqu'à changer de bureau de tabac, pour être certain de ne croiser personne que je connaissais dans le quartier. J'ai vécu chez moi comme à Londres ou à Tokyo, oisif et incognito.

Quelques jours plus tard, je bouclais ma ceinture dans un Boeing d'Egypt Air à destination de Louqsor, entouré de mes futurs compagnons de croisière.

Pendant le voyage, une hôtesse brune me sourit très gentiment, comme une mère ou une infirmière. Comme si elle acceptait de bon cœur de m'accueillir dans son avion. Elle ne fait que son métier, mais c'est touchant quand même.

Dès la traversée de Louqsor, dans le bus qui nous emmenait au bateau, j'ai pressenti que ce pays me conviendrait mieux que les autres. Je ne voyais que des maisons rouge clair et des champs de canne à sucre, des silhouettes paisibles, hautes et nobles, et des ânes qui avançaient stoïquement dans la chaleur, sous le ciel bleu.

Après qu'une cabine m'eut été assignée à l'avant du bateau, je suis sorti avec les autres pour visiter le temple de Louqsor. Je me suis éloigné du groupe et du guide pour pouvoir choisir mon chemin librement entre les murs épais et les colonnes, dans la poussière chaude, entre les grosses pierres claires, les bas-reliefs et les hiéroglyphes. Je suis resté longtemps assis au pied d'une énorme colonne, plus calme que je ne l'avais été depuis longtemps. Je regardais les ruines du temple, les touristes et les Égyptiens, je ne pensais à rien. J'éprouvais une agréable sensation de fatigue, de repos.

Le soir, nous avons dîné sur le bateau immobile, dans une salle de restaurant à demi pleine seulement, où les vacanciers en chemisette colorée, rigolards et déjà rouges, se laissaient copieusement servir par des Égyptiens élégants et dignes. Dès que les Européens avaient le dos tourné, ils se montraient gais et farceurs, comme s'ils ne souffraient pas de devoir se rabaisser, dans leur propre pays, à servir docilement des touristes pour la plupart ingrats qui possédaient – selon les statistiques officielles fournies par le guide – quatre cents fois plus d'argent qu'eux. L'injure et la misère ne semblaient pas avoir de prise sur leur humour.

Avant de me coucher, cédant de bon cœur à un petit accès de sentimentalisme, j'ai posé sur la table de chevet de ma cabine la 4L Majorette rouge que m'avait offerte Pollux pour mon anniversaire. Elle m'accompagnerait pendant mon voyage sur le Nil. Contrairement à la photo, je pouvais la regarder sans souffrir. Ce n'était pas Pollux, c'était simplement la preuve de son existence. Ce n'était pas le souvenir d'une femme morte, c'était l'objet que m'avait confié une femme vivante. Une petite voiture rouge qui continuait Pollux Lesiak.

Le lendemain matin, nous sommes allés visiter l'immense temple de Karnak. Je l'avais vu à la télé, à Tokyo, j'en avais vu des milliers d'images depuis mes premiers manuels scolaires, mais debout à l'intérieur, c'était autre chose. Au milieu de ces pierres patiemment entassées et alignées par mes lointains prédécesseurs sur terre, face aux signes qu'ils avaient gravés, les pieds sur les mêmes dalles et la tête brûlée par le même soleil, j'ai eu le sentiment le plus simple, le plus bête, le plus saisissant, le plus pathétique et le plus joyeux : j'ai senti que j'étais un homme. Un être humain. Je suis un homme. Je suis un être humain. Qui se promène dans le temple de Karnak quelque temps après que d'autres l'ont construit.

Qui ne fait que continuer naturellement, passer où les autres sont passés, marcher sur leurs traces effacées, perpétuer leur présence en visitant leur absence, en m'installant dans leur absence – remplacer les autres, ceux qui sont morts. Un être humain qui ne réussit rien, que la chance néglige, qui perd des gens qu'il aime et fuit ceux qui restent, d'accord, bon, mais ça c'est une autre histoire. Je suis un être humain, c'est déjà une bonne base.

L'après-midi, nous avons traversé le Nil jusqu'aux Vallées des Reines et des Rois. Dans le tombeau de Néfertari – que nous étions parmi les premiers à pouvoir visiter depuis des milliers d'années –, j'ai vu le visage de Pollux, peint. Dans la salle du bas, sur un pilier à gauche, face au mur du fond, à hauteur d'œil, Pollux Lesiak était représentée trait pour trait, en couleurs vives, « comme si le peintre venait tout juste de sortir », disaient mes compagnons de voyage. Pollux Lesiak au visage paisible, à peine stylisé, au fond d'une grotte depuis plus de trois mille ans.

Plus tard, en suivant docilement mon groupe dans la Vallée des Rois, j'ai vu avec eux le sarcophage de Toutankhamon. Combien de fois l'avais-je déjà aperçu en photo, d'un œil distrait ? Six cent quarante. La différence, c'est que cette fois, le masque si serein du pharaon, ce visage trop doré, a pu me parler. Je ne me trouvais qu'à deux ou trois mètres de lui, j'ai entendu sa voix de jeune homme – malgré les quinze touristes bruyants qui se pressaient autour de moi sur le petit balcon qui surplombe le tombeau proprement dit, qui me marchaient sur les pieds et m'enfonçaient leurs coudes dans les côtes. Il n'a pas remué les lèvres, bien sûr : c'est de l'or ; ça ne bouge pas d'un millimètre. (Et du reste, tout le monde aurait hurlé de terreur.) Non, il s'est adressé à moi par télépathie mystique. Ce qui m'a le plus surpris, dans un premier temps, c'est qu'il parlait français – heureusement, d'ailleurs : s'il m'avait transmis quelque chose en égyptien ancien, des paroles fondamentales que je n'aurais ni comprises ni été capable de répéter ensuite à un traducteur, je me serais arraché les cheveux. Il a légèrement tourné les yeux en coin, sur sa droite, vers moi, il a entrouvert les lèvres de manière presque imperceptible – pour être honnête, je me demande si je ne fabule pas un peu, car je me souviens de n'avoir noté aucun mouvement de panique parmi mes collègues touristes – et il a parlé dans ma tête. J'ai sans doute pété les plombs une bonne fois pour toutes, je n'en sais rien, j'étais peut-être encore plus désespéré que je ne le croyais (ce qui m'a rassuré, dans les secondes qui ont suivi ses paroles, c'est que je me suis aussitôt dit : « Voilà, mon pauvre vieux, tu es fou, il fallait s'y attendre » ⊥ or on dit toujours que ce qui caractérise les fous, c'est qu'ils ne se rendent pas compte de leur état (même si rien ne le prouvera jamais)), mais j'ai bel et bien entendu sa voix. Pas une voix grave comme on imagine celles d'outre-tombe. Une voix plutôt fluette, modeste. Il m'a dit la même chose que mon amie d'enfance :

« Ne t'inquiète pas. »

J'ai fixé son visage immobile et si placide, imperturbable, pendant de longues secondes, en me répétant que ça devait arriver un jour ou l'autre, puis je suis sorti m'asseoir sur un rocher. Après tout, malade mental, ça ne changeait pas grand-chose.

Avant de revenir au bateau, je suis allé marcher dans le souk. Entre toutes ces petites boutiques, ces lumières, ces couleurs, ces odeurs, ces épices, ces étoffes et ces parfums, j'ai repensé à Diortown, où j'avais bu du vin avec Pollux lors de notre première journée ensemble. Je me promenais à présent dans le décor initial, dans l'original. Même si tous ces étals étaient destinés aux touristes comme moi, je le savais bien, je me sentais en territoire ami. À chaque pas, des marchands m'attrapaient par le coude, me débitaient deux ou trois phrases en français apprises par cœur et tentaient de m'entraîner à l'intérieur de leurs boutiques. Ils se montraient aussi envahissants et pénibles que tous les marchands du monde, mais dès qu'ils s'apercevaient que je n'étais pas intéressé, dès qu'ils avaient la certitude qu'ils ne me soutireraient pas une livre, ils se métamorphosaient : leur visage devenait plus naturellement souriant, ils se mettaient à plaisanter, me posaient des questions, m'offraient même parfois du thé. Ils se trouvaient en face d'un salopard de touriste français qui vient trimbaler ses fesses chez eux et les observer comme des animaux à Thoiry mais refuse de lâcher ses précieux billets (qu'est-ce que j'aurais fait d'un châle en soie ou d'un sac de safran, moi ? – c'était du faux safran, d'ailleurs, m'a dit un épicier), ils venaient de rater une affaire, mais ils prenaient tout de même le temps de parler et de rire, comme si les problèmes de l'existence, c'était « autre chose ». (Ils savaient probablement qu'ils réussiraient à plumer le prochain pigeon qui passerait devant chez eux, sa colombe au bras (l'un d'eux m'a expliqué qu'il vendait la plupart de ses articles à un prix quatre ou cinq fois supérieur à celui que paierait un client avisé), mais rien ne les aurait empêchés de m'ignorer ou même de me chasser pour mettre la main plus rapidement sur un autre passant. Quel intérêt ou quel plaisir pouvaient-ils bien trouver à discuter avec moi ?) Ils me fascinaient. Ils m'intriguaient.

À la tombée de la nuit, je buvais un whisky dans le bar Art déco du Winter Palace, un hôtel somptueux situé près du port où se trouvait notre bateau. Ne t'inquiète pas, ne t'inquiète pas. J'essaie de ne pas m'inquiéter depuis deux ans, depuis que la notion de souci m'est apparue, mais rien n'y fait. Je m'inquiète toujours. C'est plus fort que moi, je n'arrive pas à rester calme en pensant que je vais peut-être me faire attaquer par quelqu'un, être victime d'une erreur judiciaire, tomber dans un gouffre ou perdre ceux que j'aime. Ne t'inquiète pas. C'est facile à dire.

Dans la nuit, notre bateau a enfin quitté Louqsor et entamé sa remontée du Nil vers le sud. À partir de maintenant, je ne pouvais plus m'enfuir. J'étais pris en charge, emporté, guidé, je devais aller jusqu'au bout.

Le lendemain matin au réveil, j'ai regardé par la fenêtre de ma cabine. La berge défilait lentement, à cent ou deux cents mètres du bateau, luxuriante, gonflée de verdure et d'humidité, d'eucalyptus, de palmiers. De temps à autre, on apercevait un petit village de maisons en terre, carrées et basses, des ânes, des oiseaux, des silhouettes humaines, lentes et gracieuses, enveloppées de tissu clair. Au-delà de cet étroit couloir de vie, le désert s'étendait à perte de vue. J'ai ouvert la fenêtre, encore endormi, je me suis accoudé sur le rebord, et j'ai dû rester plus d'une demi-heure à contempler ce paysage étrange, l'eau, puis la végétation, puis le sable, ces gens qui travaillaient sans se presser entre le fleuve et le désert, depuis cinq ou six mille ans, certainement résignés à ne vivre que sur une bande de terre cultivable, mais malgré tout, certainement reconnaissants envers le Nil, qui semblait déborder sur le désert pour répandre ses bienfaits vers eux, leur faire profiter de sa puissance et de sa richesse. Pâle et ébouriffé, les yeux gonflés, les tempes encore douloureuses, je me laissais progressivement pénétrer par un sentiment de bien-être profond et surprenant, que je ne comprenais pas. Je me suis traîné jusqu'à la douche.

Je passais mes journées sur le pont supérieur du bateau, à boire du café ou du thé, des jus de fruits ou de la bière quand le soleil m'écrasait, et à admirer, de chaque côté, ces lisières verdoyantes qui m'avaient si fortement troublé le premier matin de la croisière. Les autres passagers du bateau n'existaient plus pour moi, je ne les voyais plus, ne les entendais plus, et le bateau lui-même disparaissait peu à peu sous moi, autour de moi. Je flottais seul entre les rives du Nil. Je m'imaginais en observateur invisible et privilégié qui traverserait l'existence des hommes sur une sorte de voie parallèle, inaccessible, un chemin secret réservé à cet usage, le Nil. Je passais entre la vie, je voyais tout mais personne ne me voyait, je pouvais réfléchir et chercher tranquillement à percer le mystère que recelaient ces berges, sans craindre que personne vienne m'attaquer. Il aurait fallu nager jusqu'à moi. Je me sentais protégé.

Chaque jour, nous nous arrêtions quelque part (Esna, Edfou, Kom Ombo), j'essayais de m'éloigner du groupe, je prenais des calèches bringuebalantes et délicieusement kitsch, rapiécées de partout, pleines de loupiotes et d'images religieuses, tirées par de vieux chevaux philosophes et conduites par des chauffards goguenards qui aimaient secouer le touriste. Nous passions à toute allure dans les rues claires et animées des petites villes, devant des cafés où tous les hommes fumaient le narghilé, des maisons aux fenêtres sans carreaux, dans lesquelles on devinait parfois une femme, puis j'allais me promener dans le calme des temples et le tumulte des souks (en inversant mes horaires de visites, lorsque c'était possible, je pouvais me promener dans le calme des souks et le tumulte des temples). Le soir même, le bateau repartait vers l'étape suivante.

Avant et après dîner, je m'installais pour boire quelques whiskies dans un fauteuil au bar du bateau, près des baies vitrées, entouré de Français ou d'Allemands bruyants, sous l'œil d'un barman amusé que je trouvais très sympathique. Dans un groupe de touristes bretons, j'ai repéré un couple de vieillards qui ne se lâchaient quasiment jamais la main, coulaient sans cesse des regards doux et attendris l'un vers l'autre, se touchaient mutuellement les genoux ou les épaules, comme pour s'assurer que l'autre était toujours là, échangeaient même de temps en temps de petits baisers flétris mais humides. Ça me dégoûtait. Au milieu des autres « seniors » du club des Hirondelles de Plougasnou, ils ressemblaient à deux mourants qui refuseraient obstinément d'avouer qu'ils ne sont plus adolescents, butés et tenaces, grotesques. Le troisième soir, en tendant l'oreille, j'ai appris qu'ils étaient veufs tous les deux et ne s'étaient rencontrés que quelques mois plus tôt, lors d'un tournoi interclubs de rami (les Myosotis d'Odette avaient donné une

véritable leçon de jeu aux Hirondelles de Louis). J'ai
d'abord eu une réaction de tristesse et de révolte –
presque de colère – en pensant à leurs conjoints morts.
Louis avait passé toute sa vie avec Simone, disons, peut-
être quarante ou cinquante ans, ils avaient grandi, mûri,
vieilli ensemble, ils avaient traversé des moments de
grande difficulté où seule la présence de l'autre leur permettait de tenir le coup, ils avaient vécu des instants de
bonheur secret à vingt ans, trente ans, soixante ans, ils
avaient *terminé* leur vie ensemble. Simone s'était éteinte
au bout du chemin dans les bras de Louis, baignée de ses
larmes, elle était morte en se disant que l'homme de sa
vie l'avait accompagnée jusqu'au bout et qu'elle avait fait
de même, une belle réussite, c'était la fin du parcours, on
l'avait mise sereine en terre – et Louis faisait à présent
des papouilles à Odette. Simone pensait sans doute avec
émotion qu'il ne restait plus à son époux que quelques
mois à tenir avant de la rejoindre, des mois arides et
vains sans elle, et soudain ce diable d'homme avait un
sursaut de vigueur, repartait comme en 14 et tripotait
maintenant la cuisse d'une championne de rami dans un
bateau sur le Nil. Pauvre Simone, si brave, si naïve.
Après la vie, après la vie de couple, après une vie entière
dont on devrait sortir épuisé et comblé, on en voulait
encore et on pouvait en avoir, on pouvait donner un dernier coup de reins et aller faire la java en croisière.

Je m'apitoyais sincèrement sur le sort des époux dis-
parus, qui n'avaient plus aucun moyen de lutter, de
reconquérir leur belle ou leur prince. (« Qu'est-ce que tu
fais, Louis, pour l'amour du ciel ? Reviens ici ! Ce n'est
pas la peine de hurler, Simone, je n'entends rien. Tu es
morte, laisse-moi vivre. ») Et brusquement, au milieu du
dégoût, un petit point d'enthousiasme ému est apparu.
C'était plutôt une bonne chose, après tout, pour Odette
et Louis. S'il leur restait quelques forces après toute une
vie au service du mariage, pourquoi ne pas batifoler pendant les dernières années ? Ça ne faisait de mal à personne. Qu'est-ce qui me prenait, tout à coup, de me

proclamer avocat de la partie civile, juge tant qu'on y est, et de vociférer du haut de ma chaire, rouge de colère ? Le petit point de clémence s'est rapidement étendu et, quelques secondes plus tard, je considérais les vieux tourtereaux d'un autre œil. C'était horriblement triste, mais beau quand même. Pas triste, donc. Gai. C'était bien au-dessus de moi, au-dessus de tout le monde, au-dessus de tout jugement. Je n'avais qu'une chose à faire : la fermer deux secondes et me contenter de constater humblement. La vie est atroce, bon. Ou la vie est belle. La vie est belle parce qu'elle est atroce ? Mouais. Le lion décharné déchire les flancs d'une jeune gazelle : c'est atroce ou c'est beau ? Aimer une femme puis en aimer une autre, c'est beau ou c'est atroce ? Pourquoi la vie est belle ? Je n'en sais rien. Je me noie dans la mélasse. On peut dire que la vie est belle parce qu'elle est atroce et qu'elle continue malgré tout ? Mouais. De toute façon, qu'est-ce qui m'arrive ? Je suis désespéré depuis des mois, je n'ai plus goût à rien, je pars mourir – ou presque – en Haute-Égypte, et brusquement je me demande pourquoi la vie est belle ? Non : je me demande pourquoi elle est atroce. C'est la même chose. C'est la preuve qu'elle m'intéresse. Je perds la tête ? Je n'ai aucune fierté ? En fait, ce sont les deux vieux, là, qui m'ont remué. Et des tas de petits détails, depuis Louqsor. (Oscar ?) En tout cas, il faut que j'arrête de me demander si la vie est belle ou atroce. Ce n'est pas mon problème. Est-ce que le commandant de ce bateau se demande à longueur de journée si le Nil est d'une belle couleur ? Est-ce que ça changerait quelque chose, pour lui ? D'un autre côté, c'est son métier, il est obligé de le faire. Tandis que moi… Je n'ai plus envie d'avancer. J'y suis peut-être obligé, moi aussi, je ne sais pas. Mais ce n'est pas en me grattant la tête que ça va changer quoi que ce soit. Je dois arrêter de réfléchir, coûte que coûte. Je le sens – comme si j'entendais Oscar murmurer : « Je m'occupe de tout, ne t'inquiète pas. » Lui aussi.

Ne t'inquiète pas, ne réfléchis pas. Je me sentais sur une piste, pourtant. Depuis Louqsor, plus encore que face à la télé japonaise et de manière plus réelle, plus proche et plus attirante, j'avais le sentiment que quelque chose était possible. Mais bien que tout semble peu à peu s'éclairer autour de moi, malgré une certaine sensation de confort, je ne savais toujours pas quoi. Et je ne le saurais jamais, c'était une évidence. Un homme-grenouille peut se balader tant qu'il veut dans les fonds marins, il ne saura jamais ce que les poissons font là, ce qui leur plaît dans le milieu aquatique, ce qu'ils attendent, ce qui les maintient en vie, ce qui empêche une malheureuse sardine de se décourager quand un requin lui a donné trois torgnoles avec sa queue dans la même journée. Sous l'eau, il ressentira à peu près la même chose qu'eux, c'est tout. Je réfléchissais pour rien. Mais si au moins je pouvais ressentir le plaisir de l'homme-grenouille, ce serait déjà bien. Si je pouvais affronter la vie comme la sardine – même sans comprendre ce qui la pousse à repartir à la recherche de son banc après la dérouillée que lui a infligée le requin, même sans savoir, tant pis –, ce serait déjà bien. Je n'étais peut-être plus très loin d'y parvenir, je sentais que ce voyage sur le Nil m'avait fait du bien, mais je sentais aussi qu'il aurait fallu qu'il dure beaucoup plus longtemps. Car nous approchions d'Assouan. Ensuite, le bateau repartait vers Louqsor. Pour moi, c'était hors de question si je n'avais pas, au moins, touché du doigt ce « quelque chose » que je devinais possible. Revenir vers le nord sans avoir terminé mon voyage, ce serait comme un renoncement. L'idéal, même, ce serait un Nil infini. Remonter le Nil jusqu'à la fin de mes jours.

Mais nous approchions d'Assouan.

Et à force d'approcher d'Assouan, peu à peu, nous sommes arrivés à Assouan. Lorsque le guide nous a emmenés sur le fameux barrage, j'ai compris que je ne pouvais pas aller plus loin. La vue de ce barrage gigantesque, d'abord. Mais pire encore, lorsque j'ai regardé de l'autre côté, vers le sud : le lac Nasser. Il me paraissait beaucoup trop vaste pour que je puisse espérer continuer dans cette direction. Ce n'était plus un canal rassurant, comme le Nil, mais une étendue immense, qui me semblait sans limites et dans laquelle je me perdrais, comme avant, comme dans le monde, comme dans Paris.

J'étais arrivé au bout du chemin avant d'avoir trouvé une solution à mon problème. Alors, étant donné que :

1. Je ne pouvais plus avancer.

2. Je refusais de reculer.

Je suis resté sur place.

Facile.

Je me suis sauvé pour ne pas revenir avec eux vers Louqsor, vers le nord, vers le haut. Ce n'était pas une solution, mais comme il n'y en avait pas d'autre, ça revenait au même. J'ai profité d'une visite groupée dans le souk d'Assouan pour me faufiler dans une allée et disparaître. (J'aurais pu les prévenir, personne n'aurait pu me forcer à poursuivre la croisière, mais j'ai eu peur de devoir m'expliquer – un gamin (qui fugue dans la nuit glaciale, en plein Massif central, parce qu'il a eu 2 en maths et ne sait pas comment il va pouvoir faire avaler ça à ses vieux).) Je suis parti chercher mes affaires sur le bateau, en douce, puis je suis allé traîner le plus loin possible du centre touristique (je savais que mon groupe ne risquait pas de s'aventurer dans les quartiers réservés aux barbares voleurs de caméscopes et spécialistes de la traite des Blanches) et après la tombée de la nuit, j'ai pris une chambre dans le plus bel hôtel de la ville, le Old Cataract. Je ne devais plus avoir un sou à Paris, mais je faisais confiance à Clémentine. Et en y réfléchissant bien, je n'étais même plus sûr de rentrer un jour.

Le départ du bateau était prévu le lendemain. Ils ont dû s'inquiéter. C'est un peu bête de ma part. Ce n'est pas très gentil. Ou plutôt si, au contraire. Non seulement ma disparition ne leur ferait ni chaud ni froid, mais surtout cela donnerait une histoire terrible et dramatique à raconter aux Hirondelles et aux Myosotis.

61

J'ai passé trois jours entre ma chambre et la grande terrasse de l'hôtel, qui surplombait le Nil. Le cadre était splendide, je peux dire ça. Bon. Mais moi, non.

Il allait bien falloir que je trouve quelque chose, pourtant. J'avais décidé de payer ma chambre tous les deux jours avec ma Carte bleue, pour savoir précisément à quel moment Clémentine me couperait les vivres (si au bout de trois semaines je m'apercevais que je ne pouvais pas payer et qu'on me jetait en prison au fin fond de l'Égypte, ce serait le pompon). En attendant ce jour fatidique, je pensais de toutes mes forces – tout en essayant de ne pas réfléchir. Ce qui n'est pas commode.

Je ne pouvais pas retourner vers la civilisation dans cet état, sans courage et sans armes – je me ferais écraser comme une punaise avant d'être sorti de Roissy. Et si je trouvais des armes par terre, par miracle, comment ferais-je pour aller combattre et m'amuser à la foire du Trône, par exemple, sans Pollux ? J'étais dans une impasse et, au fond de l'Égypte, je me sentais physiquement dans une impasse, le dos au barrage.

Toutefois, je n'étais pas venu jusqu'ici pour rien. J'avais récolté pas mal de trucs en route, plus ou moins consciemment. Il fallait maintenant les assembler, ou du moins les regrouper en vrac près de moi et les fourrer dans un sac. Je ne distinguais rien de précis, je ne voyais même rien, mais j'entrevoyais – c'est encourageant.

Pour penser sans réfléchir, je me tournais vers les souvenirs. N'importe lesquels, pourvu que ça mousse.

Ma sœur Pascale m'avait expliqué un jour l'une des raisons probables de la longue crise d'anorexie qui l'avait laissée rachitique au bout de l'adolescence. Nous étions tout petits lorsque ma mère était venue nous annoncer la mort de notre oncle, que nous aimions beaucoup. Pascale était en train de manger un éclair au chocolat. Après un moment de stupeur, elle n'avait pu s'empêcher de le finir, de se régaler, de l'avaler goulûment en frissonnant de plaisir. Plus tard, elle avait culpabilisé. La nourriture, la honte. En l'entendant me raconter cela vingt ans plus tard, je m'étais demandé comment l'on pouvait gâcher toute une partie de sa vie à cause d'un moment de plaisir. « C'est bête, excuse-moi de te le dire. C'est bon, le chocolat. Il faut s'en priver parce qu'on est triste ? Quel rapport avec la mort de tonton ? Qu'est-ce que ça aurait changé pour lui, ou pour toi, si tu avais jeté le reste de ton éclair à la poubelle ? Tu avais honte de rester vivante ou quoi ? »

La dernière fois que j'avais vu Véronique, mon amie qu'un fiancé jaloux avait étranglée avec un câble d'antenne, je lui avais dit de ne pas s'inquiéter. Comme Toutankhamon, mon amie d'enfance et Oscar. Mais je ne l'entendais pas dans le même sens qu'eux. En gros, je lui disais de ne pas s'inquiéter parce que tout se passait toujours bien, et que lorsque les choses allaient de travers, en tout cas, elles s'arrangeaient vite. Je m'étais trompé, donc, puisqu'elle était morte quelques heures plus tard. Mieux valait s'inquiéter. Mais à mon avis, la bande à Toutankhamon ne parlait pas tout à fait de la même chose. « Ne t'inquiète pas », cela signifiait sans doute pour eux : « Tout va mal, les gens se cassent des jambes, perdent aux courses, meurent ou découvrent des inconnus dans leur lit, mais malgré tout, ne t'inquiète pas. Ce n'est rien. » Je n'en étais pas sûr, mais c'est le pressentiment que j'avais – même si je trouvais ce conseil pour le moins saugrenu. Je ne comprenais rien. Il est mystérieux, ce Toutankhamon.

J'ai repensé au monstre qui avait dévasté ma cuisine, taché ma moquette, et qui refusait de se laisser refouler. Vu d'Assouan, c'était moins cauchemardesque. Presque drôle, même. C'était une pensée agréable, en tout cas, puisque ce moment était passé. À la limite, je préférais me souvenir de cette Peau-d'Âne enragée plutôt que d'une petite grimace de Pollux sur la plage, ça me rendait moins triste. Cette salope de Perfidie qui m'avait scié les poignets au commissariat, mon pantalon lacéré après la soirée chez ma sœur, mon cri d'épouvante en découvrant Laure toute nue dans ma baignoire, tout cela n'avait plus grande importance. (Le poncif du bateau et de son sillage qui s'estompe dans le lointain fonctionnait à merveille.) Pour résumer : ces péripéties, c'était rien du tout. Je prenais même du plaisir à y repenser : je me voyais paniquant comme un petit bonhomme hystérique, terrorisé. Un « mauvais souvenir », ça ne peut pas exister – justement parce que c'est un souvenir. (C'est un peu comme les rêves et les cauchemars. J'ai toujours préféré les cauchemars, j'ai toujours préféré me réveiller en soupirant : « Ouf, on ne m'a pas amputé des deux bras, la vie est belle », plutôt qu'en soupirant : « Zut, je ne suis pas une star mondiale de la pop, la vie est atroce. »)

Quant aux souvenirs de Pollux, à toutes ces images arrêtées, ces instants lumineux qui émergeaient des dix-sept jours que j'avais passés avec elle, ils m'adoucissaient, finalement. Un peu comme sa 4L Majorette rouge. C'était tout ce que je gardais d'elle – et tout ce que je savais d'elle : des fragments récoltés en surface, des aperçus. Je ne la connaissais pas. Mais je pouvais me dire, avec une bonne dose de nostalgie nunuche mais apaisante : « J'ai vécu de vrais moments de plaisir. »

L'idéal, ce serait de généraliser, et de continuer. Mais c'est ici que je bloquais. Je ne savais pas comment aborder l'ensemble, ce qui m'attendait dehors (les gens, les voitures, les ennuis, les déceptions, le hasard et tout ce qui va avec). Et en me le demandant, je recommençais à réfléchir malgré moi. Mais je ne pouvais rien faire d'autre, je ne savais rien faire d'autre. Il allait cependant falloir que je retourne dans le monde, bientôt. Ou non. Pourtant, il ne me manquait plus qu'un déclic, je le savais, une étincelle, un coup de pouce. Oscar ? Oscar devait m'aider : j'avais épuisé toutes les ressources de mon pauvre cerveau, seule ma bonne étoile pouvait venir à mon secours, désormais. À condition que j'arrête une fois pour toutes de réfléchir – heureux les simples d'esprit, ce n'est sans doute pas une phrase en l'air. Que je n'essaie plus de percer le moindre mystère. Que je cesse de chercher à comprendre, que je cesse de me montrer si pitoyablement prétentieux. Que je renonce, dans le calme et la sagesse, comme les moines remarquables. Le mystère de la vie, le mystère de l'amour et de je ne sais quoi encore, je devais laisser tomber tout ça. Dès que je devinerais la présence d'un mystère quelconque, je le laisserais tranquille. Voilà. Bien. De quel droit irais-je fouiller dans ses entrailles, après tout ? Ne plus réfléchir. Constater. Regarder, constater et vivre. Mais vivre où ? Comment ? Comment ne pas se faire massacrer ? Oscar ? Regarder quoi ?

Du coin de l'œil, j'ai aperçu la télécommande, posée sur la table de nuit. Regarder la télé ? Très drôle. Je vais me laisser hypnotiser, opiumiser par des âneries pour oublier mes problèmes ? M'évader, comme ils disent avec tant de cynisme ? Attendre la mort les yeux braqués sur un écran ? Mais les voies d'Oscar sont impénétrables. Elle est bien là, cette télécommande, près de moi. Et si cette télécommande est là, s'il n'y a rien d'autre dans cette chambre, c'est probablement que je dois m'en servir. Ne pas chercher à comprendre, surtout. Les voies du hasard sont impénétrables. Je vais allumer la télé, tant pis.

Je n'avais rien d'autre à faire pour éviter de réfléchir, de toute manière.

REGARDEZ LA TÉLÉ

C'était un reportage sur les chameaux. Le commentaire était dit en anglais, avec un fort accent oriental. Il ne s'agissait pas de n'importe quels chameaux. Ces chameaux-là n'avaient rien à voir avec ceux que j'avais croisés près des grands sites touristiques, depuis mon arrivée en Égypte (« Tu veux la promenade de cha-

meau ? Dix livres, pas cher »), ni avec ceux des cara-
vanes qui traversent le Sahara. Il s'agissait de chameaux
sauvages (ou de dromadaires sauvages, peut-être) qui
vivaient, d'après ce que j'ai compris en prenant le documentaire en route, en Australie. On trouve des chameaux à l'état sauvage en Australie, première nouvelle.
La suite n'était pas moins déconcertante.

Un chameau sauvage vit paisiblement au cœur de
l'Australie, accompagné des quelques femelles qui
constituent son harem de chameau. Jusque-là, rien que
de très banal, nombreuses sont les espèces qui ont
adopté ce système injuste – ne citons que le coq et ses
poules, même si le fermier n'est pas étranger à cette
affaire. Mais soudain, voici que s'approche un rival. Sûr
de lui, arrogant, majestueux – et solitaire, pourtant. Nul
ne sait ce qui l'a éloigné de ses chamelles, ou ce qui les a
fait fuir, mais le fait est qu'il erre seul. Étrange nature...
Que cherche-t-il ? Nous le savons tous. Il cherche, mais
oui, à prendre la place de son bienheureux congénère.
Déjà, il avance vers lui d'un pas conquérant et vient le
défier. Animal fier, animal d'honneur, gonflé d'orgueil, le
chameau ne peut refuser d'affronter l'audacieux rival.
Que penseraient les chamelles ? Ne quitteraient-elles pas
ce lâche au plus vite ? C'est probable. Aussi, voici maintenant notre mâle responsable qui part à la rencontre du
joli cœur en goguette. Les deux adversaires s'immobili-
sent à quelques mètres l'un de l'autre et se fixent longuement, droit dans les yeux. Le face-à-face est tendu. Nous
retenons notre souffle, sachant que le combat va s'engager d'un instant à l'autre. Que va-t-il se passer ? Vont-ils
se lancer l'un contre l'autre ? Se donner de furieux coups
de pattes ? Se servir de leur cou comme d'une puissante
massue ? Eh bien non. Rien de tout cela. Nos deux ennemis se rangent côte à côte et commencent à s'éloigner
lentement du groupe des chamelles tremblantes. Ne
nous y trompons pas : on jurerait deux vieux camarades
en promenade, mais il s'agit bel et bien d'un duel. Tout

en avançant d'un pas de sénateur, chacun fait valoir ses qualités, met ses atouts en valeur, qui son cou long et flexible, parfaitement dessiné, qui son port de tête altier, qui ses bosses encore fermes, qui sa moue dédaigneuse, qui sa démarche noble et aérienne. Le combat fait rage, les deux concurrents donnent toute leur puissance, aucun détail n'est négligé – « Vois comme ma queue se balance gracieusement », semble dire l'un d'eux, et l'autre de lui répondre : « Que penses-tu de la finesse de mes oreilles ? » –, la lutte est âpre et l'issue indécise. N'est-ce pas déjà une belle preuve d'intelligence, que cet affrontement sans violence ? Voilà deux adversaires qui se haïssent, mais qui ont compris qu'il n'est point besoin de faire couler le sang pour régler les problèmes. Ah, que ne sommes-nous capables de nous inspirer d'eux ! Mais ne rêvons pas trop. Et revenons à nos chameaux, car le plus étonnant reste encore à venir. En effet, après quelques minutes de cette parade si singulière, voici que l'un des deux s'arrête et… Mais que fait-il ? C'est bien cela : il se couche sur le flanc, dans le sable. C'est probablement le vaincu, qui vient de comprendre que l'autre lui était supérieur et qu'en découdre plus longtemps avec lui serait inutile. Mais ouvrons grands nos yeux, car une surprise de taille nous attend. En effet, que voyons-nous ? L'autre s'éloigne vers l'horizon, tête basse, tandis que celui qui s'était couché se redresse fièrement et va rejoindre ses chamelles, la lippe triomphante. Comment est-ce possible ? Il nous faut pourtant l'admettre : c'est le vainqueur qui a décidé de sa victoire, en se couchant le premier. « Je suis plus beau que toi, je suis plus fort que toi, j'ai gagné. » Le plus ahurissant n'est-il pas que l'autre ait accepté sa défaite sans broncher, soit parti sans hésiter une seconde ? Sans doute. Chez les chameaux sauvages d'Australie, il suffirait donc d'estimer que la victoire – sa propre victoire – est acquise pour qu'elle le soit réellement ? Apparemment. N'est-ce pas un exemple unique, parmi toutes les espèces vivantes ? Peut-être. Étrange nature…

Je suis resté un moment les sourcils froncés face à l'écran. Je m'étais promis de ne pas réfléchir. Je savais bien que ce n'était sûrement pas aussi simple chez les hommes, qu'il ne suffisait pas de dire à son banquier : « Ce n'est rien du tout, ce découvert, laissez-moi tirer d'autres chèques, j'ai gagné », pour qu'il réponde : « Ah, d'accord, j'avoue, je suis battu, allez-y », ni d'expliquer à une femme qu'étant donné qu'on est très beau et très drôle elle ne peut que nous tomber dans les bras. (« Et ne t'avise pas de résister, car je te signale que j'ai gagné. ») Mais la technique du chameau sauvage me paraissait bien moins terre à terre que cela, moins *applicable*, plus métaphysique. Je ne comprenais pas – j'avais une impression globale de compréhension. Il ne fallait surtout pas que je réfléchisse. Je devais me contenter de constater, et de continuer. Il ne fallait pas que j'essaie d'adapter bêtement ce principe aux petits soucis de la vie quotidienne. Il ne fallait pas non plus que je pense au chameau vaincu. Il ne fallait pas que je me demande si, avec l'accent si prononcé du commentateur, je n'avais pas tout interprété de travers. L'important, ce n'étaient pas les véritables mœurs du chameau sauvage, c'était ce que je croyais en savoir. (Le rôle d'Oscar avait-il été de me faire tomber par hasard sur ce reportage, ou de me brouiller l'esprit pour que je le comprenne mal ? (Si j'avais appris que le chameau qui se couchait était celui qui se considérait comme vaincu, je pense que j'aurais simplement éteint la télé à la fin, en grommelant.))

J'ai vu un chameau sauvage qui déterminait lui-même s'il avait gagné le combat, c'est tout. Il ne faut pas que je cherche plus loin. Je regarde, j'enregistre, rien de plus.

Le chameau sauvage fait ce qu'il veut.

Le chameau sauvage décide lui-même de tout.

Il suffit que le chameau sauvage se croie invincible pour qu'il le devienne.

Personne ne peut rien contre le chameau sauvage.

L'autre, le chameau qui a perdu le duel, c'est celui qui ne savait pas qu'il était invincible.

Et de toute manière, le chameau vaincu, en s'éloignant des chamelles perdues à tout jamais, ne paraissait pas si accablé. Il avait sa démarche de chameau, quoi.

Je ne suis pas un chameau, mais je dois pouvoir tirer quelque chose de cela. C'est une drôle de pointure, ce chameau sauvage. Et si j'essayais ? Personne ne peut rien contre Halvard Sanz, ça sonnerait pas mal. Halvard Sanz fait ce qu'il veut. À ce moment, j'ai tourné les yeux vers le réveil de voyage que j'avais emporté. Il était 16 h 35. Je ne sais pas exactement ce qui m'est arrivé (encore Oscar ?) : mes yeux sont restés rivés pendant une bonne minute sur la grande aiguille. Moins 25. Je voyais ma vie entre 16 h 00 et 17 h 00. Je fixais la grande aiguille, sur le 7, et je pensais : « J'en suis là. » C'était sans doute faux, je n'étais probablement pas encore dans la seconde moitié de mon existence, mais j'avais pourtant le sentiment, très net, de ne plus me trouver qu'à 25 minutes de la fin. Je ne parvenais pas à détacher mon regard de ce réveil. Ma vie entre 16 h 00 et 17 h 00. Il ne restait plus à l'aiguille qu'à remonter jusqu'en haut, et ce serait terminé. Je serais mort. Ce serait affreusement rapide. Il était déjà 36, d'ailleurs.

Sans réfléchir, sans essayer, presque sans m'en apercevoir, je suis devenu un chameau sauvage. Simplement parce que j'en avais vu un. Je pouvais faire ce que je voulais, car j'étais invincible. Si une folle revenait renverser de la soupe chez moi, si des pompiers cassaient ma fenêtre, je leur rirais au nez. Si quelqu'un mourait, je pleurerais et je continuerais à vivre.

Je pouvais faire ce que je voulais.

J'ai téléphoné à l'aéroport et j'ai réservé une place dans un vol pour Paris. Rien de libre avant le surlendemain. Pas de problème.

Le lendemain, j'ai pris une felouque et suis allé voir les nombreux chameaux à touristes, près du mausolée de l'Aga Khan. Pauvres bêtes domptées, soumises, lasses et humiliées – rien à voir avec le chameau sauvage. Une grosse Anglaise est montée sur le dos de l'un d'eux, pour que son mari la prenne en photo. Le chameau docile s'est levé péniblement. Je me suis approché, il a tourné la tête vers moi. C'est absurde, mais je n'étais sans doute pas dans mon état normal : quand il m'a regardé, j'ai deviné dans ses yeux que c'était un chameau sauvage, lui aussi, malgré les apparences. On ne pouvait pas tomber plus bas que lui, et pourtant, grâce à la télépathie de chameau, il m'a dit : « Ne t'inquiète pas. J'ai l'air pitoyable, je sais, je suis cloué ici, je fais tout ce qu'on me dit de faire, mais c'est quand même moi qui gagne. Je t'assure. Tu sais pourquoi ? Parce que je suis invincible. »

Je n'ai jamais su s'il plaisantait ou non. Mais en l'observant plus attentivement, j'ai eu l'impression que non. On ne peut jamais être sûr, avec les bêtes, c'est plus difficile à percer à jour que les hommes, mais quoi qu'il en soit, en levant les yeux vers la grosse Anglaise, j'ai compris qu'elle n'avait rien gagné du tout, elle. Elle paraissait bien plus ridicule que le chameau, et moins sereine. Et ce n'est pas en ruant pour la jeter par terre qu'il consoliderait sa victoire. L'action, l'agressivité, ce n'est pas pour le chameau sauvage. Oh non. Il gagne parce qu'il sait qu'il gagne, je l'ai déjà dit.

J'ai adressé un petit clin d'œil au chameau. Il ne m'a pas répondu. Ce n'est pas grave, on se comprend.

Le soir, dans ma chambre, je pensais. Personne ne savait que j'étais à Assouan, seul dans un hôtel luxueux au bord du Nil. Je me sentais comme l'araignée dans l'appartement de New York. Je me voyais comme une énigme – mais pas triste. Car j'allais revenir. La boule de flipper n'avait pas l'intention de rester au fond de son trou, en fin de compte. À présent, elle voulait à tout prix repasser dans le couloir de lancement. Je repars.

pin-ball machine

62

Dans l'avion qui me ramenait vers Paris, lorsque l'hôtesse a posé un plateau devant moi, le dos de sa main a frotté sur le bord du siège.

– Aïe !

– Vous vous êtes fait mal ?

– Non, c'est rien, mais je me suis brûlée tout à l'heure avec la machine à café. Regardez. C'est moche, hein ? Quand ça frotte contre quelque chose, c'est un peu douloureux.

– Il faut vous mettre un pansement, non ?

– Oh, vous savez, on est habituées à souffrir.

Au décollage, j'avais remarqué que ma voisine de siège comptait à voix basse. Elle m'a expliqué que tous les accidents, au décollage, surviennent dans les dix premières secondes. Si l'on arrive à compter jusqu'à dix, on est sauvé. D'un côté, c'était rassurant, disait-elle, mais de l'autre c'était épouvantable : avant, elle ne s'inquiétait jamais ; et depuis qu'un ami lui avait parlé de ces dix secondes, son cœur battait comme un tambour jusqu'à dix. Elle m'a même avoué qu'elle avait si peur qu'elle accélérait toujours le décompte à partir de cinq ou six – tant pis pour la réalité du temps. Elle sentait que c'était ridicule, mais la peur était plus forte que la raison. Une peur telle qu'elle aurait pu faire tomber l'avion, comme elle pouvait accélérer les secondes. Elle répétait sans arrêt, nerveusement : « J'ai peur qu'on s'écrase, j'ai peur qu'on s'écrase. Même après le dix, maintenant. Tout le temps. Même à l'atterrissage. J'ai peur qu'on s'écrase. »

J'allais retrouver Caracas, mon assistante. J'allais retrouver ma sœur Pascale, un neveu que je ne connaissais pas, mes parents magiques, les Zoptek, l'actrice, Marthe, Clémentine, tout le monde, et j'allais enfin réussir à retrouver Catherine quelque part. Mais pas mon amie d'enfance. Pas Pollux Lesiak. Je retrouverais un monde sans Pollux Lesiak. Le plus invincible des chameaux sauvages ne peut rien contre l'absence, contre le manque, contre le vide. Il ne peut que regarder le monde sans elle. J'étais triste, mais pas effaré, pas anéanti. Presque calme, en pensant à elle. Je garderais sa 4L Majorette rouge au fond de mon sac matelot. Pollux n'était plus là. Je ne pouvais que le constater et en souffrir, en essayant de ne pas m'apitoyer sur moi-même. Ce n'était qu'un problème simple et insoluble. J'avais envie de la revoir.

Je retournais à Paris, à fond la caisse dans le couloir de lancement, je repartais pour un tour. Je fonçais droit vers la grande ville. Tout allait recommencer, bien sûr. J'allais recevoir toutes sortes de coups, j'allais rater la moitié de ce que j'entreprendrais, j'allais me faire incarcérer pour avoir voulu sauver un bébé des pattes d'un tripier, j'allais subir le sort de toutes les boules de flipper qu'on relance. J'allais en prendre plein la tête. (Cela dit, le froid approchait, j'espérais tout de même que le radiateur de ma salle de bains ne serait pas en panne.)

Nous n'étions plus qu'à quelques minutes de l'atterrissage, à quelques minutes de Paris. Comme on me le demandait, j'ai écrasé ma cigarette, relevé ma tablette et attaché ma ceinture. La main de ma voisine se crispait sur l'accoudoir qui nous séparait. Je me sentais plus serein qu'elle. Je n'avais pas peur. J'avais envie de revenir en ville.